Vallende engelen

Tracy Chevalier

VALLENDE ENGELEN

Vertaald door Frans & Joyce Bruning

Uitgeverij BZZTôH
's-Gravenhage, 2002

Oorspronkelijke titel: Falling Angels

Redactie en productie: Vitataal, Oostum
Ontwerp omslag: Julie Bergen
Foto binnenwerk: © Alex Saunderson
Illustratie omslag: Getty Images
Zetwerk: Niels Kristensen
Druk- en bindwerk: Krips bv, Meppel

ISBN 90 5501 930 5

www.bzztoh.nl

Voor Jonathan, opnieuw

Januari 1901

KITTY COLEMAN

Vanmorgen werd ik wakker met een vreemde man in mijn bed. Het blonde hoofd naast me was beslist niet dat van mijn echtgenoot. Ik wist niet of ik me geshockeerd of geamuseerd moest voelen.

Nou ja, dacht ik, dit is in elk geval een oorspronkelijke manier om de nieuwe eeuw te beginnen.

Toen herinnerde ik me de avond tevoren en werd ik misselijk. Ik vroeg me af waar Richard ergens lag in dit kolossale huis en hoe we de ruil weer ongedaan konden maken. Alle anderen die hier waren – ook de man naast me – hadden veel meer ervaring in hoe je dit soort dingen aan moest pakken dan ik. Dan wij. Ondanks al die bluf van Richard gisteravond was hij evenmin als ik thuis in zulke zaken. Wel veel gretiger. Daar keek ik van op.

Ik stootte de slaper aan met mijn elleboog, eerst zachtjes en daarna harder, totdat hij ten slotte snuivend wakker werd.

'Wegwezen,' zei ik. En dat deed hij zonder protest. Gelukkig probeerde hij niet me te kussen. Hoe ik gisteravond die baard heb kunnen verdragen is me een raadsel – de wijn zal wel hebben geholpen. Mijn wangen zijn rood geïrriteerd.

Toen Richard een paar minuten later binnenkwam, met zijn kleren onder zijn arm, durfde ik hem nauwelijks aan te kijken. Ik schaamde me en ik was boos – boos omdat ik me moest schamen en omdat ik niet verwachtte dat hij zich ook zo zou voelen. Het maakte me nog kwader dat hij me gewoon kuste en zei: 'Hallo, schat,' en zich begon aan te kleden. Ik kon de parfum in zijn hals ruiken.

Toch kon ik niets zeggen. Zoals ik zelf zo vaak heb beweerd, ik ben ruimdenkend, en daar was ik trots op. Die woorden doen nu pijn.

Ik lag te kijken hoe Richard zich aankleedde en moest aan mijn broer denken. Harry plaagde me altijd omdat ik te veel dacht, al weigerde hij toe te geven dat het eigenlijk zijn schuld was, omdat hij me aanmoedigde. Maar al die avonden die hij met me doorbracht om samen met mij te herhalen wat zijn privéleraar hem 's morgens had bijgebracht – volgens hem was dat om hem te helpen onthouden –, wat hadden die me anders geleerd dan nadenken en voor mijn mening uitkomen? Misschien had hij er later spijt van. Dat zal ik nu niet meer te weten komen. Ik heb juist de rouwperiode voor hem achter de rug, maar soms is het net alsof ik dat telegram nog in mijn handen klem.

Harry zou zich vernederd voelen als hij zag wat zijn lessen hadden opgeleverd. Niet dat je veel verstand hoeft te hebben voor dit soort zaken, de meesten van hen beneden zijn zo stom als het achtereind van een varken, inclusief mijn blonde baard. Met geen van hen kon ik een fatsoenlijk gesprek voeren. Ik moest mijn toevlucht nemen tot de wijn.

Eerlijk gezegd ben ik opgelucht dat ik niet bij dit stel hoor; zo nu en dan bij hen in het ondiepe rondspartelen is meer dan genoeg voor mij. Ik vermoed dat Richard daar anders over denkt, maar hij heeft de verkeerde vrouw getrouwd als hij zo'n leven zou willen. Of misschien heb ik een slechte keus gemaakt – al zou ik dat nooit hebben gedacht in die tijd dat we dol op elkaar waren.

Volgens mij heeft Richard dit gedaan om me te laten zien dat hij niet zo conventioneel is als ik vreesde, maar op mij heeft het de omgekeerde uitwerking gehad. Hij was alles geworden wat ik niet had gedacht dat hij zou zijn toen we trouwden. Hij was ordinair geworden.

Ik voel me vanmorgen zo leeg. Vader en Harry zouden me hebben uitgelachen, maar heimelijk hoopte ik dat de eeuwwisseling in ons allen iets zou veranderen; dat Engeland op miraculeuze wijze zijn sjofele zwarte jas uit zou trekken en glanzend nieuw voor den dag zou komen. De twintigste eeuw is nog pas elf uur oud, maar ik weet heel goed dat er alleen maar een getal is veranderd.

Genoeg. Ze gaan vandaag uit rijden, en dat is niets voor mij. Ik zal met mijn koffie mijn toevlucht nemen tot de bibliotheek. Die zal ongetwijfeld leeg zijn.

RICHARD COLEMAN

Ik dacht dat ik Kitty terug zou krijgen door met een andere vrouw te slapen, dat jaloezie haar slaapkamerdeur weer voor me zou openen. Maar twee weken erna liet ze me net zomin binnen als voorheen.

Ik wil niet graag denken dat ik een wanhopige man ben, maar ik begrijp niet waarom mijn vrouw zo moeilijk doet. Ik heb haar een fatsoenlijk leven bezorgd en toch is ze nog steeds ongelukkig, al kan ze niet – of wil ze niet – zeggen waarom.

Het is genoeg om iedere man in de armen van een andere vrouw te drijven, al is het maar voor een nacht.

MAUDE COLEMAN

Toen pappie de engel op het graf naast het onze zag riep hij: 'Verduveld nog aan toe!'

Mammie lachte alleen maar.

Ik keek en keek tot ik pijn in mijn nek kreeg. Hij hing boven ons, met één voet naar voren en een hand die omhoog naar de hemel wees. Hij droeg een lang gewaad met een vierkante hals en had loshangend haar dat over zijn vleugels viel. Hij keek omlaag naar mij, maar hoe strak ik hem ook aanstaarde, hij leek me niet te zien.

Mammie en pappie begonnen te kibbelen. Pappie mag die engel niet. Ik weet niet of mammie ervan houdt of niet; dat zei ze niet. Volgens mij zit de urn die pappie op ons eigen graf heeft laten zetten haar meer dwars.

Ik wilde gaan zitten, maar dat durfde ik niet. Het was heel koud, te koud om op steen te zitten, en bovendien is de koningin dood, wat wil zeggen dat niemand kan gaan zitten, of spelen, of iets gezelligs doen.

Gisteravond in bed hoorde ik de klokken luiden en toen de kinderjuffrouw vanmorgen kwam, vertelde ze me dat de koningin gisteravond was gestorven. Ik at mijn pap heel langzaam op, om te zien of hij anders smaakte dan gisteren, nu de koningin er niet meer is. Maar hij smaakte precies hetzelfde – te zout. Mevrouw Baker maakt hem altijd zo.

Iedereen die we zagen op weg naar het kerkhof was in het zwart gekleed. Ik droeg een grijze wollen jurk en een wit schortje, dat ik toch al gedragen zou hebben, maar waarvan onze kinderjuffrouw zei dat een meisje dat best aan kon hebben als er iemand stierf. Meisjes hoeven geen zwart te dragen. Onze kinderjuffrouw hielp me met aankleden. Ze liet me mijn zwart-wit geruite mantel en bijpassende hoed dragen, maar ik was niet zo zeker van mijn mof van konijnenvel, en ik moest het mammie vragen, die zei dat het er niet toe deed wat ik droeg. Mammie had een blauwzijden jurk en stola aan, wat pappie niet aanstond.

Terwijl ze aan het kibbelen waren over de engel verborg ik mijn gezicht in mijn mof. Het bont is heel zacht. Toen hoorde ik een geluid alsof er op steen werd geklopt en toen ik mijn hoofd ophief, zag ik een paar blauwe ogen die boven de grafsteen naast de onze naar me keken. Ik staarde ernaar en het gezicht van een jongen dook op vanachter de steen. Zijn haren zaten onder de modder en zijn wangen waren ook smerig. Hij knipoogde tegen me en verdween toen achter de grafsteen.

Ik keek naar mammie en pappie, die een beetje verder het pad waren opgelopen om vanaf een andere plek naar de engel te kijken. De jongen hadden ze niet gezien. Ik liep achteruit tussen de graven door, met mijn ogen op hen gericht. Toen ik er zeker van was dat ze niet keken dook ik achter de steen.

De jongen zat er op zijn hurken tegenaan geleund.

'Waarom heb jij modder in je haren?' vroeg ik.

'Heb in een graf gezeten,' zei hij.

Ik bekeek hem wat nauwkeuriger. Hij zat overal onder het slik; het zat op zijn jasje, zijn knieën, zijn schoenen. Er zaten zelfs korreltjes in zijn wenkbrauwen.

'Mag ik het bont eens aanraken?' vroeg hij.

'Het is een mof,' zei ik. 'Mijn mof.'

'Mag ik hem aanraken?'

'Nee.' Toen speet het me dat ik dat gezegd had en ik stak de mof naar hem toe.

De jongen spuugde op zijn vingers, veegde ze af aan zijn jasje, stak zijn hand uit en aaide over het bont.

'Wat deed je onder in een graf?' vroeg ik.

'Onze pa helpen.'

'Wat doet je vader dan?'

'Hij delft graven natuurlijk. Ik help hem.'

Toen hoorden we een geluid alsof er een katje miauwde. We tuurden over de grafsteen en op het pad stond een meisje dat me recht in de ogen keek, net als ik had gedaan bij de jongen. Ze ging helemaal in het zwart gekleed en was heel knap, met helderbruine ogen en lange wimpers en een roomkleurige huid. Haar bruine haren waren lang en vol krullen en veel mooier dan de mijne, die glad afhangen, net als wasgoed, en die een onbestemde kleur hebben. Grootmoeder noemt mijn haar melkboerenhondenhaar, wat misschien waar is, maar niet erg vriendelijk. Grootmoeder zegt altijd alles wat ze denkt.

Het meisje deed me denken aan mijn favoriete chocolaatjes, hazelnoot met room, en alleen door naar haar te kijken wist ik dat ik haar als mijn hartsvriendin wilde hebben. Ik heb geen hartsvriendin en ik heb om eentje gebeden. Vaak heb ik me afgevraagd, als ik in St. Anne's zit en het steeds kouder krijg (waarom zijn kerken altijd zo koud!), of bidden echt werkt, maar dit keer lijkt God mijn gebeden verhoord te hebben.

'Gebruik je zakdoek, lieve Livy, dan ben je braaf.' De moeder van het meisje kwam het pad oplopen met een jonger meisje aan de hand. Een rijzige man met een rossige baard liep achter hen. Het jongere meisje was niet zo knap. Ofschoon ze op het andere meisje leek, was haar kin niet zo spits, haar haar niet zo gekruld, waren haar lippen niet zo vol. Haar ogen waren lichtbruin in plaats van donker en ze keek naar alles alsof niets haar verbaasde. Ze zag de jongen en mij direct.

'Lavinia,' zei het oudere meisje, ze schokschouderde en schudde met haar hoofd zodat haar krullen dansten. 'Mama, ik wil dat u en papa me Lavinia noemen, geen Livy.'

Ter plekke besloot ik dat ik haar nooit Livy maar altijd Lavinia zou noemen.

'Niet brutaal zijn tegen je moeder, Livy,' zei de man. 'Voor ons ben je Livy en daarmee uit. Livy is een prima naam. Als je ouder bent zullen we je Lavinia noemen.'

Lavinia sloeg fronsend haar ogen neer.

'Hou nu eens op met dat gehuil,' vervolgde hij. 'Ze was een goede koningin en ze heeft lang geleefd, maar er is geen reden voor een meisje van vijf om zoveel te huilen. Bovendien zul je Ivy May bang maken.' Hij knikte naar het zusje.

Ik keek weer naar Lavinia. Voor zover ik kon zien huilde ze helemaal niet, al draaide ze wel een zakdoek om haar vingers. Ik wenkte naar haar dat ze moest komen.

Lavinia glimlachte. Toen haar ouders zich omdraaiden stapte ze van het pad af en kwam ze achter de grafsteen staan.

'Ik ben ook vijf jaar,' zei ik toen ze naast ons stond. 'Maar in maart word ik zes.'

'Echt waar?' zei Lavinia. 'Ik word zes in februari.'

'Waarom noem jij jouw ouders mama en papa? Ik noem de mijne mammie en pappie.'

'Mama en papa is veel eleganter.' Lavinia keek naar de jongen die naast de grafsteen geknield zat. 'Zeg me eens hoe jij heet.'

'Maude,' antwoordde ik voordat ik besefte dat ze het tegen de jongen had.

'Simon.'

'Jij bent een heel smerige jongen.'

'Stop,' zei ik.

Lavinia keek me aan. 'Hoezo stop?'

Lavinia zette een stap achteruit.

'Ik ben leerling-grafdelver,' zei Simon. 'Eerst was ik kraai voor de begrafenisonderneming, maar onze pa nam me in dienst zo gauw ik een schop kon vasthouden.'

'Er waren drie doodbidders bij de begrafenis van mijn grootmoeder,' zei Lavinia. 'Een van hen kreeg met de zweep omdat hij lachte.'

'Mijn moeder zegt dat er niet meer van zulke begrafenissen zijn,' zei ik. 'Ze zegt dat ze te duur zijn en dat het geld aan de overlevenden besteed hoort te worden.'

'Onze familie heeft altijd doodbidders bij begrafenissen. Ik zal ook doodbidders hebben bij de mijne.'

'Ga je dan dood?' vroeg Simon.

'Natuurlijk niet!'

'Hebben jullie je kinderjuffrouw ook thuisgelaten?' vroeg ik, met het idee dat we over iets anders moesten praten voordat Lavinia van streek raakte en wegging.

Ze bloosde. 'Wij hebben geen kinderjuffrouw. Mama kan heel goed zelf voor ons zorgen.'

Ik kende geen kinderen die geen kinderjuffrouw hadden.

Lavinia keek naar mijn mof. 'Vind je mijn engel mooi?' vroeg ze. 'Ik mocht hem uitkiezen van mijn vader.'

'Mijn vader vindt hem niet mooi,' verklaarde ik, al wist ik dat ik niet moest herhalen wat pappie had gezegd. 'Hij noemde het sentimentele onzin.'

Lavinia fronste haar wenkbrauwen. 'Nou, papa vindt jullie urn afschuwelijk. Hoe dan ook, wat mankeert er aan mijn engel?'

'Ik vind 'm mooi,' zei de jongen.

'Ik ook,' loog ik.

'Ik vind hem prachtig,' zuchtte Lavinia. 'Als ik naar de hemel ga, wil ik erheen worden gebracht door precies zo'n engel.'

'Het is de mooiste engel op het kerkhof,' zei de jongen. 'Ik ken ze allemaal. Het zijn er 31. Zal ik ze jullie eens laten zien?'

'Eenendertig is een priemgetal,' zei ik. 'Het kan door geen ander getal worden gedeeld, behalve door één en door zichzelf.' Pappie had me verteld over priemgetallen, al had ik het niet helemaal begrepen.

Simon pakte een kooltje uit zijn zak en begon op de achterkant van de grafsteen te tekenen. Spoedig had hij een schedel met gekruiste knekels getekend – ronde oogkassen, een zwarte driehoek voor de neus, rijen vierkante tanden en een schaduw op één kant van het gezicht gekrast.

'Doe dat niet,' zei ik. Hij negeerde me. 'Zoiets kun je niet doen.'

'Ik heb het gedaan. Een heleboel. Kijk maar eens naar de stenen om ons heen.'

Ik keek naar ons familiegraf. Helemaal onderaan op de sokkel waar de urn op stond was een kleine schedel met gekruiste knekels gekrast. Pappie zou woedend zijn als hij het daar zag. Op alle stenen om ons heen zag ik een schedel met gekruiste knekels getekend. Ik had ze nooit eerder gezien.

'Ik ga er een tekenen op alle graven op het kerkhof,' vervolgde hij.

'Waarom teken je die?' vroeg ik. 'Waarom een schedel en gekruiste knekels?'

'Het doet je denken aan wat eronder ligt, nietwaar? Daarbeneden liggen allemaal knekels, wat je ook in het graf legt.'

'Stoute jongen,' zei Lavinia.

Simon kwam overeind. 'Ik zal er een voor jou tekenen,' zei hij. 'Ik zal er een tekenen op de rug van jouw engel.'

'Waag het eens,' zei Lavinia.

Simon liet direct het kooltje vallen.

Lavinia keek om zich heen alsof ze op het punt stond te gaan.

'Ik ken een gedicht,' zei Simon ineens.
'Wat voor gedicht? Van Tennyson?'
'Ik weet niet van wie z'n zoon. Het gaat zo:

Een jongeman uit Londen
Werd in een loden kist gevonden;
"Gezellig hier," zo lacht' hij blij
"Maar 'k wist niet dat ik nu," zei hij,
"Naar de hemel was gezonden."

'Bah! Wat walgelijk!' riep Lavinia. Simon en ik lachten.
'Onze pa zegt dat er een boel mensen levend zijn begraven,' zei Simon. 'Hij hoorde ze als ze in hun kist krabden wanneer hij er zand op gooide.'
'Echt waar? Mammie is bang dat ze levend wordt begraven,' zei ik.
'Ik kan het niet verdragen om dat te horen,' riep Lavinia en ze bedekte haar oren met haar handen. 'Ik ga terug.' Tussen de graven door liep ze naar haar ouders. Ik wilde achter haar aan lopen, maar Simon begon weer te praten.
'Onze opa is hier op de wei begraven.'
'Da's niet waar.'
'Echt waar.'
'Laat me zijn graf eens zien.'
Simon wees naar een rij houten kruisen tegenover het pad waar we stonden. Graven van arme mensen – mammie had me erover verteld en uitgelegd dat het stuk land gereserveerd was voor mensen die geen geld hadden om een eigen lapje grond te betalen.
'Welk kruis is van hem?' vroeg ik.
'Hij heeft er geen. Kruisen blijven niet goed. We hebben daar een rozenstruik geplant, zo weten we altijd waar hij ligt. Die heb-

ben we gejat uit een van de tuinen onder aan de heuvel.'

Ik kon de stronk van een struik zien, kort gesnoeid voor de winter. Wij wonen onder aan de heuvel en we hebben heel veel rozen aan de voorkant. Misschien was die rozenstruik wel van ons.

'Hij heeft hier ook gewerkt,' zei Simon. 'Net als onze pa en ik. Hij zei dat dit het mooiste kerkhof was van heel Londen. Hij zou niet begraven willen worden op een van de andere. Over die andere kon hij verhalen vertellen. Overal stapels botten. Lijken die begraven werden met alleen een zak zand erover. Bah, en stinken!' Simon wapperde met zijn hand voor zijn neus. 'En kerels die 's nachts lijken weghaalden. Hier was hij helemaal veilig, met een hoge muur met pieken eromheen.'

'Ik moet nu gaan,' zei ik. Ik wilde geen bang gezicht trekken, net als Lavinia, maar ik had geen zin over lijkenstank te horen.

Simon haalde zijn schouders op. 'Ik zou je wat dingen kunnen laten zien.'

'Misschien een andere keer.' Ik liep hard om onze families in te halen die samen opliepen. Lavinia pakte mijn hand en kneep erin en ik vond dat zo fijn dat ik haar kuste.

Toen we hand in hand de heuvel beklommen kon ik uit een ooghoek een spookachtige gedaante van de ene steen op de andere zien springen, hij volgde ons en liep dan weer voor ons uit. Ik wilde dat we bij hem waren gebleven.

Ik stootte Lavinia aan. 'Gekke jongen, vind je niet?' zei ik, naar zijn schaduw knikkend toen hij achter een obelisk verdween.

'Ik mag hem wel,' zei Lavinia, 'ook al praat hij over afschuwelijke dingen.'

'Zou je niet willen dat wij net zo weg konden lopen als hij?'

Lavinia glimlachte tegen me. 'Zullen we achter hem aan gaan?'

Ik had niet verwacht dat ze dat zou zeggen. Ik keek even naar de anderen; alleen Lavinia's zusje keek naar ons. 'Laten we dat doen,' fluisterde ik.

Ze kneep in mijn hand en we renden weg om hem te zoeken.

KITTY COLEMAN

Ik durf het niemand te zeggen, anders beschuldigen ze me nog van verraad, maar ik was heel opgewekt toen ik hoorde dat de koningin dood is. De matheid die ik sinds nieuwjaar heb gevoeld is verdwenen en ik moest erg mijn best doen om gepast ingetogen te blijven. De eeuwwisseling was slechts een verandering in getallen, maar nu zullen we werkelijk een andere leider krijgen en ik kan alleen maar denken dat Edward een betere vertegenwoordiger van ons is dan zijn moeder.

Voorlopig is er niets veranderd. Het werd van ons verwacht dat we met z'n allen naar het kerkhof gingen om te doen alsof we rouwen, ook al is daar niemand van de koninklijke familie begraven en komt de koningin er ook niet te liggen. De dood is daar, en dat is genoeg, denk ik.

Dat vervloekte kerkhof. Ik heb er nooit van gehouden.

Om eerlijk te zijn, het is niet de schuld van de plek zelf, die een lugubere charme heeft met zijn rijen graven die zich, de ene boven de andere – granieten grafstenen, Egyptische obelisken, gotische kerktorens, sokkels met kolommen, wenende dames, engelen en, natuurlijk, urnen – omhoog wentelen tot aan de fantastische Libanese ceder op de top. Ik ben zelfs bereid enkele van de meer absurde monumenten over het hoofd te zien, het zijn opzichtige uitbeeldingen van een familiestatus. Maar de gevoelens die de plek oproept bij rouwende mensen zijn naar mijn smaak te overdreven. Bovendien is het een kerkhof van de Colemans, niet van mijn familie. Ik mis het kerkhofje in Lincolnshire waar mammie en pappie begraven zijn en waar Harry nu zijn eigen steen heeft, ook al ligt zijn lichaam ergens in het zuiden van Afrika.

Het is allemaal te overdreven en onze belachelijke urn draagt daartoe bij. Wat valt hij op in zijn omgeving! Had Richard mij eerst maar om mijn mening gevraagd. Dit was niets voor hem, want ondanks al zijn gebreken is hij toch een verstandige man en hij moet hebben gezien dat de urn te groot was. Ik vermoed dat zijn moeder heeft geholpen bij het uitkiezen. Haar smaak is altijd opvallend geweest.

Ik vond het amusant naar hem te kijken terwijl hij sputterde over de engel die is opgericht op het graf naast de urn (veel te dichtbij eigenlijk – zo te zien kunnen ze elk moment op elkaar botsen). Ik had veel moeite mijn gezicht in de plooi te houden.

'Hoe durven ze ons hun smaak op te dringen,' zei hij. 'Het idee dat we naar die sentimentele onzin moeten kijken, elke keer dat we hier komen, maakt me misselijk.

'Het is sentimenteel, maar onschuldig,' antwoordde ik. 'In elk geval is het Italiaans marmer.'

'Het marmer kan me geen zier schelen! Ik wil die engel niet naast ons graf.'

'Heb je eraan gedacht dat zij misschien hetzelfde zeggen over de urn?'

'Aan onze urn mankeert niets!'

'En zij zouden zeggen dat er niets mankeert aan hun engel.'

'De engel ziet er belachelijk uit naast de urn. In feite staat hij veel te dichtbij.'

'Precies,' zei ik. 'Jij hebt hun geen ruimte voor iets anders overgelaten.'

'Natuurlijk wel. Nog een urn zou er prima hebben uitgezien.

Misschien een iets kleinere.'

Ik trok mijn wenkbrauwen op zoals ik dat doe als Maude iets geks heeft gezegd. 'Of desnoods net zo groot,' besloot Richard. 'Ja, dat zou er heel imposant hebben uitgezien, twee urnen. In plaats daarvan zitten we met dit dwaze ding.'

En zo ging hij maar door. De engelen met hun nietszeggende gezichten overal op het kerkhof zeiden me niet veel, maar ze stoorden me minder dan de urnen, iets ongewoons om op een graf te zetten als je bedenkt dat de Romeinen ze gebruikten om menselijke as in te doen. Een heidens symbool voor een christelijke maatschappij. Maar dat is trouwens al die Egyptische symboliek die je hier ziet ook. Toen ik Richard daarop wees, was hij in zijn wiek geschoten, maar zijn enige antwoord was: 'Die urn geeft waardigheid en luister aan het graf van de Colemans.'

Dat weet ik nog zo net niet. Totale banaliteit en misplaatste symboliek komen eerder in de buurt. Ik was zo verstandig dat niet te zeggen.

Hij ging maar door over de engel toen nota bene de eigenaars ervan verschenen, helemaal in het zwart gekleed: Albert en Gertrude Waterhouse – geen familie van de schilder, gaven ze toe. (Dat is maar goed ook, ik kan wel gillen als ik zijn decadente schilderijen in de Tate zie. De 'Lady of Shalott' in haar boot ziet eruit alsof ze net opium heeft gerookt.) We hadden hen nooit eerder ontmoet, al hebben ze hun graf al jaren. Ze zijn wat nietszeggend, hij is zo'n glimlachend type met een rossige baard, zij is een van die vrouwtjes van wie de taille is geruïneerd door kinderen, zodat hun jurken nooit goed passen. Haar haar heeft kronkels in plaats van krullen en piekt onder de pinnen uit.

Hun oudste dochter lijkt van Maudes leeftijd en heeft prachtig haar, glanzend bruin en gekruld. Het is een bazig, verwend ding; het schijnt dat haar vader de engel kocht omdat zij erop stond. Richard stikte zowat toen hij het hoorde. En ze droeg een zwarte jurk, afgezet met crêpe – nogal ordinair en onnodig voor een jong kind.

Maude viel natuurlijk direct op het meisje. Toen we samen door het kerkhof liepen bleef Lavinia haar ogen maar deppen met een zwart omrande zakdoek; ze huilde zelfs toen we langs het graf liepen van een jongetje dat al vijftig jaar dood was. Ik hoop maar dat Maude haar niet gaat nadoen. Zulke onzin kan ik absoluut niet uitstaan. Maude is heel verstandig maar ik kon merken dat ze zich aangetrokken voelde tot het gedrag van het meisje. Ze verdwenen samen, de hemel mag weten wat ze in hun schild voerden. Ze kwamen terug als de beste vriendinnen.

Ik vind het heel onwaarschijnlijk dat Gertrude Waterhouse en ik ooit goede vriendinnen zullen worden. Toen ze opnieuw zei hoe triest het was van de koningin kon ik niet nalaten op te merken dat Lavinia enorm leek te genieten van haar rouw.

Gertrude Waterhouse zweeg even en zei toen: 'Wat een beeldige jurk. Zo'n ongewone blauwe tint.'

Richard snoof verontwaardigd. We hadden flink ruziegemaakt over mijn jurk. In werkelijkheid was ik nu nogal in verlegenheid gebracht door mijn keus; sinds we de deur uit waren gegaan had ik niet één volwassene gezien die iets anders droeg dan zwart. Mijn jurk was donkerblauw, maar ik viel meer op dan ik van plan was geweest.

Ik besloot doortastend op te treden. 'Ja, ik vond niet dat zwart echt passend was om te dragen voor koningin Victoria,' verklaarde ik. 'Er gaan nu dingen veranderen. Het zal anders zijn met haar zoon. Ik weet zeker dat Edward een goede koning zal zijn. Hij heeft er lang genoeg op gewacht.'

'Te lang, als je het mij vraagt,' zei meneer Waterhouse. 'Arme kerel, hij heeft zijn beste dagen gehad.' Hij keek verlegen alsof hij zich verbaasde dat hij zijn mening had uitgesproken.

'Kennelijk niet met de dames,' zei ik. Ik kon het niet laten.

'O!' Gertrude Waterhouse keek ontsteld.

'In hemelsnaam, Kitty!' siste Richard. 'Mijn vrouw zegt altijd dingen die ze voor zich hoort te houden,' zei hij verontschuldigend tegen Albert Waterhouse, die onbehaaglijk grinnikte.

'Geeft niet, ik weet zeker dat ze het op andere manieren goedmaakt,' zei hij.

Het was stil terwijl we allemaal nadachten over die opmerking. Even duizelde het me toen ik me afvroeg of hij het misschien over oudjaar had, maar daar kon hij natuurlijk niets van weten, want hij hoort niet tot zo'n kring. Zelf heb ik erg geprobeerd het uit mijn hoofd te zetten. Richard heeft er sindsdien niet meer over gepraat, maar ik heb nu het gevoel dat ik die nacht een beetje ben gestorven en dat niets meer hetzelfde zal zijn, met of zonder nieuwe koning.

Toen kwamen de meisjes terug, helemaal buiten adem, en ze vormden een welkome afleiding. De familie Waterhouse verontschuldigde zich snel en ging weg en ik denk dat iedereen daardoor opgelucht was, behalve de meisjes. Lavinia huilde bijna en ik was bang dat Maude het ook zou gaan doen. Later hield ze niet op met praten over haar nieuwe vriendin totdat ik ten slotte beloofde dat ik iets zou regelen zodat ze elkaar konden zien. Ik hoop dat ze het op den duur zal vergeten, omdat de familie Waterhouse nu net het soort gezin is dat mij een minderwaardigheidscomplex bezorgt.

LAVINIA WATERHOUSE

Ik heb vandaag op het kerkhof een avontuur beleefd met mijn nieuwe vriendin en een ondeugende jongen. Ik ben vaak eerder op het kerkhof geweest, maar ik moest altijd in mama's buurt blijven. Maar vandaag maakten mama en papa kennis met de familie van wie het graf naast het onze is, en terwijl ze praatten over de dingen waar volwassenen over doorzaniken, gingen Maude en ik met Simon mee, de jongen die op het kerkhof werkt. We renden over de Egyptische Avenue en om de graftombben die rond de Libanese ceder liggen. Het is daar zo heerlijk dat ik bijna flauwviel van opwinding.

Daarna nam Simon ons mee langs alle engelen. Hij liet ons een prachtig engeltje zien bij de Terrascatacomben. Ik had het nooit eerder gezien. Het droeg een tuniekje en had korte vleugels en zijn hoofdje was van ons afgekeerd alsof het boos was en juist met zijn voet had gestampt. Het is zo mooi dat ik bijna wilde dat ik het voor ons graf had gekozen, maar het stond niet in het engelenboek in de werkplaats van de steenhouwer. Hoe dan ook, ik weet zeker dat mama en papa het eens zijn dat de engel die ik voor ons graf heb gekozen de beste is.

Simon nam ons mee naar andere engelen in de buurt en daarna zei hij dat hij ons een graf wilde laten zien dat zijn vader net had gedolven. Nou, daar had ik eigenlijk geen zin in maar Maude zei dat zij het wel wilde en ik wilde niet de indruk wekken dat ik bang was. Dus gingen we en we keken erin, en ofschoon ik er bang van werd, kreeg ik ook het vreemde gevoel dat ik in dat gat wilde gaan liggen. Natuurlijk deed ik zoiets niet, niet in mijn mooie jurk.

Toen we ons omkeerden verscheen er een afschuwelijke man. Hij had een heel rood gezicht en wangen vol stoppels en hij rook naar drank. Ik moest onwillekeurig gillen, ook al wist ik meteen dat het Simons vader was doordat ze dezelfde blauwe ogen hebben, net als stukjes hemel. Hij begon vreselijke dingen tegen Simon te schreeuwen, over waar hij had gezeten en waarom wij daar waren, en dat alles met de verschrikkelijkste woorden. We zouden van papa met de zweep hebben gekregen als Ivy May en ik zulke woorden zouden gebruiken. En papa gebruikt nooit de zweep. Zo slecht waren ze.

Daarna joeg de man Simon een paar rondjes om het graf totdat Simon er pardoes insprong! Nou ja. Ik wachtte niet af om meer te zien, Maude en ik renden als de weerlicht helemaal de heuvel af. Maude vroeg zich af of we niet terug moesten gaan om te kijken of alles goed was met Simon, maar ik wilde niet en zei dat onze ouders zich zorgen zouden maken over ons. Maar in werkelijkheid wilde ik die man niet meer zien want ik was bang voor hem. De ondeugende jongen kan voor zichzelf zorgen. Ik weet zeker dat hij vaak onder in graven zit.

Maude is dus mijn nieuwe vriendin en ik de hare, al zie ik niet in waarom zo'n weinig aantrekkelijk meisje een mooie mof moet hebben en ook een kinderjuffrouw, die ik geen van beide heb. En een knappe moeder met zo'n smalle taille en grote donkere ogen. Ik kon niet naar mama kijken zonder me een beetje te schamen. Het is echt zo oneerlijk.

GERTRUDE WATERHOUSE

Toen we het nieuws hoorden heb ik de hele nacht wakker gelegen en gepiekerd over onze kleren. Albert kon zijn zwarte kantoorpak dragen, met manchetknopen van git en een zwarte band voor zijn hoed. Rouw is altijd gemakkelijker geweest voor mannen. En Ivy May is zo jong dat we ons geen zorgen hoeven te maken over haar kleren.

Maar Livy en ik moesten ons passend kleden voor het overlijden van onze koningin. Voor mezelf kon het me niet zoveel schelen wat ik droeg, maar Livy is zo vreselijk kieskeurig en ze doet moeilijk als ze niet precies krijgt wat ze wil. Ik heb een erge hekel aan scènes met haar – het is dan net alsof ik aan het dansen ben en geen van de passen ken, terwijl zij ze allemaal kent, zodat ik het gevoel heb dat ik struikel en dom ben. En toch is ze pas vijf jaar! Albert zegt dat ik haar niet streng genoeg aanpak, maar híj kocht wel de engel voor haar die ze wilde voor het graf, terwijl hij weet hoe weinig geld we hebben voor zoiets nu we aan het sparen zijn om te verhuizen. Toch kan ik het hem niet kwalijk nemen. Het is zo belangrijk dat het graf een passende afspiegeling is van de gevoelens van de familie voor onze dierbaren. Livy weet dat heel goed en ze had gelijk: het graf vroeg om wat aandacht, vooral na die monsterachtige urn die ernaast werd geplaatst.

Ik stond vanmorgen heel vroeg op en vond toevallig een

stukje crêpe dat ik had bewaard na de rouw voor mijn tante. Ik had het weggestopt omdat ik het eigenlijk had moeten verbranden en ik wist dat Livy het verschrikkelijk zou vinden als ze het in huis zag. Het was niet genoeg om onze beide jurken af te zetten, daarom deed ik het bij die van haar met een stukje dat was overgebleven voor mijn hoed. Tegen de tijd dat ik klaar was met naaien was Livy op en ze was zo verrukt over het effect van de crêpe dat ze niet vroeg waar ik die vandaan had.

Door het beetje slaap en het vroeg wakker worden was ik zo moe tegen de tijd dat we op het kerkhof kwamen, dat ik bijna huilde toen ik de blauwe zijde zag die Kitty Coleman droeg. Mijn ogen deden er pijn van, net een pauw die met zijn veren pronkt op een begrafenis. Ik voelde me er erg sjofel door en ik schaamde me zelfs om naast haar te staan, omdat zoiets duidelijk om een vergelijking vroeg en me eraan deed denken dat mijn figuur niet meer is wat het eens was.

De enige troost die ik kon vinden – en het is een beschamende troost, ik zal God vragen me het te vergeven – was dat haar dochter Maude zo weinig aantrekkelijk is. Ik voel me trots als ik zie hoe knap Livy is vergeleken met die kleurloze kleine Maude.

Ik was natuurlijk zo beleefd als ik kon, maar het was duidelijk dat Kitty Coleman me saai vond. En dan maakte ze ook nog grievende opmerkingen over Livy en zei bovendien oneerbiedige dingen, niet direct over de koningin, maar ik kreeg onwillekeurig het gevoel dat Victoria op de een of andere manier gekleineerd werd. En ze liet mijn arme Albert zo met zijn mond vol tanden staan dat hij iets zei wat helemaal niet bij hem paste. Ik kon het niet over mijn hart verkrijgen hem later te vragen wat hij bedoelde.

Het geeft niet, want zij en ik hoeven elkaar niet meer te zien. Van al die jaren dat onze graven op het kerkhof naast elkaar lagen, is dit de eerste keer dat we elkaar hebben ontmoet. Met een beetje geluk gebeurt het niet meer, al zal ik me altijd zorgen maken dat het er wel van komt. Ik vrees dat ik nu niet meer zoveel plezier zal beleven aan het kerkhof.

ALBERT WATERHOUSE

Verdomd knappe vrouw. Maar ik wist niet wat ik dacht toen ik zei wat ik zei. Ik zal het morgen goedmaken met Trudy door wat van haar favoriete paarse snoepjes mee te brengen.

Ik was wel blij kennis te maken met Richard Coleman, ondanks zijn urn. (Wat gebeurd is, is gebeurd, zeg ik tegen Trudy. Die urn staat er nu eenmaal en het heeft geen zin nu te gaan klagen.) Hij heeft een vrij goede baan bij de bank. Ze wonen onder aan de heuvel en naar wat ik zo van hem hoor denk ik dat dat net een plek zou kunnen zijn voor ons, als we besluiten uit Islington te verhuizen. Er is een goed plaatselijk cricketteam waar hij mij ook zou kunnen introduceren. Een kerel waar je wat aan hebt.

Ik benijd hem niet om zijn vrouw, hoe knap ze ook is; een handvol die mij niet zou aanstaan. Ik heb al moeite genoeg met Livy.

SIMON FIELD

Ik blijf een tijdje in het graf nadat de meisjes zijn weggegaan. Ik zie niet in waarom ik eruit zou moeten klimmen. Onze pa doet geen moeite achter me aan te komen, of boven aan het graf te gaan staan schreeuwen. Hij weet waar hij me te pakken kan krijgen als hij dat wil. 'Om dit kerkhof staat een hoge muur,' zegt hij altijd. 'Je kunt eroverheen klimmen, maar uiteindelijk kom je altijd met je voeten naar voren door de poort naar binnen.'

De lucht is mooi vanaf haast drie meter diep. Bijna de kleur van het bont van dat meisje. Haar mof, noemt ze het. Het bont was zo zacht. Ik wilde mijn gezicht erin verbergen zoals ik haar zag doen.

Ik lig languit op de grond naar de lucht te kijken. Soms vliegt er hoog boven me een vogel door de lucht. Zandkorrels brokkelen van de zijkanten en vallen op mijn gezicht. Ik maak me geen zorgen dat het gat instort. Voor de diepere graven gebruiken we grafplanken om de zijkanten te schragen, maar met een klein graf zoals dit nemen we die moeite niet. Dit is in klei gegraven, goed vochtig, zodat het stevig blijft. Het is eerder gebeurd dat graven instortten, maar meestal in zand of wanneer de klei verdroogd is. Er zijn mannen omgekomen in graven. Onze pa zegt altijd dat ik mijn hand over mijn gezicht moet leggen en mijn andere hand omhoog moet steken als ik in een graf ben en het instort. Dan heb ik een luchtgat door het zand en kunnen ze aan mijn vingers zien waar ik ben.

Er komt iemand aan en hij kijkt in het graf. Tegen het licht is hij zwart, zodat ik niet kan zien wie het is. Maar ik weet dat het niet onze pa is – hij ruikt niet naar de fles.

'Wat doe je daar beneden, Simon?' zegt de man.

Dan weet ik wie het is. Ik spring overeind en klop het zand van mijn rug en mijn achterwerk en benen.

'Ik rust wat uit, meneer.'

'Je wordt niet betaald om te rusten.'

'Ik krijg niets betaald, meneer,' zeg ik voor ik me in kan houden.

'O nee? Volgens mij word je voldoende betaald door alles wat je hier leert. Je leert een vak.'

'Van leren krijg ik geen eten, meneer.'

'Wees niet zo brutaal, Simon. Je bent niets anders dan een knecht van de London Cemetery Company. Er staan er voldoende voor de poort te wachten die dolgraag jouw plaats zouden innemen. Vergeet dat niet. Ben je nu klaar met je graf?'

'Ja, meneer.'

'Dek het dan af en ga je vader zoeken. Hij moet het gereedschap opruimen. God weet dat hij hulp kan gebruiken. Ik weet niet waarom ik hem nog aanhoud.'

Ik weet wel waarom. Onze pa kent dit kerkhof beter dan wie ook. Hij kan elk graf uitgraven en weet wie er diep in begraven ligt en of het zand of klei is. Dat heeft hij allemaal van onze opa geleerd. En hij graaft snel als hij dat wil. Zijn armen zijn zo hard als steen. Hij is op zijn best als bij een beetje uit de fles heeft gedronken, maar niet te veel. Dan graven en lachen hij en Joe, en ik hijs de emmer op en stort die leeg. Maar heeft hij eenmaal te veel op, dan moeten Joe en ik al het graven en leegstorten alleen doen.

Ik zoek de lange boomtak met de knoesten erop die ik gebruik om uit de kleine graven te klimmen. Onze pa moet hem eruit hebben gehaald.

'Meneer Jackson,' roep ik, maar hij is al weg. Ik roep opnieuw, maar hij komt niet terug. Onze pa zal denken dat ik eruit ben geklommen en het graf heb afgedekt; hij zal ook niet terugkomen.

Ik probeer houvast voor mijn tenen te vinden in de zijkanten van het gat zodat ik eruit kan klimmen, maar er is geen schop, ik heb alleen mijn handen en de grond is te hard. Hij is nu wel stevig, maar ik weet niet zeker of het zo zal blijven. Ik wil niet dat de randen instorten.

Het is koud in het gat nu ik erin gevangenzit. Ik laat me op mijn hurken zakken en sla mijn armen om mijn benen. Nu en dan roep ik. Er worden vandaag vier andere graven gedolven en er worden een paar monumenten geplaatst, maar geen van alle in mijn buurt. Maar toch, misschien hoort een bezoeker mij of komt een van die meisjes terug. Soms hoor ik stemmen en roep ik: 'Help! Help!' Maar niemand komt. Mensen blijven uit de buurt van graven die pas gedolven zijn. Ze denken dat er soms iets uit het gat springt en hen vastpakt.

De lucht boven me begint donkergrijs te worden en ik hoor de bel luiden om bezoekers te laten weten dat het kerkhof gaat sluiten. Er is een jongen die elke dag rondloopt en de bel luidt. Ik schreeuw totdat mijn keel zeer doet, maar de bel overstemt me.

Na een tijdje houdt de bel op en daarna is het donker. Ik spring op en neer om warm te blijven en hurk daarna neer met mijn armen om mijn benen.

In het donker begint het gat sterker te ruiken naar klei en natte dingen. Er loopt een ondergrondse tak van de Fleet door het kerkhof. Zo te voelen dichtbij.

De wolken trekken weg uit de hemel en ik begin kleine speldenknopjes sterren te zien; er komen er steeds meer totdat het stuk lucht boven me er vol mee is, alsof iemand meel op de lucht heeft gestrooid en op het punt staat er deeg op uit te rollen.

De hele nacht kijk ik naar de sterren. In het graf is niets anders te doen. Ik zie er dingen in: een paard, een pikhouweel, een lepel. Soms kijk ik niet en dan weer wel, en dan zijn ze wat verschoven. Na een tijdje verdwijnt het paard vanaf de rand van de hemel, daarna de lepel. Eén keer zie ik een vallende ster. Ik vraag me af waar hij heen gaat als hij zo valt.

Ik denk aan de meisjes, die ene met de mof en de andere met het knappe gezichtje. Ze liggen lekker warm in hun bed. Ik wou dat ik ook in bed lag.

Het is niet zo erg zolang ik me niet beweeg. Als ik me beweeg is het net of iemand me een klap verkoopt met een houten plank. Na een tijdje kan ik me helemaal niet meer bewegen. Mijn bloed is zeker bevroren.

Het moeilijkste deel is aan het eind van de nacht, als het bijna licht wordt, maar nog niet echt. Onze pa zegt dat de meeste mensen dan sterven omdat ze niet langer kunnen wachten op het begin van de dag. Het pikhouweel verdwijnt en ik huil wat en daarna moet ik in slaap zijn gevallen, want als ik weer opkijk zijn de sterren verdwenen en is het licht, en de tranen op mijn wangen zijn bevroren.

Het wordt steeds lichter, maar er komt niemand. Mijn mond plakt aan elkaar, zo'n dorst heb ik.

Dan hoor ik de hymne 'Holy, Holy, Holy', die onze pa graag fluit als hij aan het werk is. Gek is dat, want hij is al jaren niet meer in een kerk geweest. Het fluiten komt steeds dichterbij en ik probeer te roepen, maar het doet te veel pijn om een geluid te maken.

Ik hoor hem om het gat heen lopen, planken neerleggen en daarna de groene kleden die eruitzien als gras, om de grond rond het graf er mooi en schoon te doen uitzien. Vervolgens legt hij touwen strak over het gat die onder de kist komen te zitten om hem neer te laten, en dan de twee houten schragen waarop ze de kist leggen, een aan elke kant van het gat.

Ik probeer mijn mond te openen maar het lukt me niet. Dan hoor ik het gesnuif van de paarden op het pad en ik weet dat ik nu moet zien eruit te komen, anders lukt me dat nooit. Ik strek mijn benen, gillend van de pijn, alleen hoor je geen geluid omdat ik nog steeds mijn mond niet kan openen. Ik speel het klaar wankel op de been te komen en dan begint mijn mond weer te werken en ik roep: 'Pa! Pa!' Ik klink als een van die kraaien in de bomen. Eerst gebeurt er niets. Ik roep opnieuw en onze pa bukt zich over het gat en kijkt naar me.

'Verrek, jongen! Wat voer jij daar uit?'

'Haal me eruit, pa! Haal me eruit!'

Onze pa gaat aan de rand van het gat liggen en strekt zijn armen uit. 'Opschieten, jongen! Pak mijn handen vast.' Maar ik kan er niet bij. Onze pa kijkt naar de kant van het geluid van de paarden en schudt zijn hoofd. 'Geen tijd, jongen. Geen tijd.' Hij springt op en loopt weg en ik schreeuw opnieuw.

Onze pa komt terug met meneer Jackson, die op me neerkijkt met een vreselijke blik in zijn ogen. Hij zegt niets maar gaat weg, terwijl onze pa hem alleen maar nakijkt. Daarna komt meneer Jackson weer terug en hij gooit het touw omlaag dat we gebruiken om te meten hoe diep we hebben gegraven. Om de drie decimeter zit een knoop. Ik pak een knoop en houd vast en hij en onze pa trekken me uit het graf, zodat ik op het groene kleed terechtkom dat net gras is. Ik spring op, al heb ik overal pijn en daar sta ik dan voor de begrafenismannen met hun hoge hoeden op en de jonge kraaien in hun zwarte jasjes en de paarden die knikken zodat de zwarte veren op hun koppen zwaaien. Achter het rijtuig waarin de kist ligt staan de begrafenisgangers, allemaal in het zwart, en ze staren me allemaal aan. Ik kan wel lachen zoals ze daar naar me kijken, maar ik zie die woedende ogen van meneer Jackson en ik ren weg.

Later, nadat onze pa me wat rum heeft gegeven en me met een deken om bij het vuur heeft gezet, slaat hij me om de oren. 'Doe dat nooit meer, jongen,' zegt hij, alsof ik echt van plan was de hele nacht in het gat te blijven. 'Ik raak mijn baan kwijt, en wat moeten we dan?' Daarna komt meneer Jackson en geeft me ervan langs met de zweep om er zeker van te zijn dat ik mijn lesje heb geleerd. Maar het kan me niets schelen. Ik voel de zweep nauwelijks. Niets kan ooit zoveel pijn doen als de kou daaronder in dat graf.

December 1901

RICHARD COLEMAN

Ik zei tegen Kitty dat dezelfde mensen als vorig jaar ons hadden uitgenodigd voor nieuwjaar. Ze zei niets en keek me aan met die donkerbruine ogen die me jaren geleden hebben verleid maar me nu alleen nog afkeurend bekijken. Als ze niet zo naar me had gekeken, zou ik er niet aan toegevoegd hebben wat ik zei.

'Ik heb hun al gezegd dat we het aannemen,' zei ik, al had ik dat nog niet gedaan. 'Met genoegen.'

We zullen doorgaan met elk jaar hun uitnodigingen aan te nemen, totdat Kitty mijn vrouw weer wordt.

Maart 1903

LAVINIA WATERHOUSE

Het leek wel een echt wonder: mijn beste vriendin achter onze tuin! Kan er iets volmaakter zijn dan dat?

Ik voelde me die morgen echt somber terwijl ik mijn haren borstelde en uit het raam naar onze nieuwe tuin keek. Ofschoon het een mooi stukje grond is en Ivy May en ik een heerlijke slaapkamer hebben die erop uitkijkt, had ik toch heimwee naar ons oude huis. Het was kleiner en lag aan een drukke straat en niet zo dicht bij zo'n prachtige plek als Hampstead Heath. Maar ik ben er geboren en ik heb veel herinneringen aan mijn jonge jaren daar. Ik wilde het stukje behang in de gang meenemen waarop papa aantekende hoe groot Ivy May en ik elk jaar waren geworden, maar hij zei dat ik dat niet moest doen omdat het de muur zou beschadigen. Ik heb gehuild toen we weggingen.

Uit mijn ooghoeken zag ik iets wapperen en toen ik naar het huis achter het onze keek, hing er een meisje uit het raam te zwaaien! Nou ja. Ik keek met half dichtgeknepen ogen en na een tijdje herkende ik haar: het was Maude, het meisje van het kerkhof. Ik wist dat we verhuisd waren naar de buurt bij het kerkhof, maar ik wist niet dat zij daar ook woonde. Ik pakte mijn zakdoek en wuifde tot mijn arm pijn deed. Zelfs Ivy May, die nooit ergens op let tenzij ik haar knijp (en soms zelfs dan nog niet), kwam uit bed om te zien waar al dat gedoe om ging.

Maude riep iets naar me, maar ze was te ver weg en ik kon het niet horen. Toen wees ze omlaag naar de schutting die onze tuinen scheidt en stak tien vingers op. Wij zijn zulke verwante geesten dat ik direct begreep dat we elkaar daar over tien minuten moesten ontmoeten. Ik blies haar een handkusje toe en dook naar binnen om me zo snel mogelijk aan te kleden.

'Mama! Mama!' riep ik helemaal langs de trap naar beneden. Mama kwam uit de keuken rennen, ze dacht dat ik ziek was of me pijn had gedaan. Maar toen ik haar vertelde over Maude was ze helemaal niet geïnteresseerd. Ze wilde niet dat ik met de Colemans omging, al zei ze nooit waarom. Misschien is ze hen nu vergeten, maar ik ben Maude nooit vergeten, zelfs niet na al die tijd. Ik wist dat we waren voorbestemd om samen te zijn.

Ik rende naar buiten naar de tuinschutting, die te hoog was om eroverheen te kijken. Ik riep naar Maude en zij antwoordde, en na een tijdje verscheen haar hoofd boven de schutting.

'O! Hoe ben je daar gekomen?' riep ik.

'Ik sta op het vogelbadje,' zei ze een beetje wankelend. Daarna zag ze kans zich op te trekken en voordat ik het wist tuimelde ze over de schutting op de grond! De arme schat kreeg nogal wat schrammen van de rozenstruiken toen ze viel. Ik omarmde en kuste haar en bracht haar vervolgens naar mama, die, ik ben blij dat te kunnen zeggen, heel lief voor haar was en wat jodium op haar pijnlijke schrammen deed.

Daarna nam ik haar mee naar mijn slaapkamer om haar mijn poppen te laten zien.

'Ik ben je niet vergeten,' zei ik. 'Elke keer wanneer we op het kerkhof waren heb ik naar je uitgekeken in de hoop je te zien.'

'Dat heb ik ook gedaan,' zei ze.

'Maar ik zag je nooit. Alleen nu en dan die ondeugende jongen.'

'Simon. Aan het graven met zijn vader.'

'Nu ik hier ben kunnen we samen teruggaan en hij kan ons alle andere engelen laten zien. Het zal heerlijk zijn.'

'Ja.'

Toen bedierf Ivy May het door de hoofden van mijn poppen zo hard tegen elkaar te klappen dat ik bang was dat ze zouden splijten. Ik zei haar dat ze weg moest gaan, maar Maude zei dat ze het niet erg vond als Ivy May bij ons bleef omdat zij geen broertje of zusje had om mee te spelen. Nou, daarop glunderde Ivy May, zoals ze om alles blij kan kijken.

Geeft niet. Toen ontbeet Maude bij ons en we kwetterden aan één stuk door.

Het is echt een geschenk uit de hemel dat de engelen ons naar dit huis hebben geleid en mij naar mijn beste vriendin hebben gebracht.

MAUDE COLEMAN

Het is gek hoe dingen soms kunnen lopen. Pappie zegt altijd dat er helemaal geen toevalligheden bestaan, als je ze maar zorgvuldig genoeg bestudeert. Vandaag heeft hij gelijk gekregen.

Ik keek uit mijn raam toen ik tegenover ons een meisje voor het hare zag staan dat haar haar aan het borstelen was. Ik had haar daar nooit eerder gezien; vroeger woonden er twee ongetrouwde dames in dat huis, maar die waren een paar weken eerder verhuisd. Toen schudde ze met haar hoofd en trok haar schouders op en ik besefte dat het Lavinia was. Ik was zo verrast haar te zien dat ik gewoon bleef staan staren.

Ik had haar zo lang niet meer gezien, niet sinds de dood van de koningin, twee jaar geleden. Ofschoon ik mammie een paar keer had gevraagd of we elkaar konden ontmoeten, vond ze altijd wel een uitvlucht. Op het kerkhof beloofde ze echt het adres van de familie Waterhouse te vragen, maar ik geloof niet dat ze dat ooit heeft gedaan. Na een tijdje hield ik op met vragen omdat ik wist dat het haar manier was om nee te zeggen. Ik wist niet waarom ze niet wilde dat ik een hartsvriendin had, maar ik kon niets doen, alleen wat rondhangen op het kerkhof, in de hoop dat de familie Waterhouse er ook zou komen. Maar dat gebeurde niet. Ik had het opgegeven ooit een hartsvriendin te hebben. En ik had geen andere meisjes ontmoet die graag met me over het kerkhof wilden dwalen, zoals Lavinia deed.

En daar was ze nu, tegenover ons huis. Ik begon te zwaaien en toen ze me eindelijk zag wuifde ze ook heftig. Het was erg prettig dat ze zo blij was me te zien. Ik gaf haar een teken dat ze me in de tuin moest ontmoeten en rende toen naar beneden om mijn ouders te vertellen over het verbazende toeval.

Mammie en pappie zaten al aan hun ontbijt hun kranten te lezen; pappie de *Mail*, mammie de *St. Pancras Gazette*. Toen ik hun vertelde wie onze nieuwe buren waren, was pappie helemaal niet verbaasd want hij zei dat hij de familie Waterhouse over dat huis had verteld.

Mammie keek hem vreemd aan. 'Ik wist niet dat je bevriend met hen was,' zei ze.

'Hij nam contact met me op bij de bank,' zei pappie, 'al een hele tijd geleden. Hij zei dat ze overwogen naar de buurt te verhuizen en vroeg of ik een huis te koop wist. Toen dat huis leeg kwam te staan vertelde ik het hem.'

'Nu zijn we dus buren zowel in het leven als in de dood,' zei mammie. Ze sloeg de schaal van haar ei met een harde klap kapot.

'Hij schijnt een goede slagman te zijn,' zei pappie. 'Het team kan er wel een gebruiken.'

Toen duidelijk werd dat het geen toeval was, dat pappie de familie Waterhouse daarheen had gehaald, voelde ik me vreemd teleurgesteld. Ik wilde in voorbeschikking geloven, maar pappie heeft me opnieuw laten zien dat zoiets niet bestaat.

GERTRUDE WATERHOUSE

Het zou niet bij me opkomen Alberts oordeel te bekritiseren. In dit soort zaken weet hij het het best, en ik ben zeker erg blij met ons nieuwe huisje, een verdieping hoger dan ons huis in Islington en met een tuin vol rozen, in plaats van de kippen van de buren die rondscharrelen in het zand.

Maar de moed zonk me in de schoenen toen ik ontdekte dat we niet alleen buren zijn van de Colemans, maar dat ook nog onze tuinen achter aan elkaar grenzen. En natuurlijk is hun huis nog een verdieping hoger dan het onze en heeft het een enorme tuin. Toen er niemand in de buurt was ging ik op een stoel staan en keek in hun tuin. Er staat een wilg en er is een vijver en een hele rij rododendronstruiken en een prachtig lang gazon waarop de meisjes zeker de hele zomer croquet zullen spelen.

Kitty Coleman was in de tuin aan het werk, ze was bezig sleutelbloemen te planten. Haar jurk had dezelfde geelachtige kleur en ze droeg een fraaie, breedgerande hoed, op zijn plaats gehouden met een chiffonsjaaltje. Ze gaat zelfs bij het tuinieren goed gekleed. De hemel zij dank zag ze me niet, anders zou ik me zo hebben geschaamd dat ik van de stoel had kunnen vallen. Nu sprong ik er snel af en bezeerde mijn enkel.

Ik zou het niemand bekennen, zelfs Albert niet, maar het ergert me dat ze zo'n mooie tuin heeft. Hij ligt op het zuiden en krijgt alle zon, wat het gemakkelijker maakt. En ze moet iemand hebben die haar helpt, op z'n minst met het gazon, dat eruitziet of het pas gemaaid is. Ik zal mijn best doen met onze rozen, maar ik heb helemaal geen groene vingers. Ik ben echt hopeloos in een tuin. Het helpt ook niet bepaald dat hij op het noorden ligt. En op het ogenblik kunnen we ons ook geen hulp veroorloven. Ik hoop niet dat ze aanbiedt haar mannetje naar ons te sturen – ik zou niet weten wat ik moest doen.

Nadat Maude over de achterschutting was gevallen had ik het idee dat we hen moesten bezoeken, al was het alleen maar om de schrammen te verklaren. De voorkant van hun huis ziet er zo elegant uit, de tuin staat vol rozenstruiken en op de treden die omhoog naar hun voordeur leiden, liggen zwarte en witte tegels. (De deur van ons huis komt meteen op het trottoir uit. Maar ik moet proberen geen vergelijkingen te trekken.)

Ik hoopte dat ik alleen mijn visitekaartje kon achterlaten, maar Kitty Coleman ontving ons heel gracieus in haar zitkamer. Ik moest met mijn ogen knipperen vanwege de kleuren in die kamer; mosterdgeel met een donkerbruine rand, wat tegenwoordig in de mode is, naar ik aanneem. Zij noemde het 'goudgeel' en 'chocoladebruin', wat veel beter klinkt dan het eruitzag. Ik geef de voorkeur aan ons bordeauxrood. Er is niets zo mooi als een eenvoudige bordeauxrode salon. Vergeet niet, ik heb geen zitkamer – als ik wel zo'n lichte kamer had als zij zou ik die misschien ook wel geel verven.

Maar ik betwijfel het.

Ze heeft een erg verfijnde smaak: geborduurde zijden sjaals op de sofa's, varens in potten, vazen met droogbloemen, en een kleine vleugel. Ik schrok een beetje van het moderne koffieservies met een patroon van kleine zwart met gele ruitjes waar ik duizelig van werd. Zelf geef ik de voorkeur aan een eenvoudig rozenpatroon. Maar *chacun à son goût*. O! Ik maakte de fout dat hardop te zeggen en zij antwoordde in het Frans. Ik verstond er geen woord van! Het was mijn eigen domme fout te proberen op te scheppen.

Ik vertrok met één geheime troost. Nee, twee. De meisjes zijn in elk geval dol op elkaar en Livy kan heel goed een verstandige vriendin gebruiken. Maude zal in elk geval een kalmerende invloed hebben, tenzij zij ook zwicht voor Livy's buien zoals de rest van ons heeft gedaan; allemaal, behalve die lieve Ivy May, die zich niets aantrekt van Livy's uitspattingen. Ik verbaas me altijd over haar. Zo rustig als ze is, laat ze zich niet op de kop zitten door Livy.

En de andere troost: Kitty Colemans jour is op dinsdagmiddag, net als de mijne. Toen we dat ontdekten glimlachte ze even en zei: 'Hemeltje, dat is jammer.' Maar ik zal de mijne niet veranderen; aan bepaalde tradities ga ik niet tornen. En ik weet dat zij de hare niet zal verzetten. Op die manier kunnen we in elk geval die sociale verplichting vermijden.

Ik kan niet precies zeggen waarom ik haar niet mag. Ze is heel beleefd en heeft goede manieren en ze ziet er fantastisch uit. Ze heeft een mooi huis, een knappe man en een intelligente dochter. Maar ik zou niet met haar willen ruilen. Ze heeft iets ontevredens over zich wat alles om haar heen verstoort. En ik weet dat het onaardig van me is dat te denken, maar ik twijfel echt aan haar christelijke instelling. Ze denkt te veel en bidt te weinig, vermoed ik. Maar zij zijn de enige mensen die we van dichtbij kennen en de meisjes zijn al zo dol op elkaar dat ik vrees dat we veel met elkaar te maken zullen krijgen.

Toen we thuiskwamen en in onze achterkamer zaten, moest ik onwillekeurig uit het raam naar hun deftige huis in de verte kijken. Het zal daar altijd staan en me herinneren aan hun superieure status. Ik vond dat zo storend dat ik mijn theekopje met een klap op het schoteltje zette, zodat het dierbare ding een barst kreeg. Toen moest ik huilen en zelfs Ivy Mays armen om mijn hals (meestal houdt ze er niet van iemand te omhelzen) waren een schrale troost voor me.

Juni 1903

MAUDE COLEMAN

Lavinia en ik willen dolgraag naar het kerkhof. Nu we samen kunnen gaan zullen we veel meer plezier hebben dan voorheen. Maar sinds de familie Waterhouse is verhuisd naar het huis achter onze tuin hebben we nog er geen kans toe gehad, er kwam altijd wel iets tussen. Met Pasen gingen we naar tante Sarah in de provincie en daarna was Lavinia ziek en dan moest mammie of mevrouw Waterhouse weer een bezoek afleggen of een boodschap doen. Wat vervelend nou, we wonen zo dichtbij en toch kunnen we niemand krijgen om ons mee te nemen en we mogen daar niet alleen naartoe gaan. Het is jammer dat onze kinderjuffrouw is weggegaan om voor haar oude moeder te zorgen, anders kon zij ons meenemen.

Gisteren vroeg ik moeder of ze ons mee wilde nemen.

'Ik heb het te druk,' zei ze. Het zag er niet uit of ze het druk had, ze zat gewoon een boek te lezen. Maar dat zei ik niet. Ze moet voor mij zorgen nu onze kinderjuffrouw weg is, maar meestal doen Jenny en mevrouw Baker dat.

Ik vroeg haar of Jenny met mij en Lavinia mee kon gaan.

'Jenny heeft veel te veel te doen om jullie daarheen te slepen.'

'Och, alsjeblieft, mammie. Heel even maar.'

'Je moet niet zo zeurderig tegen me praten. Dat heb je van Lavinia geleerd en het past jou helemaal niet.'

'Het spijt me. Maar misschien... misschien moet Jenny wel een boodschap voor u doen in de Village. Dan zou ze ons mee kunnen nemen.'

'Moet jij je lessen niet voorbereiden?'

'Daar ben ik mee klaar.'

Mammie zuchtte. 'Het is maar goed dat je straks in de herfst naar school gaat. Je huisleraar kan je niet langer bijhouden.'

Ik probeerde behulpzaam te zijn. 'Misschien moet je boeken laten terugbrengen naar de bibliotheek?'

'Dat moet ik inderdaad. Och, goed dan, ga Jenny maar zeggen dat ze hier komt. En ze kan kijken of de stof die ik besteld heb is aangekomen als ze toch in de Village is.'

Lavinia en ik renden de heuvel op en trokken Jenny mee. Ze klaagde dat hele stuk en was helemaal buiten adem toen ze boven kwam, al had dat niet gehoeven als ze haar adem niet had gebruikt om te klagen. Al dat gehaast van ons haalde trouwens niets uit; Ivy May weigerde hard te lopen en Jenny stuurde Lavinia terug om haar op te halen. Soms is het erg lastig als we Ivy May bij ons hebben, maar mevrouw Waterhouse stond erop. Toen we echter eenmaal op het kerkhof waren liet Jenny ons onze gang gaan, zolang we Ivy May maar bij ons hielden. We renden direct weg om Simon te zoeken.

Het was zo heerlijk op het kerkhof te zijn zonder iemand om

op ons te passen. Altijd als ik met mammie en pappie of met grootmoeder ga, heb ik het gevoel dat ik stil en plechtig moet zijn, terwijl ik eigenlijk alleen maar wil doen wat Lavinia en ik deden: rondhollen en de zaak verkennen. Terwijl we Simon zochten speelden we allerlei spelletjes: van graf naar graf springen zonder de grond te raken (wat niet zo moeilijk is omdat de graven zo dicht op elkaar liggen); ieder aan één kant van het pad gaan lopen en punten verzamelen door een obelisk te zien, of een vrouw die op een urn leunt, of een dier; tikkertje spelen om de Cirkel van Libanon. Lavinia krijste toen ze achterna werd gezeten en een paar volwassenen zeiden ons stil te zijn en ons te gedragen. Daarna probeerden we kalm te zijn, maar we hadden zo'n plezier tijdens het spelen dat het moeilijk was.

Ten slotte vonden we Simon, helemaal bovenaan op het kerkhof, niet ver van de noordelijke poort. Eerst zagen we hem niet, maar zijn pa stond naast een nieuw graf een emmer zand op te takelen met een touw en een katrol op een stellage die over het gat was gezet. Hij gooide hem leeg in wat eruitzag als een grote houten kist op wielen, zowat een meter hoog en met een berg zand erin.

We slopen dichterbij en verstopten ons achter een grafsteen omdat we niet wilden dat Simons pa ons zag, want hij is smerig en heeft een rood gezicht vol stoppels en we konden de dranklucht ruiken, zelfs vanwaar we zaten. Lavinia zegt dat hij net een personage uit Dickens is. Ik denk dat alle grafdelvers dat zijn.

We konden Simon horen zingen in het graf, een liedje dat Jenny soms zingt met de mensen op de Heath op een feestdag:

Wil je genieten met veel plezier,
Ik zal je heus niet foppen,
Maar Hampstead, heerlijk Hampstead hier,
Is de plek om lol te schoppen.

Simons pa keek niet eens naar ons, maar op de een of andere manier wist hij dat wij er waren, want hij riep: 'Zo, jongedames, wat willen jullie?'

Simon hield op met zingen. Zijn pa zei: 'Kom eens tevoorschijn, jullie drieën.'

Lavinia en ik keken elkaar aan, maar voordat we konden besluiten wat we zouden doen, was Ivy May al achter de grafsteen vandaan gestapt en konden we niets anders doen dan haar volgen.

'Alsjeblieft, meneer, we komen Simon opzoeken.' Ik was verbaasd dat ik hem 'meneer' noemde.

Hij leek ook verbaasd en hij keek ons aan alsof hij niet kon geloven dat we daar stonden. Toen riep hij ineens in het graf: 'Hé jongen, er is bezoek voor je.'

Even later piepte Simons hoofd boven het graf uit. Hij staarde ons aan.

'Zo, ondeugende jongen,' zei Lavinia, 'heb je je tong ingeslikt?'

'Kunnen we even ruilen van plaats, pa?' zei hij.

'Er is daarbeneden niet veel plaats voor mij en Joe,' zei Simons vader. Simon zei niets en zijn pa grinnikte. 'Och, vooruit dan maar, ga maar met je meissies mee.'

Simon klom eruit en zijn pa klom erin; hij grijnsde tegen ons toen hij in het graf verdween. Simon trok de emmer omhoog en gooide hem leeg in de houten kist. Hij zat onder de modder.

'Wat is dat?' vroeg ik en ik wees naar de kist.

'Een kooibak,' zei Simon. 'Daar doe je in wat je hebt uitgegraven en als de kist in het gat ligt, rol je hem ernaartoe en open je de zijkant, kijk maar, er zit een scharnier, en dan laat je het zand recht in het graf vallen. Zo maak je geen rotzooi om het graf, zie je wel? Er staan er daar nog twee die al vol zijn.' Hij gebaarde naar de andere bakken die tegen de scheidingsmuur stonden. 'Je laat alleen een hoopje zand aan het uiteinde van het graf liggen dat de begrafenisgangers erin kunnen gooien.'

'Mogen we in het graf kijken?'

Simon knikte en we schuifelden naar het gat. Het was dieper dan ik had verwacht. Simons pa stond op de bodem met een andere man. Ik kon alleen de bovenkant van hun hoofden zien, dat van Simons pa als staalwol, dat van de andere man helemaal kaal. Ze hadden nauwelijks plaats om zich te keren. De kale man keek naar ons op. Hij had een lang gezicht en een neus als een worstje. Hij en Simons pa waren kennelijk graafpartners, met Simon als hun hulpje.

Simon trok weer een emmer met klei op. Bovenop zag ik een worm kronkelen.

'Vind je weleens iets als je aan het graven bent,' vroeg ik, 'behalve wormen?'

Simon gooide de klei in de kooibak en liet de emmer in het graf zakken. 'Scherven porselein. Een paar vulpennen. Een draaitol. Dit was een schoolplein voordat het kerkhof er kwam. En dáárvoor was het de tuin van een groot huis.'

Simons pa keek omhoog. 'We hebben hier beneden meer stutten nodig, jongen.'

Simon begon houten planken van een stapel aan te geven. Toen zag ik dat er op regelmatige afstanden om de randen van het gat hout in de grond was geslagen.

'Hoe diep is het?' vroeg ik.

'Tot nu toe vier meter,' zei Simon. 'We gaan helemaal tot zowat zes meter, nietwaar pa?'

Ik keek naar beneden. 'Zo diep?'

'Er zijn in de loop der jaren heel wat mensen te begraven. De kist is vijfenveertig centimeter met zo'n dertig centimeter tussen elke kist, dat wil zeggen dat er plaats is voor zes kisten. Dat is een gezin.'

Ik telde het in mijn hoofd op; het was als een sommetje dat mijn huisleraar me had kunnen opgeven. 'Zeven kisten.'

'Nee, je laat bovenop wat meer dan drie decimeter over.'

'Natuurlijk, zes voet onder de grond.'

'Niet echt,' zei Simon. 'Dat is gewoon een gezegde. We laten gewoon zes decimeter ruimte op de laatste kist.'

'Waar hebben jullie het in hemelsnaam over?' vroeg Lavinia.

Simons pa begon met een houten hamer een plank de grond in te slaan.

'Zijn zij veilig daar beneden?' vroeg ik.

Simon trok de schouders op. 'Heel veilig. Het hout stut het graf. En het is klei, dus het zal niet gemakkelijk instorten. Het is van zichzelf stevig. Zand kun je gemakkelijker afgraven, maar het houdt niet. Zand is dodelijk.'

'Och, hou nou eens op met over zulke saaie dingen te praten!' riep Lavinia. 'We willen dat je ons wat engelen laat zien.'

'Laat hem met rust, Lavinia,' zei ik. 'Zie je dan niet dat hij aan het werk is?' Ik mag Lavinia heel graag – ze is tenslotte mijn boezemvriendin – maar ze is zelden geïnteresseerd in wat ik interessant vind. Ze wil bijvoorbeeld nooit door de telescoop kijken die pappie opzet in de tuin, of in de bibliotheek in de *Encyclopaedia Britannica* snuffelen. Ik wilde Simon meer vragen over de graven en het delven ervan, maar Lavinia gaf me de kans niet.

'Misschien later, als dit klaar is,' zei Simon.

'We hebben maar een halfuur,' legde ik uit. 'Dat zei Jenny.'

'Wie is Jenny?'

'Onze dienstbode.'

'Waar is ze nu?'

'In de Village. We hebben haar achtergelaten bij de poort.'

'Ze kwam een man tegen,' zei Ivy May.

Simon keek naar haar. 'En wie is dit dan?'

'Ivy May. Mijn kleine zusje,' zei Lavinia. 'Maar ze vergist zich.

Heb jij een man gezien, Maude?'

Ik schudde mijn hoofd, maar zeker wist ik het niet.

'Hij had een kruiwagen en ze liep achter hem aan het kerkhof op,' hield Ivy May vol.

'Had hij rood haar?' vroeg Simon.

Ivy May knikte.

'O, die. Dan zal hij haar wel aan het bonken zijn.'

'Wat, is iemand Jenny aan het slaan?' riep ik. 'Dan moeten we haar gaan redden.'

'Nee, niet slaan,' zei Simon. 'Het is...' Hij keek mij en Lavinia aan en zweeg. 'Laat maar. Het stelt niks voor.'

Simons pa lachte vanuit het graf. 'Daar heb je jezelf mooi in de nesten gewerkt, jongen! Je vergat even tegen wie je het had. Je moet voorzichtig zijn met wat je zegt als je te maken hebt met die meissies!'

'Stil toch, pa.'

'We kunnen maar beter gaan,' zei ik, niet erg gerust over Jenny. 'Ik weet zeker dat het halfuur nu voorbij is. Hoe komen we het vlugst weer bij de poort?'

Simon wees naar een beeld van een paard een beetje verderop. 'Neem het pad langs het paard en volg dat helemaal.'

'Niet langs die kant!' riep Lavinia. 'Dat is recht door de andersdenkenden!'

'Wat dan nog?' zei Simon. 'Die zullen je niet bijten. Ze zijn dood.'

Het vak voor de andersdenkenden is waar alle mensen begraven zijn die niet tot de Church of England behoren, vooral katholieken, en ook baptisten en methodisten en andere mensen. Ik heb gehoord dat zelfmoordenaars daar begraven liggen, al zei ik dat niet tegen Lavinia. Het verschilde niet zoveel van de rest van het kerkhof, maar ik had er een vreemd gevoel, alsof ik in een ander land was. 'Toe, Lavinia,' zei ik en ik wilde Simon niet laten denken dat we de andersdenkenden veroordeelden, 'het is niet erg. Was jouw moeder bovendien niet katholiek, voordat ze met je vader trouwde?' Ik had pas een rozenkrans gevonden onder een kussen in Lavinia's huis en hun werkster had me dat verteld.

Lavinia bloosde. 'Nee! En wat zou het uitmaken als ze dat wel was?'

'Het doet er niet toe, ik zei het alleen maar.'

'Ik weet wat,' kwam Simon tussenbeide. 'Als je wilt kun je teruggaan langs de slapende engel. Heb je die niet gezien? Die is langs het hoofdpad, niet bij de andersdenkenden.'

We schudden ons hoofd.

'Ik zal hem je laten zien, het is niet ver. Ik ben heel even weg, pa,' riep hij omlaag in het gat.

Simons pa gromde.

'Schiet op, snel.' Simon rende het pad af en we haastten ons achter hem aan. Dit keer liep zelfs Ivy May hard.

De engel waar hij ons heen bracht hadden we nog nooit eerder gezien. Alle andere engelen op het kerkhof lopen of wijzen of staan tenminste met gebogen hoofd. Deze lag op zijn zij, met de vleugels onder zich gevouwen, diep in slaap. Ik wist niet dat engelen slaap nodig hadden, net als mensen.

Lavinia vond hem natuurlijk prachtig. Ik sprak liever nog wat over graven delven, maar toen ik me omdraaide om Simon iets te vragen over de kooibak, was hij verdwenen. Hij was teruggerend naar zijn graf zonder gedag te zeggen.

Eindelijk kon ik Lavinia wegtrekken van de engel, maar toen we terugkwamen bij de hoofdpoort was Jenny er niet. Ik begreep nog steeds niet wat Simon had bedoeld over haar en de man, en ik maakte me wat ongerust. Lavinia kon het echter niets schelen.

'Laten we naar de werkplaats van de steenhouwer hiernaast gaan en naar de engelen kijken,' zei ze. 'Eventjes maar.'

Ik was nooit eerder op die werkplaats geweest. Hij lag vol stenen, grote blokken en platen, grafstenen zonder opschrift, voetstukken, zelfs een aantal obelisken die tegen elkaar geleund in een hoek stonden. Het was er heel stoffig en de grond lag vol zand. We konden overal het 'tink, tink, tink' horen van mannen die stenen bikten.

Lavinia ging ons voor de winkel in. 'Mogen we alsjeblieft naar het engelenboek kijken?' vroeg ze de man die achter de toonbank stond. Ik vond haar heel vrijpostig.

Maar hij leek helemaal niet verbaasd. Van de plank achter zich pakte hij een groot, stoffig boek en legde dat op de toonbank.

'Hieruit hebben wij onze engel gekozen,' legde Lavinia uit. 'Ik vind het heerlijk erin te kijken. Er staan honderden engelen in. Zijn ze niet prachtig?' Ze begon de pagina's een voor een om te slaan. Er stonden tekeningen op van allerlei engelen: staand, knielend, opkijkend, neerkijkend, ogen gesloten, met rouwkransen, trompetten, geplooide kleren. Er waren baby-engeltjes en tweelingengelen en cherubijnen en engelenhoofdjes met vleugels.

'Ze zijn... aardig,' zei ik. Ik weet niet precies waarom, maar ik ben niet zo dol op de kerkhofengelen. Ze zijn heel glad en regelmatig en hun ogen zijn zo nietszeggend – zelfs als ik in hun blikveld sta lijken ze nooit naar me te kijken. Wat voor nut heeft een boodschapper als hij je niet eens opmerkt?

Pappie heeft de pest aan engelen omdat ze sentimenteel zijn, zegt hij. Mammie noemt ze monotoon. Dat woord moest ik opzoeken; het betekent dat iets saai is, of vlak of leeg. Volgens mij heeft ze gelijk. Hun ogen zien er in elk geval zo uit. Mammie zegt dat engelen veel meer aandacht krijgen dan ze verdienen. Wanneer er een engel op een graf op het kerkhof staat, kijkt iedereen ernaar, in plaats van naar de andere monumenten eromheen, maar er valt werkelijk niets te zien.

'Waarom hou je zo van engelen?' vroeg ik Lavinia.

Ze lachte. 'Wie houdt er nou niet van? Het zijn de boden van God en ze brengen liefde. Steeds als ik in hun lieve gezichten kijk voel ik me vredig en veilig.'

Dat is een voorbeeld van wat pappie sentimenteel denken noemt, vermoed ik.

'Waar is God precies?' vroeg ik en ik dacht aan engelen die tussen ons en hem in vlogen.

Lavinia keek geshockeerd en hield op met de bladzijden omslaan. 'Och, daarboven natuurlijk.' Ze wees naar de lucht buiten. 'Let jij dan niet op in de zondagsschool?'

'Maar daarboven zijn sterren en planeten,' zei ik. 'Dat weet ik; ik heb ze gezien door pappies telescoop.'

'Pas jij maar op, Maude Coleman,' zei Lavinia, 'anders maak je je nog schuldig aan godslastering.'

'Maar...'

'Niet doen!' Lavinia legde haar handen op haar oren. 'Ik kan het niet meer horen.'

Ivy May giechelde.

Ik gaf het op. 'Laten we teruggaan naar Jenny.'

Dit keer stond Jenny bij de hoofdpoort ons op te wachten, rood en buiten adem alsof ze net weer de heuvel had beklommen, maar ik was blij dat ze niet geblesseerd was.

'Waar zijn jullie toch geweest?' riep ze. 'Ik heb me zó bezorgd gemaakt!'

We liepen net allemaal de heuvel af toen ik haar vroeg of ze gevraagd had naar de stof voor mammie.

'Het boek!' gilde ze en ze rende terug het kerkhof op om het te halen. Ik probeer maar liever niet te bedenken waar ze het gelaten had.

JENNY WHITBY

Het beviel me helemaal niet boodschappen te moeten doen voor mevrouw, dat kan ik je wel vertellen. Ze weet heel goed hoe druk ik het heb. Van zes uur in die verroeste morgen tot negen uur 's avonds, en nog later als ze mensen te eten hebben. Een dag vakantie per jaar, behalve de twee kerstdagen. En ze wil me boeken naar de bibliotheek laten brengen en stof laten ophalen, dingen die ze heel goed zelf kan doen. Boeken die ik wegens tijdgebrek niet zou kunnen lezen, als ik dat zou willen – wat niet zo is.

Maar ja, het was een heerlijke zonnige dag en ik moet toegeven dat het fijn was buiten te komen, al bevalt die heuvel omhoog naar de Village me niet erg. We kwamen bij het kerkhof en ik zou de meisjes daar achterlaten, snel even binnenwippen in de winkels en weer teruggaan. Toen zag ik hem, alleen, terwijl hij opgewekt een kruiwagen over het plein duwde. Hij keek naar me om en glimlachte, en ik dacht: wacht eens even.

Dus ging ik naar binnen met de meisjes en zei hun dat ze een halfuur konden doen wat ze wilden, niet langer. Ze wilden een jongetje zoeken om mee te spelen en ik zei dat ze voorzichtig moesten zijn en hem niet te brutaal mochten laten worden. En dat ze op het kleine meisje, Ivy May, moesten passen. Ze wordt gewoonlijk alleen gelaten, schijnt het – al durf ik te wedden dat ze dat fijn vindt. Dus holden zij de ene kant op en ik de andere.

November 1903

KITTY COLEMAN

Vanavond zijn we met de familie Waterhouse naar een vreugdevuur op de Heath geweest. De meisjes wilden het en de mannen kunnen goed met elkaar opschieten (al noemt Richard Albert Waterhouse een hansworst als we alleen zijn), en Gertrude Waterhouse en mij rest niets anders dan zo goed als het kan glimlachend elkaars gezelschap te verdragen. We stonden om een enorm vuur op Parliament Hill met onze worstjes en onze aardappelen in de schil in de hand, en verbaasden ons erover dat we op dezelfde heuvel stonden vanaf waar Guy Fawkes verwachtte de parlementsgebouwen te zullen zien branden. Ik keek naar de mensen die dichterbij of verder van de vlammen af gingen staan en probeerde een plek te vinden waar we op ons gemak waren. Maar zelfs al waren onze gezichten warm, onze ruggen waren koud, net als de aardappelen, die vanbuiten verschroeid waren en vanbinnen rauw.

Ik kan veel beter hitte verdragen dan Richard of Maude, of eigenlijk beter dan de meeste mensen. Ik stapte steeds verder naar voren, totdat mijn wangen gloeiden. Toen ik om me heen keek had ik de kring mensen ver achter me gelaten, ik stond alleen aan de rand van het vuur.

Richard keek niet eens naar het vuur, maar hij keek omhoog naar de hemel. Echt iets voor hem; zijn liefde is niet het vuur, maar de kille afstand van het heelal. Toen we voor het eerst met elkaar omgingen nam hij mij, met Harry als chaperon, mee naar observatiebijeenkomsten om naar de sterren te kijken. Toen vond ik dat heel romantisch, maar vanavond, toen ik zijn blik omhoog naar de sterrenhemel volgde, voelde ik alleen de lege ruimte tussen die speldenprikken en mij, en het was alsof ik op het punt stond een zware deken over me heen te krijgen. Het was bijna even verstikkend als mijn angst om levend begraven te worden.

Ik begrijp niet wat hij in die sterren ziet – hij en nu en dan Maude, want hij is ermee begonnen haar mee te nemen als hij 's avonds naar de Heath gaat met zijn telescoop. Ik heb er niets van gezegd omdat er ook niets is waarover ik me echt kan beklagen, en Maude vindt zijn aandacht heerlijk. Maar ik word er mismoedig van, want ik kan merken dat hij in haar dezelfde kille rationaliteit cultiveert die ik in hem ontdekte toen we eenmaal waren getrouwd.

Ik stel me natuurlijk aan. Ik heb ook van mijn vader geleerd om logisch te denken en ik veracht de sentimentaliteit van deze tijd, zoals die volmaakt belichaamd wordt in de familie Waterhouse. Zo irritant en melodramatisch als Lavinia is, koud is ze niet, en ze vormt het tegenwicht van de ijzige hand van de astronomie.

Ik stond bij het vuur terwijl iedereen om me heen zo vrolijk was, en ik dacht: wat ben ik toch een vreemd schepsel – zelfs ik weet dat. Te veel ruimte en ik ben bang, te weinig en ik ben ook bang. Ik kan me nergens behaaglijk voelen; ik sta te dicht bij het vuur of te ver weg.

Achter me stond Gertrude Waterhouse met een arm om iedere dochter. Maude stond naast Lavinia en ze lachten allemaal om iets, Maud wat verlegen, alsof ze niet zeker wist of ze wel met hen mee moest lachen. Mijn hart ging naar haar uit.

Soms vind ik het pijnlijk samen te zijn met de familie Waterhouse. Lavinia is misschien bazig tegen haar moeder, maar er is duidelijk een genegenheid tussen hen die ik voor Maude niet kan opbrengen. Als ik een paar uur bij hen ben geweest neem ik me vast voor Maude een arm te geven als we gaan lopen, zoals Gertrude dat doet met Lavinia, en meer tijd met haar door te brengen; haar voorlezen, haar helpen met naaien, haar meenemen naar de tuin of meenemen naar de stad.

Zo ben ik nooit met haar omgegaan. De geboorte van Maude was een schok voor me, een die ik nog niet te boven ben gekomen. Toen ik bijkwam van de ether en haar voor het eerst in mijn armen droeg, had ik het gevoel dat ik aan het bed was gekluisterd, gevangen door haar mondje aan mijn borst. Natuurlijk hield ik van haar – houd ik van haar – maar die dag kwam er een einde aan mijn leven zoals ik me dat had voorgesteld. Het maakt me neerslachtig, en daar heb ik steeds vaker last van.

Met mijn dokter had ik tenminste geluk. Toen hij me een paar dagen na de bevalling kwam opzoeken stuurde ik de verpleegster de kamer uit en zei hem dat ik geen baby's meer wilde. Hij kreeg medelijden met me en legde me uit op welke tijdstippen en tekenen ik moest letten, en wat ik tegen mijn man kon zeggen om hem in die perioden van me af te houden. Het werkt niet voor iedere vrouw, maar bij mij hielp het wel en Richard heeft het nooit in de gaten gehad – niet dat hij tegenwoordig zo vaak bij me in bed komt. Natuurlijk moest ik de dokter een merkwaardig honorarium betalen – 'om er zeker van te zijn dat je mijn les hebt begrepen,' zo zei hij dat – zodra mijn lichaam zich had hersteld. Ik hield mijn ogen dicht en het was niet zo erg. Wel kwam het bij me op dat hij het tegen me kon gebruiken, mij verdere betalingen met mijn lichaam kon afdwingen, maar dat deed hij nooit. Daarvoor en voor zijn biologieles ben ik altijd dankbaar geweest. Ik huilde zelfs een beetje toen ik later hoorde dat hij gestorven was. Een begripvolle dokter kan soms nuttig zijn.

Om eerlijk te zijn waar het Maude betreft, dat gevoel gevangen te zitten was er al lang voor haar geboorte. Ik onderging het voor het eerst toen Richard en ik net terug waren van onze huwelijksreis en pas in ons huis in Londen woonden. Hij kuste me ten afscheid in mijn nieuwe zitkamer, die ik gekozen had aan de voorkant van het huis, met uitzicht op straat zodat ik een oog op de wereld kon houden, en hij vertrok om de trein naar zijn werk te halen. Ik keek uit het raam toen hij wegliep en ik voelde dezelfde jaloezie die me vroeger bevangen had als ik mijn broer naar school zag gaan. Toen hij om de hoek was verdwenen draaide ik me om en keek naar de stille, vredige kamer, net aan de rand van de stad die het centrum van de wereld is, en ik begon te huilen. Ik was twintig jaar en mijn leven was vastgeraakt in een lang, traag verloop waarover ik geen controle had.

Ik herstelde natuurlijk. Ik wist heel goed dat ik met veel dingen geluk had: een opleiding gehad te hebben en een ruimdenkende vader, een echtgenoot te hebben die knap is en zo welgesteld dat we ons een kok en een inwonende dienstbode konden veroorloven, en die me niet ontmoedigt me te ontwikkelen, ook al kan hij me niet de grotere wereld geven waarnaar ik zo verlang. Ik droogde die morgen mijn tranen, in elk geval dankbaar dat mijn schoonmoeder er niet was geweest en me niet had zien huilen. Een schrale troost – ik dank mijn God ervoor.

Mijn huwelijk is niet meer wat het is geweest. Nu vrees ik Richards aankondiging over oudjaar. Ik weet niet of hij echt geniet van de ervaring zelf, hij doet het eigenlijk om me te straffen, maar ik geloof niet dat ik kan zijn wat hij wil dat ik ben, weer die levendige vrouw kan worden die de wereld als een redelijke plek beschouwt en hem een redelijke man vindt.

Als ik dat kon, of zelfs kon voorwenden dat te kunnen, dan konden we nieuwjaar weer thuis vieren. Maar ik kan het niet.

Vanavond probeerde ik mijn sombere gevoelens te onderdrukken en in elk geval Maude niet te verwaarlozen. Toen we weggingen bij het vreugdevuur liep ik naar haar toe, pakte haar hand en liet die in de buiging van mijn elleboog glijden. Maude schrok alsof ik haar had gebeten en keek toen schuldig vanwege haar reactie. Ze hield me vrij onhandig vast, maar we slaagden erin enkele minuten zo te blijven lopen, voordat ze een uitvlucht verzon en hard wegliep om haar vriendin in te halen. Ik schaamde me omdat ik me opgelucht voelde.

Mei 1904

MAUDE COLEMAN

Ik weet dat ik dit eigenlijk niet mag zeggen, maar grootmoeder ziet altijd kans mijn dag te bederven als ze op bezoek komt, zelfs voordat ze er is. Totdat gisteren haar brief kwam hadden we zo'n heerlijke tijd; we zaten rond de tafel in de patio stukjes uit de krant aan elkaar voor te lezen. Dat is mijn lievelingstijd met mammie en pappie. Het was een warme lentedag, de bloemen in mammies tuin begonnen net te bloeien en mammie leek eindelijk eens gelukkig.

Pappie las berichtjes uit de *Mail* voor en mammie las uit de lokale krant alle misdaden die die week waren begaan; oplichting, vrouwen afranselen en kruimeldiefstal komen het meest voor. Ze is dol op de misdaadpagina.

'Moet je horen,' zei ze. 'James Smithson is voor het gerecht verschenen, hij werd beschuldigd van het stelen van de kat van de buurman. Tot zijn verdediging voerde meneer Smithson aan dat de kat ervandoor was gegaan met zijn zondagse stuk vlees en dat hij uitsluitend zijn eigendom terughaalde, dat nu in de kat zat.'

We lachten alledrie, maar toen Jenny kwam met de brief lachte mammie niet meer.

'Wat moet ik in hemelsnaam de hele dag met haar doen?' zei ze toen ze de brief had gelezen.

Pappie gaf geen antwoord maar bleef fronsend de krant lezen.

Toen stelde ik voor naar het columbarium te gaan. Ik wist niet helemaal zeker wat een columbarium was, maar er was er een geopend op het kerkhof, en het klonk deftig genoeg voor grootmoeder.

'Goed idee, Maude,' zei mammie. 'Als ze dat wil.'

Pappie keek op van zijn *Mail*. 'Het zou me heel erg verbazen als ze instemde om zoiets onsmakelijks te gaan bekijken.'

'Och, ik weet het niet,' zei mammie. 'Ik vind het nogal een slim idee. Het verbaast me dat jij dat niet vindt, aangezien je zoveel van urnen houdt.'

Toen ik het woord 'urn' hoorde wist ik dat ze ruzie zouden gaan maken, daarom rende ik naar de achterkant van de tuin om Lavinia te zeggen dat we misschien de volgende dag naar het kerkhof zouden gaan. Pappie en meneer Waterhouse hebben ladders neergezet zodat we gemakkelijker over de schutting kunnen klimmen, nadat ik een keer door een val mijn pols had verstuikt.

Ik ben nogal bang voor grootmoeder. Ze kijkt alsof ze een visgraat heeft ingeslikt en hem er niet uit kan krijgen, en ze zegt dingen waarvoor ik gestraft zou worden als ik ze zei. Vandaag toen ze aankwam keek ze me aan en zei: 'Mijn hemel, kind, wat ben jij gewoontjes. Niemand zou zeggen dat je Kitty's dochter bent. Of mijn kleindochter, als het daarom gaat.' Ze houdt er altijd van iedereen eraan te herinneren dat zij een schoonheid was in haar jeugd.

We gingen naar de zitkamer en grootmoeder zei meteen weer dat ze de kleuren waarin mammie hem had ingericht, niet mooi vond. Ik hou er wel van. Ze doen me denken aan het arbeiderscafé waar Jenny me soms mee naartoe neemt als traktatie, waar op elke tafel een pot mosterd en een fles met bruine saus staan. Misschien heeft mammie die daar gezien en besloot ze die kleuren in haar zitkamer te gebruiken, al kan ik me mammie moeilijk voorstellen in een arbeiderscafé, met alle rook en vet en ongeschoren mannen. Mammie heeft altijd gezegd dat ze de voorkeur geeft aan een man met een gladde huid, zoals pappie.

Mammie negeerde grootmoeders opmerkingen. 'Graag koffie, Jenny,' beval ze.

'Niet voor mij,' zei grootmoeder. 'Alleen een kopje warm water en een schijfje citroen.'

Ik stond achter hen naast het raam, zodat ik door de jaloezieën naar buiten kon kijken. Buiten was het stoffig door al die drukte in de straat: paarden die karren voorttrokken vol melk, kolen, ijs, de bakkersjongen die van deur tot deur ging met zijn broodmand, jongens die brieven bezorgden, dienstboden die boodschappen deden. Jenny zegt altijd dat ze oorlog voert tegen het stof en de strijd verliest.

Ik keek graag naar buiten. Toen ik me weer omdraaide naar de kamer, waar stofdeeltjes in een bundel zonlicht zweefden, leek het heel stil.

'Waarom verstop je je daar?' zei grootmoeder. 'Kom eens hier, dan kunnen we naar je kijken. Speel maar iets voor ons op de piano.'

Vol afschuw keek ik naar mammie. Ze wist dat ik een hekel had aan spelen.

Ze kwam me niet te hulp. 'Vooruit, Maude,' zei ze. 'Speel eens iets voor ons uit je laatste les.'

Ik ging aan de piano zitten en veegde mijn handen af aan mijn schort. Ik wist dat grootmoeder liever een hymne hoorde dan Mozart, daarom begon ik 'Abide with me' te spelen, hoewel ik weet dat mammie er een hekel aan heeft. Na een paar maten zei grootmoeder: 'Lieve hemel, kind, dat is afschuwelijk. Kun je niet beter spelen?'

Ik hield op en keek neer op de toetsen; mijn handen trilden. Ik haat het als grootmoeder op bezoek komt.

'Toe nou, moeder Coleman, ze is negen jaar,' verdedigde mammie me eindelijk. 'Ze heeft nog niet zo lang les gehad.'

'Een meisje moet zulke dingen leren. Hoe staat het met haar naaivaardigheid?'

'Niet best,' antwoordde mammie eerlijk. 'Dat heeft ze van mij. Maar ze leest heel goed. Ze leest *Sense and Sensibility*, nietwaar, Maude?'

Ik knikte. 'En ook *Through the Looking Glass* voor de tweede keer. Pappie en ik hebben de schaakpartij eruit opnieuw opgezet.'

'Lezen,' zei grootmoeder en je kon haar visgraat zelfs duidelijker zien. 'Daar schiet een meisje niets mee op. Het zal haar alleen maar ideeën geven, vooral onzin zoals die boeken over Alice.'

Mammie ging wat rechter zitten. Zij las altijd. 'Wat mankeert er aan een meisje met ideeën, moeder Coleman?'

'Ze zal niet tevreden zijn met haar leven als ze te veel ideeën heeft,' zei grootmoeder. 'Net als jij. Ik heb altijd tegen mijn zoon gezegd dat jij niet gelukkig zou zijn. "Trouw maar met haar als je dat per se wilt," zei ik, "maar ze zal nooit tevreden zijn." Ik heb gelijk gehad. Jij wilt altijd iets meer, maar met al je ideeën weet je nog niet wat je wilt.'

Mammie zei niets, maar bleef zitten met haar handen zo strak ineengeklemd op haar schoot dat ik het wit van de knokkels kon zien.

'Maar ík weet wat je nodig hebt.'

Mammie keek naar me en schudde daarna haar hoofd naar grootmoeder, wat betekende dat grootmoeder iets zou gaan zeggen wat ik niet mocht horen. 'Je had meer kinderen moeten hebben,' zei ze en ze negeerde mammie. Ze negeert mammie altijd. 'De dokter zei dat er geen enkele fysieke reden is waarom je dat niet zou kunnen. Jij zou best graag een broertje of zusje willen, nietwaar, Maude?'

Ik keek van grootmoeder naar mammie. 'Ja,' zei ik, om mammie te straffen omdat ze me had gedwongen piano te spelen. Ik voelde me rot op het moment dat ik het zei, maar toch is het waar. Ik ben vaak jaloers op Lavinia omdat zij Ivy May heeft, ook al kan Ivy May vervelend zijn wanneer ze overal met ons naartoe moet gaan.

Op dat moment kwam Jenny met het dienblad en we waren allen opgelucht toen we haar zagen. Toen ze had ingeschonken zag ik kans met haar naar buiten te glippen. Mammie zei iets over de zomertentoonstelling in de Royal Academy. 'Dat is vast en zeker rommel,' zei grootmoeder net toen ik de deur dichtdeed.

'Rómmel,' herhaalde Jenny toen we in de keuken waren; ze schudde haar hoofd en trok haar neus op. Ze klonk zo precies als grootmoeder dat ik moest lachen tot ik pijn in mijn buik had.

Soms vraag ik me af waarom grootmoeder de moeite neemt om ons te bezoeken. Zij en mammie zijn het over bijna niets eens, en grootmoeder is daarbij niet erg beleefd. 'Het voorrecht van de ouderdom,' zegt pappie steeds als mammie zich beklaagt.

Even vond ik het slecht van me mammie boven in de steek te laten, maar ik was nog boos omdat ze had gezegd dat ik al even slecht kon naaien als pianospelen. Daarom bleef ik in de keuken en hielp mevrouw Baker met de lunch. We zouden koude kalfstong en sla krijgen en lange vingers voor de pudding. Lunchen met grootmoeder is nooit erg interessant.

Toen Jenny beneden kwam met het koffieblad zei ze dat ze grootmoeder had horen zeggen dat ze inderdaad het columbarium wilde bezoeken, 'ook al is het voor *heidenen*.' Ik liet haar niet uitpraten maar rende weg om Lavinia te halen.

KITTY COLEMAN

Eerlijk gezegd verbaasde het me dat mevrouw Coleman zo graag het columbarium wilde zien. Ik vermoed dat het idee appelleert aan haar gevoel voor netheid en zuinigheid, al heeft ze duidelijk gemaakt dat het nooit gepast zou zijn voor christenen.

Hoe dan ook, ik was opgelucht dat ik iets had wat ik met haar kon doen. Ik ben altijd bang voor haar visites, al is het gemakkelijker dan toen ik pas was getrouwd. Ik had er tien jaar huwelijk voor nodig gehad om te leren hoe ik met haar moest omgaan: als een paard, alleen ben ik niet gewend aan het omgaan met paarden; ze zijn zo groot en lomp.

Maar aangepakt heb ik haar. De portretten, bijvoorbeeld. Als huwelijkscadeau gaf ze ons verscheidene donkere olieverfportretten van allerlei Colemans uit de laatste eeuw of zo, allemaal met dat zure gezicht dat ze zelf ook heeft – wat opvallend is, aangezien ze aangetrouwd is en die blik niet heeft geërfd.

Het zijn sombere doeken, maar mevrouw Coleman stond erop dat ze in de gang werden gehangen waar iedere bezoeker ze kon zien en bewonderen, en Richard deed niets om haar van het idee af te brengen. Hij spreekt haar maar zelden tegen. De enige opstandige daad die hij heeft verricht is te trouwen met de dochter van een dokter uit Lincolnshire, en hij zal waarschijnlijk de rest van zijn leven doorbrengen met het uit de weg gaan van andere conflicten. Dus werden de portretten opgehangen. Na zes maanden vond ik een paar bloemenaquarellen van precies dezelfde maat, en die hing ik op en ik verving ze steeds door de portretten als mevrouw Coleman op bezoek kwam. Gelukkig is zij niet het type vrouw dat onaangekondigd komt, ze meldt haar komst altijd de dag tevoren, zodat ik volop tijd heb om de schilderijen om te ruilen.

Na een paar jaar van dat geruil kreeg ik meer vertrouwen en was ik eindelijk in staat om de aquarellen te laten hangen. Natuurlijk zag ze die het eerst toen ze aankwam, nog voordat ze zelfs haar mantel had losgeknoopt. 'Waar zijn de familieportretten?' vroeg ze fel. 'Waarom hangen die niet op hun plaats?'

Gelukkig was ik erop voorbereid. 'O, moeder Coleman,' (wat doet het pijn haar zo te noemen; ze is mijn moeder niet) 'ik was bang dat de tocht van de deur ze zou beschadigen, daarom heb ik ze in Richards studeerkamer gehangen, waar hij steun kan vinden in de aanwezigheid van zijn voorvaderen.'

Haar antwoord was echt iets voor haar. 'Ik weet zelf niet waarom je ze hier al die tijd hebt laten hangen. Ik had er graag iets van gezegd, maar dit is tenslotte jouw huis, en ik kijk wel uit om je te vertellen hoe je dat moet beheren.'

Jenny liet bijna de mantel van mevrouw Coleman op de grond vallen van het giechelen; ze kende maar al te goed het gedoe met die schilderijen, want zij was het die me geholpen had de doeken telkens te verwisselen.

Ik had al vroeg één overwinning op mevrouw Coleman geboekt, en die heeft me geholpen heel wat saaie middagen met haar door te komen; later moest ik dan gaan liggen met een dosis pijnstillers. Mevrouw Baker was mijn triomf. Ik had haar gekozen als onze kok vanwege haar naam, die reden was zo frivool dat ze onweerstaanbaar was. En ik kon het niet helpen dat ik het ook aan mevrouw Coleman vertelde.

Toen ze het hoorde proestte ze vol afschuw haar thee uit.

'Gekozen om haar naam? Doe niet zo belachelijk! Wat is dat voor manier om een huishouden te bestieren?'

Tot mijn enorme voldoening was mevrouw Baker – een kleine, gereserveerde vrouw die me deed denken aan een bosje takken – een sieraad gebleken, een zuinige, kundige kok die instinctief bepaalde dingen begrijpt zodat ik ze haar niet hoef voor te kauwen. Als ik haar zeg dat mevrouw Coleman komt lunchen, dient ze bouillon op in plaats van kerriesoep, een gepocheerd ei in plaats van een omelet. Ja, ze is een sieraad.

Jenny was moeilijker geweest, maar ik mocht haar meer dan mevrouw Baker, die de gewoonte heeft iedereen van opzij te bekijken en zo voortdurend wantrouwig lijkt. Jenny heeft een brede mond en bolle wangen, een gezicht dat is geschapen om te lachen. Ze is altijd aan het werk met een grijns op haar gezicht, alsof ze op het punt staat in lachen uit te barsten over een goede grap. En dat doet ze ook, ik kan haar helemaal vanuit de keuken horen lachen. Ik probeer er niet aan te denken, maar soms vraag ik me af of ze ook om mij lacht. Daar ben ik zeker van.

Mevrouw Coleman zegt natuurlijk dat ze niet te vertrouwen is. Vermoedelijk heeft ze gelijk. Jenny heeft iets rusteloos dat de indruk geeft dat ze op een dag zal instorten en dat we allemaal zullen lijden onder de gevolgen. Maar ik ben vastbesloten haar aan te houden, al is het alleen om mevrouw Coleman te ergeren.

En ze is goed geweest voor Maude – het is een hartelijk meisje. (Mevrouw Baker is als koud tinnen vaatwerk.) Omdat de kinderjuffrouw van Maude ons heeft verlaten en ik verondersteld word voor haar te zorgen, is Jenny onmisbaar geworden om haar in het oog te houden. Ze neemt haar vaak mee naar het kerkhof, een gril van Lavinia die Maude helaas heeft overgenomen en die ik niet in de kiem heb gesmoord zoals ik had moeten doen. Jenny klaagt niet veel; ik vermoed dat ze graag de kans krijgt om even te rusten. Ze gaat altijd in een goede bui naar het kerkhof.

Maude zei dat de familie Waterhouse graag mee zou gaan om het columbarium te zien, en dat was maar goed ook. Ik vermoedde dat Gertrude Waterhouse in elk geval beter bij haar past, al is ze niet het type vrouw dat mevrouw Coleman graag met haar zoon had zien trouwen (dat ben ik trouwens ook niet). Ze konden hoe dan ook over hun wederzijdse adoratie voor de overleden koningin praten.

Het columbarium is ondergebracht in een van de gewelven aan de Cirkel van Libanon, waar een soort kanaal is gegraven om de grote Libanese ceder, met aan weerszijden een dubbele rij familiegrafkelders. Om er te komen loop je over de Egyptische Avenue, een sombere rij graftomben overwoekerd door rododendrons, met de ingang in Egyptische stijl, mooi afgewerkte kolommen versierd met lotusbloemen. De hele zaak is nogal theatraal. Ik weet zeker dat het rond 1840 heel stijlvol was, maar nu maakt het me aan het lachen. De boom is in elk geval schitterend, met omlaag hangende takken en bijna horizontaal uitgespreid, als een paraplu van blauwgroene naalden. Met de blauwe lucht erachter zoals vandaag, kan het je in verrukking brengen.

Misschien had ik de meisjes beter moeten voorbereiden op wat we te zien zouden krijgen. Maude is heel flegmatisch en flink, en Ivy May, het jongste meisje van de familie Waterhouse, met die grote bruine ogen, zegt niet veel. Maar Lavinia is het soort meisje dat elke uitvlucht zal aangrijpen om flauw te vallen, wat ze prompt deed zodra ze door de ijzeren spijlen in het columbarium keek. Niet dat er trouwens veel te zien is; het is een klein, hoog gewelf met langs de wanden nissen van ongeveer 30 bij 45 centimeter. Ze zijn allemaal leeg op twee na, heel hoog, en afgedekt met stenen plaquettes, en nog een waar een urn in staat en nog zonder plaquette. Als je bedenkt dat er hier op de graven overal urnen staan, kun je je moeilijk voorstellen waar Lavinia zo'n drukte om maakt.

Stiekem was het ook prettig, moet ik toegeven, want tot op dat moment konden Gertrude Waterhouse en mevrouw Coleman heel goed met elkaar overweg. Ik zou nooit zeggen dat ik jaloers was, het gaf me echter wel het gevoel een beetje overbodig te zijn. Maar terwijl Gertrude zich met haar flauwgevallen dochter moest gaan bezighouden en reukzout onder haar neus heen en weer zwaaide en Maude haar koelte toewuifde met haar zakdoek, gedroeg mevrouw Coleman zich afkeurender. 'Wat mankeert dat meisje?' blafte ze.

'Ze is wat gevoelig, vrees ik,' antwoordde die arme Gertrude. 'Ze kan zulke dingen niet aanzien.'

Mevrouw Coleman humde. Haar gehum is vaak ongunstiger dan haar woorden.

Terwijl we wachtten tot Lavinia weer bij was gekomen, vroeg Maude me waarom het een columbarium werd genoemd.

'Dat is Latijn voor "duiventil", waar vogels in wonen.'

'Maar hier wonen toch geen vogels?'

'Nee. Die kleine nissen zijn voor urnen, zoals je kunt zien, zoiets als wij op ons graf hebben, alleen veel kleiner.'

'Maar waarom bewaren ze hier urnen?'

'De meeste mensen worden in kisten begraven als ze sterven, maar sommige mensen geven de voorkeur aan verbranden. In de urnen zit hun as en hier kun je ze neerzetten.'

'Verbranden?' Maude keek een beetje geshockeerd.

'Cremeren heet het eigenlijk,' zei ik. 'Er is niets verkeerds aan. Op een bepaalde manier is het minder beangstigend dan begraven worden. In elk geval gaat het veel sneller. Het begint nu wat populairder te worden. Misschien wil ik ook wel gecremeerd worden.' Dat laatste flapte ik er een beetje luchthartig uit, omdat ik er eerder nooit echt aan had gedacht. Maar nu ik stond te kijken naar de urn in een van de nissen, begon het aantrekkelijk te lijken, al zou ik mijn as liever niet in een urn laten doen. Ik zou hem liever laten verspreiden om de bloemen te laten groeien.

'Onzin!' viel mevrouw Coleman me in de rede. 'En het is uiterst ongepast om tegen een meisje van Maudes leeftijd over zulke zaken te praten.' Maar nadat ze dat had gezegd, kon ze het niet nalaten verder te gaan. 'Bovendien is het onchristelijk en illegaal. Ik vraag me af of de wet wel toestaat zo'n ding te bouwen' – ze wuifde naar het columbarium – 'als het criminele daden aanmoedigt.'

Terwijl ze sprak kwam een man de trap naast het columbarium aflopen die van het hoge niveau van de Cirkel naar het lage leidde. Hij bleef abrupt staan toen hij haar hoorde. 'Neem me niet kwalijk, mevrouw,' zei hij, met een buiging naar mevrouw Coleman. 'Zonder het te willen hoorde ik uw opmerking. Crematie is helemaal niet onwettig. Het is in Engeland nooit illegaal geweest, de maatschappij keurt het alleen maar af en daarom is het nooit gebeurd. Maar er zijn al vele jaren crematoria: het eerste werd in 1885 in Woking gebouwd.'

'Wie bent u?' wilde mevrouw Coleman weten. 'En waarom bemoeit u zich met wat ik zeg?'

'Neem me niet kwalijk, mevrouw,' herhaalde de man en hij boog weer. 'Ik ben meneer Jackson, de hoofdopzichter van het kerkhof. Ik wilde u alleen maar op de hoogte brengen van de juiste feiten over crematie, omdat ik u wilde verzekeren dat er niets illegaals is aan het columbarium. De Crematiewet, die twee jaar geleden is aangenomen, regelt de procedures en de praktijken in heel Groot-Brittannië. Het kerkhof reageert alleen op de vraag van de mensen en weerspiegelt de openbare mening over de zaak.'

'U weerspiegelt zeker niet *mijn* mening over de kwestie, jongeman,' zei mevrouw Coleman nijdig, 'en ik heb hier een graf, dat heb ik al bijna vijftig jaar.'

Ik moest lachen om haar idee van wat een jongeman was; hij

zag er minstens uit als een veertiger, met grijze haren in zijn vrij ruige snor. Hij was erg groot en droeg een donker pak en een bolhoed. Als hij zich niet had voorgesteld zou ik gedacht hebben dat hij een begrafenisganger was. Ik had hem waarschijnlijk al eerder gezien, maar ik kon me hem niet herinneren.

'Ik beweer niet dat crematie nooit mag worden toegepast,' vervolgde mevrouw Coleman. 'Voor niet-christenen is het een optie: hindoes en joden, atheïsten en zelfmoordenaars, die types die niets geven om hun ziel. Maar het stoort me echt zo'n ding te zien op gewijde grond. Het had gebouwd moeten worden op het vak voor andersdenkenden, waar de grond niet gewijd is. Hier is het een belediging voor het christendom.'

'De mensen wier stoffelijke resten in het columbarium liggen waren zeker christenen, mevrouw,' zei meneer Jackson.

'Maar hoe zit het dan met de opstanding? Hoe kunnen lichaam en ziel herenigd worden op de Dag des Oordeels, als het lichaam...' Mevrouw Coleman maakte haar zin niet af, maar zwaaide met haar hand naar de nissen.

'Tot as is verbrand,' maakte Maude hem voor haar af. Ik onderdrukte een gegiechel.

In plaats van de moed te verliezen bij haar aanval, leek meneer Jackson er sterker van te worden. Hij stond daar heel rustig, met de handen ineen op zijn rug, alsof hij een rekenkundig vraagstuk besprak in plaats van een lastige theologische vraag. Maude en ik en de familie Waterhouse – Lavinia was inmiddels weer opgeknapt –, allen staarden we hem aan in afwachting van wat hij zou zeggen.

'Er is zeker geen verschil tussen de ontbonden resten van een begraven lichaam en de as van een verbrand lichaam,' zei hij.

'Er is een groot verschil!' sputterde mevrouw Coleman. 'Maar dit is een zeer onaangenaam onderwerp, vooral waar onze meisjes bij zijn, van wie er eentje net is bijgekomen van een flauwte.'

Meneer Jackson keek om zich heen, alsof hij de rest van ons nu pas zag. 'Neem me niet kwalijk,' hij boog (opnieuw). 'Ik wilde u niet beledigen.' Maar daarmee liet hij de kwestie niet met rust, zoals mevrouw Coleman duidelijk wenste dat hij zou doen. 'Ik wilde alleen maar zeggen dat God alle dingen kan doen, en niets wat wij doen met onze stoffelijke resten zal hem tegenhouden als hij onze ziel met ons lichaam wil herenigen.'

Daarna was het even stil, onderbroken door een kleine zucht van Gertrude Waterhouse. De implicatie achter zijn woorden – dat mevrouw Coleman met haar argument zou twijfelen aan de macht van God zelf – was tot haar doorgedrongen. Ook tot mevrouw Coleman, die voor het eerst sinds ik haar kende met de mond vol tanden stond. Het duurde natuurlijk niet lang, maar het gaf me heel veel voldoening.

'Jongeman,' zei mevrouw Coleman ten slotte, 'als God wilde dat wij onze doden zouden verbranden, dan zou hij dat hebben gezegd in de bijbel. Kom, Maude,' zei ze en ze keerde hem de rug toe, 'het wordt tijd dat we eens naar ons graf gaan kijken.'

Terwijl ze een onwillige Maude meenam keek meneer Jackson me even aan en ik glimlachte naar hem. Hij boog voor de vierde keer, mompelde iets als dat hij het heel druk had, en haastte zich weg met een hoogrood gezicht.

Zo, dacht ik. Zo.

LAVINIA WATERHOUSE

Ik wilde niet flauwvallen, echt niet. Ik weet dat Maude denkt dat ik het met opzet doe, maar dat is niet zo – dit keer niet. Ik wist gewoon zeker dat ik iets zag bewegen toen ik in het columbarium keek. Ik dacht dat het misschien de geest was van een van die arme zielen met hun as daarbinnen, die rondzweefde op zoek naar zijn lichaam. Toen voelde ik iets achter langs mijn hals strijken en ik wist dat het een geest moest zijn en ik viel flauw.

Toen ik Maude later vertelde wat er gebeurd was zei ze dat het waarschijnlijk de schaduw van de ceder was tegen de achtermuur van het columbarium. Maar ik weet wat ik heb gezien, en het was niet van deze wereld.

Daarna voelde ik me heel ellendig maar niemand lette op me, ze haalden niet eens een glas water voor me – ze waren helemaal perplex door die man die over verbranden en zo vertelde. Ik kon helemaal niet volgen wat hij zei, zo stomvervelend was het.

Toen sleepte Maudes grootmoeder haar mee en onze moeders liepen achter hen aan, en alleen Ivy May wachtte op mij. Soms kan ze echt een schat zijn. Ik kwam overeind en stond mijn jurk af te kloppen toen ik boven me geluid hoorde, ik keek op en zag Simon op het dak van het columbarium! Ik moest wel gillen met die geest en zo. Ik geloof niet dat iemand me hoorde, behalve Ivy May; niemand kwam terug om te kijken wat ik mankeerde.

Toen ik over de schrik heen was zei ik: 'Wat doe jij daarboven, ondeugende jongen?'

'Naar jou kijken,' zei hij brutaal.

'Vind je me aardig?' vroeg ik.

'Jazeker.'

'Aardiger dan Maude? Ik ben knapper.'

'Haar moeder is de knapste van allemaal,' zei hij.

Ik fronste mijn wenkbrauwen. Dat wilde ik hem helemaal niet horen zeggen. 'Kom, Ivy May,' zei ik, 'we moeten de anderen zoeken.' Ik stak mijn hand naar haar uit, maar die wilde ze niet pakken. Ze keek alleen op naar Simon, met haar handen ineengevouwen achter haar rug, alsof ze iets inspecteerde.

'Ivy May zegt niet veel, is het wel?' zei hij.

'Nee, inderdaad.'

'Soms wel,' zei ze.

'Daar heb je haar,' knikte Simon. Hij lachte tegen haar en ik was verrast toen Ivy May teruglachte.

Toen kwam de man terug – meneer Jackson, die over al dat verbranden praatte. Hij kwam haastig de hoek om, zag Simon en mij, en bleef staan.

'Wat doe jij daar, Simon? Je hoort je vader te helpen. En wat doe je bij deze meisjes? Die passen helemaal niet bij jou. Heeft hij je lastiggevallen, jongedame?' zei hij tegen mij.

'O ja, hij heeft me heel erg lastiggevallen,' zei ik.

'Simon! Dat kost je vader zijn baan. Ga hem maar zeggen dat hij onmiddellijk moet ophouden met graven. Nu is het afgelopen met jou, jongen.'

Ik wist niet zeker of hij blufte. Maar Simon krabbelde overeind en staarde de man aan. Het leek alsof hij iets wilde zeggen, maar hij keek naar mij en deed dat niet. Daarna deed hij een paar passen achteruit en voordat ik het wist sprong hij helemaal over ons hoofd van het dak van het columbarium tot in de cirkel waar de ceder stond. Ik was zo verbaasd dat ik gewoon met open mond bleef staan. Hij moest wel drie meter hebben gesprongen.

'Simon!' riep de man weer. Simon klom in de ceder en begon over een van de takken te kruipen. Toen hij een heel eind gevorderd was hield hij stil en ging met zijn rug naar ons op de tak met zijn benen zitten zwaaien. Hij had geen schoenen aan.

'Ze heeft gejokt. Hij viel ons niet lastig.'

Ivy May zegt vaak dingen als ik niet wil dat ze dat zegt. Ik had zin om haar te knijpen.

Meneer Jackson trok zijn wenkbrauwen op. 'Wat deed hij dan?'

'Hij wees ons hoe we moesten lopen,' zei Ivy May.

Ik knikte. 'We waren verdwaald, ziet u.'

Meneer Jackson zuchtte. Zijn kaak bewoog zich alsof hij op iets kauwde. 'Laat ik maar met de jongedames mee naar jullie moeder lopen. Weten jullie waar ze is?'

'Bij ons graf,' zei ik.

'En hoe heet jij dan wel?'

'Lavinia Ermyntrude Waterhouse.'

'Aha, in de wei, met de engel erop.'

'Ja. Die engel heb ik uitgekozen, weet u.'

'Kom dan maar met me mee.'

Toen we ons omdraaiden om achter hem aan te lopen kneep ik Ivy May flink, maar ik had er weinig voldoening van want ze schreeuwde niet eens. Ze dacht zeker dat ze voor één dag haar mond genoeg had gebruikt.

EDITH COLEMAN

Ik brak mijn bezoek voortijdig af. Ik was van plan tot het souper te blijven om Richard te zien, maar ik vond de trip naar het kerkhof zo vermoeiend dat ik de meid vroeg een rijtuig voor me te bestellen toen we waren teruggekeerd in het huis van mijn zoon. Het meisje stond in de gang met een glas water met een pijnstiller op een blad; de enige keer dat ze het benul heeft gehad te anticiperen op iemands behoeften. Ze had er citroenwater door gedaan, wat helemaal niet nodig was, en dat zei ik haar, waarop ze giechelde. Brutale meid. Ik zou haar direct de deur hebben gewezen, maar Kitty leek het niet op te merken.

Het was heel vervelend dat Kitty me niet vertelde wat voor mensen de familie Waterhouse waren, dan had ik me een gênant moment kunnen besparen. (Ik vraag me onwillekeurig af of ze het niet met opzet deed.) Toen we ons graf bezochten maakte ik een opmerking over de engel op het graf ernaast. Richard heeft al een tijdje gezegd dat hij de eigenaars van het graf zal vragen de engel te vervangen door een urn die bij de onze past. Ik vroeg Gertrude Waterhouse alleen om haar mening en vergat daarbij naar de naam op het graf te kijken. Ik was even verbaasd te ontdekken dat het hun engel is, als zij was toen ze merkte dat wij hem niet mooi vinden. In het belang van de waarheid die gezegd moet worden – iemand moet dat tenslotte doen en dat soort zaken lijkt altijd op mij neer te komen – zette ik alle sociale gêne die ik voelde van me af en legde uit dat iedereen er de voorkeur aan zou geven als de graven bijpassende urnen hadden. Maar toen ondermijnde Kitty mijn argument door te zeggen dat ze de engel nu eigenlijk wel mooi vond, terwijl Gertrude Waterhouse tegelijkertijd bekende dat ze onze urn helemaal niet mooi vond. (Stel je voor!)

Toen bemoeide dat vervelende kind van Waterhouse zich ermee en zei dat men zou denken dat de families verwant waren als de graven bijpassende urnen hadden. Dat deed me even zwijgen moet ik zeggen. Ik denk dat zo'n associatie met de familie Waterhouse helemaal niet gunstig zou zijn voor de Colemans.

En ik heb niet veel op met de invloed die het meisje Waterhouse op mijn kleindochter heeft; ze heeft geen gevoel voor verhoudingen, en ze zou Maude best eens kunnen bederven. Maude zou een betere vriendin kunnen krijgen.

Ik wil niets meer te maken hebben met de zaak van de engel en de urn. Ik heb het geprobeerd, maar laten de mannen dat maar uitzoeken, terwijl wij vrouwen de gevolgen dragen. Het is onwaarschijnlijk dat Richard nu nog iets zal doen, omdat het meer dan drie jaar geleden is dat de engel geplaatst werd, en kennelijk gaan hij en Albert Waterhouse heel vriendschappelijk met elkaar om in het cricketteam.

Het was allemaal heel vervelend en ik was woedend op Kitty omdat zij de oorzaak was. Echt iets voor haar om mij in verlegenheid te brengen. Ze is nooit de gemakkelijkste geweest, maar ik was meer genegen haar te verdragen in het begin, toen zij en Richard pas getrouwd waren, omdat ik wist dat zij hem gelukkig maakte. Maar de laatste paar jaar liggen ze kennelijk overhoop met elkaar. Ik zou er natuurlijk nooit met Richard over kunnen praten, maar eerlijk gezegd geloof ik niet dat ze hem in haar bed toelaat, anders zouden ze meer kinderen hebben gehad en zou Richard niet zo somber kijken. Ik kan niets anders doen dan

Kitty een hint geven dat de zaken anders zouden moeten zijn, maar het helpt niet; ze maakt Richard niet gelukkig meer en ze lijkt weinig kans te hebben mij nog eens grootmoeder te maken.

Om het goed te maken met Gertrude Waterhouse veranderde ik van onderwerp en begon over het onderhoud van het kerkhof, iets waarvan ik zeker was dat we het daarover allemaal eens zouden zijn. Toen mijn man en ik trouwden bracht hij me naar het kerkhof om me het familiegraf van de Colemans te laten zien, en toen was ik zekerder dan ooit dat ik de juiste man had getrouwd. Het kerkhof zag eruit als een degelijke, veilige en ordelijke plek: de muur eromheen was hoog, de bloembedden en paden waren keurig onderhouden, het personeel onopvallend en vakkundig. De veelgeprezen tuinarchitectuur liet me koud en de excessen van de Egyptische Avenue en de Cirkel van Libanon deden me niet veel, maar ik zag er de kenmerken in die de reputatie van het kerkhof gevestigd hebben als de plaats waaraan ons soort mensen de voorkeur geeft. Ik mag er helemaal niet over klagen.

Maar tegenwoordig beginnen de normen te vervagen. Vandaag zag ik dode tulpen in de bloembedden. Dat zou dertig jaar geleden nooit zijn gebeurd, toen werden de bloembedden vervangen zodra ze uitgebloeid waren. En het is niet alleen de leiding. Sommige eigenaars van graven planten zelfs liever wilde bloemen om hun graven! Straks brengen ze nog een koe mee om van de boterbloemen te grazen.

Als een voorbeeld van de verlaagde normen wees ik op wat klimop van een aangrenzend graf (niet dat van de familie Waterhouse) die tegen de zijkant van het onze opkroop. Als er niets aan wordt gedaan zal hij spoedig over de urn groeien en hem doen omvallen. Kitty wilde hem afplukken, maar ik hield haar tegen en zei dat het de taak van de directie van het kerkhof was te zorgen dat de klimop van een ander niet tot op ons eigendom groeit. Ik stond erop dat ze de klimop met rust liet als bewijsmateriaal, en dat de hoofdopzichter zelf gewaarschuwd werd over de situatie.

Tot mijn verbazing ging Kitty daarop de hoofdopzichter halen en ze liet Gertrude en mij achter om onbehaaglijk met elkaar te praten totdat ze terugkwam, en dat duurde een hele tijd. Ze was zeker over het hele kerkhof gewandeld.

Om eerlijk te zijn, Gertrude Waterhouse is best sympathiek. Wat ze nodig heeft is meer ruggengraat. Ze moest wat kunnen overnemen van mijn schoondochter, die heeft veel meer dan goed voor haar is.

SIMON FIELD

Ik vind het lekker in een boom. Je kunt over het hele kerkhof kijken en verder naar beneden kijken over de stad. Je kunt er heel rustig zitten en niemand ziet je. Een van die vette zwarte kraaien komt op een tak in mijn buurt zitten. Ik gooi niets en schreeuw niet tegen hem. Ik laat hem stil zitten.

Maar ik blijf niet lang. Na een tijdje, als de meisjes weg zijn, klim ik omlaag om hen te zoeken. Ik hol het hoofdpad af als ik meneer Jackson vanaf de andere kant zie aankomen en dan moet ik achter een graf duiken.

Hij praat met een van de tuinmannen. 'Wie is die vrouw die bij de meisjes hoort?' zegt hij. 'Die met die lichtgroene jurk?'

'Dat is mevrouw Coleman, baas. Kitty Coleman. Kent u dat graf daar bij de armen met de grote urn? Dat is van hen.'

'Ja, natuurlijk. De urn en de engel, te dicht bij elkaar.'

'Precies. Best een knappe meid, nietwaar?'

'Let op je woorden, man.'

De tuinman grinnikte. 'Zeker, baas. Ik zal zeker op mijn woorden passen.'

Als ze voorbij zijn loop ik omlaag naar de graven. Ik moet me verbergen voor de tuinmannen die in de wei aan het werk zijn. Het is hier netjes: al het gras is gemaaid, het onkruid gewied en de paden zijn aangeharkt. Om sommige plekken op het kerkhof bekommeren ze zich niet erg, maar in de wei is altijd iemand bezig. Meneer Jackson zegt dat die er goed uit moet zien voor de bezoekers, anders kopen ze geen percelen en zal er geen geld zijn om te betalen. Onze pa zegt dat dat onzin is; elke dag gaan er mensen dood en ze hebben een plek nodig om begraven te worden, en ze zullen betalen, of het gras nu gemaaid is of niet. Hij zegt dat een goed gedolven graf het enige belangrijke is.

Ik hurk achter het graf met de engel erop. Livy's graf. Er staat nog geen doodskop met knekels op, al jeuken mijn vingers als ik die plek leeg zie. Ik heb mijn woord gehouden.

De dames staan voor de twee graven te praten, en Livy en Maude zitten in het gras, snoeren van madeliefjes te maken. Nu en dan kijk ik even maar ze zien me niet. Alleen Ivy May wel. Ze kijkt me recht aan met grote groene ogen als een kat die doodstil blijft zitten als ze je ziet en afwacht wat je gaat doen: schoppen of aaien. Ze zegt niets en ik leg mijn vinger op mijn mond om 'sst' te doen. Ik sta bij haar in het krijt omdat ze de baan van onze pa heeft gered.

Dan hoor ik de dame in de groene jurk zeggen: 'Ik zal de hoofdopzichter gaan zoeken, meneer Jackson. Misschien kan hij iemand vinden die voor de zaken hier zorgt.'

'Het zal geen verschil uitmaken,' zegt de oude dame. 'De opvatting is veranderd. De opvatting van deze nieuwe tijd waarin er geen respect meer is voor de doden.'

'Hij kan op z'n minst iemand vinden die de klimop weghaalt omdat ik het van u niet mag,' zegt de dame in het groen. Ze trapt tegen haar rokken. Ik mag het wel als ze dat doet. Het is net of ze ze uit wil schoppen. 'Ik ga hem gewoon zoeken. Ik ben zo terug.' Ze loopt het pad op en ik glip van graf naar graf om haar te volgen.

Ik zou haar graag zeggen waar meneer Jackson nu is, maar ik weet het zelf niet. Er worden vandaag drie graven gedolven en er zijn vier begrafenissen. Bij de apenboom wordt een zuil geplaatst en er zijn een paar nieuwe graven verzakt en daar moet nieuw zand op. Meneer Jackson zou op al die plaatsen kunnen zijn om toezicht te houden op de mannen. Of misschien zit hij thee te drinken in de portierswoning, of is hij bezig iemand een graf te verkopen. Maar dat weet zij niet.

Op het hoofdpad wordt ze bijna overreden door een koppel paarden die een granietplaat voorttrekken. Ze springt achteruit, maar gilt niet zoals veel dames zouden doen. Ze staat daar maar, lijkbleek, en ik moet me verstoppen achter een taxusboom, terwijl zij een zakdoek pakt en haar voorhoofd en hals ermee afveegt.

Bij de Egyptische Avenue komt weer een ander stel gravers haar tegemoet met hun schoppen over de schouder. Het zijn ruwe kerels – onze pa en ik blijven uit hun buurt. Maar als zij hen tegenhoudt en iets zegt, kijken ze beiden naar de grond alsof ze betoverd zijn. De ene wijst verder het pad op en naar rechts en zij bedankt hen en loopt in de richting die hij heeft gewezen. Als ze voorbij is kijken ze elkaar aan en de ene zegt iets wat ik niet kan horen, en beiden lachen ze.

Ze ziet niet dat ik haar volg. Ik spring van het ene graf op het andere en duik weg achter de zerken. De granietplaten op de graven zijn warm onder mijn voeten op de plek waar ze in de zon hebben gelegen. Soms blijf ik even staan om die warmte te voelen. Dan hol ik verder om haar in te halen. Van achteren lijkt haar figuur op een zandloper. We hebben hier zandlopers op graven met vleugels eraan. Dat betekent dat de tijd vliegt, zegt onze pa. Je denkt dat je lang op deze wereld blijft, maar dat is niet zo.

Ze loopt het pad op langs het beeld van het paard in het vak van de andersdenkenden, en dan herinner ik me dat ze daar takken van de kastanjebomen aan het snoeien zijn. We slaan een hoek om en daar is meneer Jackson met vier tuinmannen; twee op de grond en twee die in een grote kastanjeboom zijn geklommen. Een van hen zit schrijlings op een tak en werkt zich erop vooruit, zich vastklemmend met zijn benen. Een tuinman op de grond maakt een grapje dat de tak een vrouw is, en iedereen lacht, behalve meneer Jackson en de dame, die niemand daar nog heeft gezien. Maar ze glimlacht wel.

Ze hebben touwen om de tak gebonden en de twee mannen in de boom trekken een tweemanszaag heen en weer. Ze stoppen om het zweet van hun gezicht te vegen en om de zaag los te maken als die blijft steken.

Een paar van de mannen zien de dame in de groene jurk. Ze stoten elkaar aan maar niemand zegt het tegen meneer Jackson. Ze lijkt vrolijker als ze naar de mannen in de boom kijkt dan toen ze bij de andere dames was. Haar ogen zijn donker, alsof er koolstof omheen is gesmeerd, en kleine haarlokjes piepen uit hun pinnen.

Ineens kraakt het en de tak breekt waar ze hem hebben doorgezaagd. De dame slaakt een kreetje en meneer Jackson draait zich om en ziet haar. De mannen laten de tak zakken met de touwen en als die op de grond ligt, beginnen ze hem in stukken te zagen.

Meneer Jackson loopt naar de dame. Zijn gezicht is rood, alsof hij het is geweest die al die tijd aan de tak heeft gezaagd, in plaats van tegen de anderen te zeggen wat ze moeten doen.

'Het spijt me, mevrouw Coleman. Ik heb u niet gezien. Staat u hier al lang?'

'Lang genoeg om een boomtak te horen vergelijken met een vrouw.'

Meneer Jackson sputtert alsof zijn bier hem in het verkeerde keelgat is geschoten.

Mevrouw Coleman lacht. 'Geeft niets,' zegt ze. 'Het was eigenlijk heel verkwikkend.'

Meneer Jackson lijkt niet te weten wat hij moet zeggen.

Gelukkig voor hem roept een van de mannen in de boom naar omlaag: 'Moeten we hier nog andere takken afzagen, baas?'

'Nee, breng deze maar naar de plek waar we vuur stoken. Dan zijn we hier klaar.'

'Stookt u hier vuur?' vraagt mevrouw C.

'Ja, 's avonds, om hout te verbranden en bladeren en ander afval. En, mevrouw, waarmee kan ik u van dienst zijn?'

'Ik wilde u bedanken voor de manier waarop u met mijn schoonmoeder over crematie heeft gesproken,' zegt ze. 'Het was heel leerzaam, al vermoed ik dat ze een beetje schrok door zo'n openhartig antwoord.'

'Mensen met vastgeroeste meningen moeten stevig worden aangepakt.'

'Wie citeert u daar?'

'Mezelf.'

'O.'

Even zwijgen ze. Dan zegt zij: 'Ik geloof dat ik gecremeerd zou willen worden, nu ik weet dat God het even goed vindt als een begrafenis.'

'Het is iets wat u zorgvuldig moet overwegen en zelf moet beslissen, mevrouw. Het is geen besluit dat u overhaast mag nemen.'

'Ik weet het nog zo net niet,' zegt ze. 'Soms denk ik dat het om het even is wat ik doe of laat, of wat er met me wordt gedaan.'

Hij kijkt haar verschrikt aan, alsof ze zojuist heeft gevloekt. Dan komt een van de portiers over het pad aanrennen en zegt: 'Baas, de stoet van de Andersons staat onder aan Swain's Lane.

'Nu al?' zegt meneer Jackson. Hij haalt zijn horloge uit zijn zak. 'Verroest, ze zijn te vroeg. Stuur een jongen naar het graf en zeg de gravers dat ze klaar moeten staan. Ik kom er zo aan.'

'Jazeker, baas.' De man holt het pad weer op.

'Is het altijd zo druk?' zegt mevrouw C. 'Die drukte is niet erg bevorderlijk voor een ongestoorde contemplatie. Al vermoed ik dat het hier bij de andersdenkenden wat rustiger is.'

'Een kerkhof is een bedrijf, net als alle andere,' zegt meneer Jackson. 'Dat vergeet men nog weleens. Het is vandaag in feite betrekkelijk kalm met begrafenissen. Maar ik vrees dat we geen rust en vrede kunnen garanderen, behalve op zondag. Het ligt in de aard van het werk; je kunt onmogelijk voorspellen wanneer mensen zullen overlijden. We moeten klaarstaan om snel te werken, niets kan van tevoren worden gepland. We hebben ooit twintig begrafenissen op één dag gehad. Op andere dagen hadden we er geen. Zo, mevrouw, was er nog iets wat u wilde vragen? Ik vrees dat ik nu weg moet.'

'Och, het lijkt nu zo triviaal vergeleken met dit alles.' Ze gebaart met haar hand om zich heen. Ik moet onze pa eens vragen wat 'triviaal' betekent.

'Hier is niets triviaal. Wat is het?'

'Het gaat om ons graf daar in de wei. Er groeit wat klimop van een ander graf tegen de zijkant op. Ofschoon ik vind dat het onze verantwoordelijkheid is het te wieden, heeft het mijn schoonmoeder wat van streek gemaakt, die vindt dat het kerkhof hoort te klagen bij de eigenaar van het aangrenzende graf.'

Nu begrijp ik wat triviaal betekent.

Meneer Jackson glimlacht zoals je hem alleen ziet lachen als er bezoekers bij zijn, alsof hij pijn in zijn rug heeft en probeert het te verbergen. Mevrouw C. kijkt verlegen.

'Ik zal het iemand direct weg laten halen,' zegt hij, 'en ik zal er de andere eigenaar over aanspreken.' Hij kijkt om zich heen alsof hij een jongen zoekt die hij de opdracht daartoe kan geven, daarom stap ik achter de steen vandaan waar ik me achter had verborgen. Het is riskant, want ik weet dat hij nog steeds kwaad op me is omdat ik rondhing bij Livy en Ivy May, in plaats van te werken. Maar ik wil dat mevrouw C. me ziet.

'Ik zal het wel doen, meneer,' zeg ik.

Meneer Jackson kijkt verbaasd. 'Simon, wat doe jij hier? Heb je mevrouw Coleman aanstoot gegeven?'

'Ik weet niet wat 'aanstoot' betekent, meneer, maar ik heb het niet gedaan. Ik bied alleen aan die klimop weg te halen.'

Meneer Jackson wil iets zeggen, maar mevrouw C. valt hem in de rede. 'Dank je, Simon. Dat zou heel vriendelijk van je zijn.' En ze glimlacht tegen me.

Geen enkele dame heeft ooit zoiets aardigs tegen me gezegd en ook niet naar me gelachen. Ik blijf stokstijf staan staren naar haar glimlach.

'Ga nu maar, jongen,' zegt meneer Jackson zacht.

Ik glimlach ook naar haar. Dan ga ik weg.

Januari 1905

JENNY WHITBY

Het was zeker heel vervelend. We hadden er een gewoonte van gemaakt, hij en ik. Iedereen was gelukkig: mevrouw, de meisjes, hij en ik. (Ik kom altijd als laatste op de lijst.) Zowat eens in de week nam ik de meisjes mee de heuvel op. Ik had mijn plezier-tje, zij hadden het hunne en hare hoogheid hoefde niets anders te doen dan thuis zitten lezen.

Maar toen haalde ze het in haar hoofd om hen zelf mee te nemen naar het kerkhof. In de zomer ging ze er twee, drie keer in de week naartoe. De meisjes waren in de zevende hemel, maar ik was in de hel.

Toen hield ze ermee op en begon mij weer te sturen en ik dacht: het begint weer. Maar nu is het winter en de meisjes gaan niet zo vaak meer, en als ze het doen wil zij ze weer meenemen.

Soms neemt ze hen zelfs mee als ze er niet zo op gebrand zijn om te gaan. Het is daar koud, met al die stenen overal. Ze moeten rennen om warm te blijven. Ik, ík weet wel hoe ik warm moet blijven als ik daar ben.

Een of twee keer heb ik mevrouw overgehaald om mij in haar plaats te laten gaan. Andere keren loop ik 's middags stiekem weg. 's Avonds is hij er niet. Tuinmannen werken korter dan dienstboden, dat peuter ik hem graag aan zijn verstand.

'Ja, en we krijgen dubbel zoveel betaald,' zei hij. 'Wat een hondenleven, nietwaar?'

Ik vroeg hem hoe dat zit met mevrouw, waarom ze zo vaak naar het kerkhof gaat.

'Misschien om dezelfde reden als jij,' zei hij.

'Vergeet dat maar!' Ik lachte. 'Voor wie zou ze trouwens gaan, voor een doodgraver?'

'Eerder de baas.'

Ik lachte weer, maar hij meende het, hij zei dat iedereen hen samen zag praten, ginds bij de andersdenkenden.

'Alleen maar praten?'

'Ja, net als wij,' zei hij. 'Praten doen we eigenlijk te veel, jij en ik. Hou je mond nu maar eens en doe je benen wijd.'

Brutale vlegel.

Oktober 1905

GERTRUDE WATERHOUSE

Ik doe graag mijn best met mijn jours. Ik houd ze altijd in de voorkamer en gebruik het theeservies met het rozenpatroon en Elizabeth bakt een cake – deze week citroencake.

Albert vraagt weleens of we de voorkamer niet beter als eetkamer kunnen gebruiken, in plaats van in de achterkamer te eten, die wat klein is als de tafel uitgetrokken is. Nu heeft Albert in de meeste dingen gelijk, maar wanneer het aankomt op het runnen van een huishouden doe ik wat ik wil. Ik voel me altijd beter als ik een 'beste' kamer heb om aan mijn gasten te laten zien, ook al wordt hij maar een of twee keer in de week gebruikt. Dus heb ik erop gestaan de kamers te laten zoals ze zijn, al moet ik toegeven dat het wat lastig is de tafel drie keer per dag uit te schuiven.

Het is ook heel dwaas, en ik zal het nooit tegen Albert zeggen, maar ik geef er ook de voorkeur aan mijn jours in de voorkamer te houden omdat die buiten het zicht van het huis van de Colemans ligt. Dat is heel dwaas eigenlijk, want Livy, die een paar keer bij hen is geweest (ik natuurlijk nooit), zegt dat Kitty Coleman haar jours in de zitkamer houdt, die aan de andere kant van het huis ligt en uitkijkt op de straat in plaats van op ons. Maar zelfs als het aan deze kant was, zou ze nauwelijks de tijd hebben om uit haar raam naar ons te kijken. Toch houd ik er niet van haar aanwezigheid in mijn rug te voelen, waar ze kan zien wat ik doe. Het zou me nerveus maken, waardoor ik niet in staat zou zijn om voor mijn gasten te zorgen.

Ik ben altijd een beetje ongerust als Livy naar Kitty Colemans jours gaat, wat ze niet vaak doet, kan ik tot mijn opluchting zeggen. De meisjes komen zelfs meestal hier na school. Maude zegt dat het hier veel gezelliger is, wat, als ik erover nadenk, eerder een compliment is dan een opmerking over het gebrek aan ruimte. Ze is een lieve meid en ik probeer echt haar los van haar moeder te zien.

Het doet me veel plezier dat de meisjes ondanks alle ruimte en elegantie van het huis van de Colemans liever hier zijn. Livy zegt dat het in hun huis heel koud en tochtig is, behalve in de keuken, en ze is bang dat ze kou zal vatten, al heeft ze – los van haar neiging tot flauwvallen – een sterk gestel en een gezonde eetlust. Ze zegt dat ze ook de voorkeur geeft aan onze comfortabele sofa's en stoelen en de fluwelen gordijnen in plaats van Kitty Colemans smaak voor bamboemeubelen en jaloezieën.

Zolang de meisjes nog op school zijn helpt Ivy May me bij de jours, ze gaat rond met de cake en neemt de theepot mee naar de keuken zodat Elizabeth hem kan vullen. De dames die komen – buren uit de straat en van de kerk en trouwe vriendinnen die helemaal van Islington hierheen komen om mij te bezoeken, de lieverds – glimlachen allemaal tegen haar, al weten ze ook vaak niet goed wat ze aan haar hebben.

Het is inderdaad een grappig kind. In het begin maakte het me vaak van streek als ze weigerde te praten, maar op den duur ben ik daaraan gewend geraakt en nu houd ik daarom nog meer van haar. Ivy Mays zwijgen kan een hele zegen zijn na Livy's drama's en tranen. En ze mankeert niets aan haar hoofd; ze leest en schrijft heel goed voor een meisje van zeven, en haar rekenvaardigheid is ook goed. Over een jaar stuur ik haar naar school met Livy en Maude, en dan wordt het misschien moeilijker voor haar; haar onderwijzers zijn misschien niet zo tolerant met haar als wij.

Ik vroeg haar eens waarom ze zo weinig zei en de schat antwoordde: '*Als* ik dan praat, luisteren jullie.' Verbazingwekkend dat zo'n jong iemand dat zelf helemaal heeft uitgedacht. Dat zou ook een goede les voor mij zijn; ik babbel altijd maar door, van de zenuwen en om een stilte te vullen. Soms als Kitty Coleman erbij is kan ik wel door de grond zakken als ik mezelf hoor kwetteren als een circusaap. Kitty Coleman glimlacht alleen maar alsof ze zich verschrikkelijk verveelt, maar dat heel beleefd verbergt.

Als de meisjes thuiskomen neemt Livy direct het serveren van de cake aan de dames over en die kleine Ivy May zit stil in een hoekje. Soms maakt dat me triest. Toch ben ik blij de meisjes om me heen te hebben en ik probeer alles zo behaaglijk mogelijk te maken. Hier heb ik in elk geval wat invloed op hen. Ik weet niet wat Kitty Coleman uithaalt als ze in Maudes huis zijn. Volgens Livy negeert ze hen meestal.

Ze komen graag hier, maar het fijnst van alles vinden ze het om naar het kerkhof te gaan. Ik heb een grens moeten trekken in hoe vaak Livy mag gaan, anders zou ze daar elke dag zitten. Ik geloof trouwens dat ze daarover tegen me jokt. Een buurvrouw zei dat ze op een dag Livy en Maude tussen de graven door had zien hollen met een jongen toen ze eigenlijk bij Maude aan het spelen moest zijn, maar toen ik haar daarnaar vroeg ontkende ze het en zei ze dat de buurvrouw nodig een nieuwe bril moest hebben! Ik zag er niet erg overtuigd uit en Livy begon te huilen bij de gedachte dat ik vermoedde dat zij jokte. Dus ik weet echt niet wat ik ervan moet denken.

Ik wilde eens met Kitty Coleman gaan praten omdat ze zo dikwijls gaan, en zij is degene die hen het vaakst meeneemt. Wat was dat een gênant gesprek! Toen ik opperde dat het misschien ongezond voor hen was zo vaak naar het kerkhof te gaan, antwoordde ze: 'Och, de meisjes krijgen volop frisse lucht en dat is heel gezond voor hen. Maar als ze erheen willen gaan moeten we koningin Victoria de schuld daarvan geven, omdat ze rouwen zo belachelijk hoog heeft verheven dat meisjes met romantische ideeën er dronken van worden.'

Nou ja! Ik voelde me gekrenkt en was ook tamelijk boos. Afgezien van het feit dat ze Livy kleineert, weet Kitty Coleman heel goed hoe dierbaar de overleden koningin me nog is, God hebbe haar ziel. Het is niet nodig de doden te bekritiseren. Dat zei ik Kitty Coleman recht in haar gezicht.

Ze zei alleen maar glimlachend: 'Als we haar nu niet kunnen bekritiseren, wanneer dan wel? Als we het gedaan hadden toen ze nog leefde zouden we kans gelopen hebben veroordeeld te worden wegens verraad.'

'De monarchie staat boven kritiek,' antwoordde ik zo waardig als ik kon. 'Ze zijn onze soevereine vertegenwoordigers, en we doen er goed aan naar hen op te kijken, anders getuigt dat van slechte manieren van ons.'

Spoedig daarna maakte ik mijn verontschuldigingen daarover en ging weg, nog steeds woedend op haar. Pas later realiseerde ik me dat ik niet echt had gesproken over het beperken van

Livy's bezoeken aan het kerkhof. Zij is onmogelijk – ik zal haar nooit kunnen begrijpen. En als ik heel eerlijk ben wil ik dat niet eens.

Februari 1906

MAUDE COLEMAN

Ik ken nu elk hoekje van het kerkhof. Ik ken het beter dan mijn eigen tuin. Mammie neemt ons er steeds mee naartoe, zelfs na schooltijd in de winter, als het al donker begint te worden en we er niet om gevraagd hebben.

Natuurlijk hebben we veel lol tijdens het spelen daar. We zoeken eerst Simon op, en als hij vrij is gaat hij een tijdje met ons mee. We spelen verstoppertje en lopen langs de engelen (er zijn twee nieuwe), en soms zitten we op onze graven en vertelt Lavinia verhalen over de mensen die op het kerkhof begraven zijn. Ze heeft een oude gids van het kerkhof en leest er graag uit voor, over het meisje wier jurk in brand vloog, of de luitenant-kolonel die in de Boerenoorlog sneuvelde en die werd beschreven als 'dapper en vriendelijk', of de man die omkwam bij een spoorwegongeluk. Of ze verzint gewoon verhalen, die ik vrij saai vind, maar Simon hoort ze graag. Ik heb niet de fantasie die zij heeft. Ik ben meer geïnteresseerd in de planten en de bomen, of de steensoorten die ze gebruiken voor de gedenktekens; of ik test Ivy Mays leesvaardigheid, als ze erbij is, door woorden op de graven te gebruiken.

Ik weet niet wat mammie doet terwijl wij spelen. Ze wandelt weg en ik zie haar zelden, totdat ze ons komt zoeken als het tijd is om te gaan. Ze zegt dat het goed voor ons is frisse lucht te happen en ik geloof wel dat ze gelijk heeft, maar soms heb ik het koud en, dat moet ik toegeven, een beetje genoeg van de plaats. Het is gek als je bedenkt hoe wanhopig graag ik naar het kerkhof wilde gaan en hoe het helemaal niets speciaals meer is nu ik er steeds heen ga.

KITTY COLEMAN

Hij wil me niet hebben. Ik ben gek op hem, maar hij wil me niet hebben.

Bijna twee jaar heb ik het kerkhof bezocht, alleen om hem te zien. En toch wil hij me niet nemen.

In het begin was ik voorzichtig, ik zocht hem wel op maar wilde niet de indruk wekken dat ik het met opzet deed. Altijd nam ik de meisjes mee, liet ze vervolgens spelen en deed alsof ik naar hen zocht, terwijl ik in werkelijkheid naar hem op zoek was. Ik ben de paden op en neer gelopen, zogenaamd gefascineerd door de voordelen van Romeinse kruisen vergeleken met gewone kruisen, of obelisken in Portlandsteen vergeleken met graniet, of de namen op graven die in de steen zijn gebeiteld ten opzichte van die die met metalen letters zijn vastgemaakt. Ik weet niet wat de werklui van me denken, maar ze zijn eraan gewend geraakt dat ik er ben en knikken altijd respectvol.

Ik heb een hoop geleerd over het kerkhof wat ik voorheen niet wist. Ik weet waar ze het extra zand storten dat overblijft als de kist in het graf ligt, en waar het hout wordt bewaard om de diepe graven te stutten, en de groene kleden die ze om de pas gedolven graven leggen zodat ze op gras lijken. Ik weet welke grafdelvers zingen onder het werk, en waar ze hun fles met drank verstoppen. Ik heb de registers gezien en de gedetailleerde plattegronden, waarop elk perceel is genummerd zodat ze graven kunnen registreren. Ik heb het kerkhof leren kennen als een bedrijfstak in plaats van een plek voor spirituele contemplatie.

Hij beheert het op een onberispelijke manier, alsof het een passagiersschip is dat de oceaan oversteekt. Hij kan streng en bruut zijn tegenover het personeel, als dat nodig is; een paar mannen zijn echte rauwdouwers. Maar volgens mij is hij ook eerlijk en respecteert hij goed werk.

Boven alles is hij aardig tegen mij zonder dat ik me daarbij minder voel.

We praten over allerlei zaken; over de wereld en hoe die werkt, en over God en hoe hij werkt. Hij vraagt naar mijn mening en lacht er niet om maar houdt er rekening mee. Hij is zoals ik altijd gehoopt had dat Richard zou blijken te zijn. Maar ik maakte de vergissing te denken dat mijn man zou veranderen toen we trouwden in plaats daarvan groef hij zich nog meer in.

John Jackson is geen knappe man. Hij is geen welgestelde man maar is ook niet arm. Hij is niet van goede komaf. Hij gaat niet naar dineetjes, niet naar het theater of naar openingen van tentoonstellingen. Hij heeft geen echte opleiding gehad, al is hij wel onderlegd; toen hij me het graf van Michael Faraday bij de andersdenkenden liet zien, kon hij zijn experimenten met magnetische velden veel beter uitleggen dan Richard of zelfs mijn broer had kunnen doen.

Hij is een oprechte man, een religieuze man, een man met principes, een morele man. Het zijn die laatste kwaliteiten die me de das om hebben gedaan.

Ik ben niet gewend afgewezen te worden. Niet dat ik mezelf ooit eerder als zodanig heb aangeboden, maar ik flirt graag en verwacht een reactie, anders zou ik het niet doen. Maar hij flirt niet. Toen ik het in het begin met hem probeerde, zei hij dat hij niet hield van een coquette, dat hij alleen de waarheid wil, en ik hield ermee op. Zo vertelde ik hem dus in de loop van enkele maanden – voortdurend onderbroken door zijn plichten op het kerkhof – over het beetje dat er van mijn beperkte leven te vertellen valt: hoezeer ik mijn overleden ouders en broer mis, over mijn doffe wanhoop, over mijn onmogelijke zoektocht naar een plaatsje bij het vuur dat niet te warm of te koud is. (Alleen een paar dingen heb ik voor hem verborgen gehouden: mijn wetenschap hoe ik moet vermijden een baby te krijgen, mijn kille bed, die oudejaarsavond waar Richard op staat. Hij zou walgen van dat laatste. Zelf walg ik er niet zozeer van, ik berust er meer in.)

Toen ik hem ten slotte in de herfst na een zomer van wat ik beschouwde als een periode van verkering ronduit vertelde wat ik bereid was te doen, zei hij nee.

Toen ging ik een tijdlang niet meer naar het kerkhof en stuurde Jenny met de meisjes als ze wilden gaan. En zo hebben we dit afgelopen jaar elkaar weer ontmoet, maar niet zo vaak en zonder hooggespannen verwachtingen. Het is pijnlijk, maar hij heeft zich aan zijn principes gehouden en ik ben gaan accepteren dat ze belangrijker zijn dan ik.

Dus we ontmoeten elkaar en hij praat vriendelijk met me. Vandaag zei hij tegen me dat hij altijd een zus had willen hebben en dat hij er nu een heeft. Ik antwoordde niet dat ik al een broer had en geen andere meer wilde.

April 1906

LAVINIA WATERHOUSE

Wat is het fijn om iemand te hebben om wie je echt kunt rouwen. En nu ik elf ben en oud genoeg om een echte rouwjurk te dragen is het zelfs nog beter. Mijn lieve tante zou zo ontroerd zijn geweest als ze me zo gekleed had gezien, en papa kreeg tranen in zijn ogen toen hij me 'zo zag lijken op mijn dierbare zuster.'

Ik heb er *The Queen* en *Cassell's* heel zorgvuldig op nagelezen om geen fouten te maken, en ik heb zelfs mijn eigen handboek geschreven om andere meisjes in mijn positie te helpen, als ze misschien vragen hebben over de juiste rouwetiquette. Ik vroeg Maude om me te helpen maar zij had er in het geheel geen belangstelling voor. Soms blijft ze maar doordraven over constellaties, of planeten, of over stenen die ze op de Heath heeft gevonden, of planten in haar moeders tuin, totdat ik wel kan gillen.

Dus moet ik het allemaal zelf doen. Volgens mij is het heel goed geworden – dat zegt mama tenminste. Ik heb het in mijn beste handschrift geschreven op papier met een zwarte rand en ik heb Ivy May een engel op de omslag laten tekenen. Ze tekent heel goed en het boek ziet er erg mooi uit. Ik ga de tekst hieronder kopiëren, om hem niet kwijt te raken.

De complete handleiding voor rouwetiquette
door juffrouw Lavinia Ermyntrude Waterhouse

Het is heel droevig als iemand sterft. Bij die gelegenheid gaan we in de rouw. We dragen speciale zwarte kleren en zwarte sieraden, we gebruiken speciaal briefpapier voor brieven en we gaan niet naar feesten of concerten.

De rouwperioden verschillen in lengte, afhankelijk van de dierbare die gestorven is.

De weduwe rouwt het langst omdat zij het meest bedroefd is. Wat is het afschuwelijk een man te verliezen! Ze rouwt twee jaar lang: achttien maanden volle rouw, zes maanden halve rouw. Sommige dames rouwen nog langer. Onze overleden koningin was voor haar man Albert de rest van haar leven in de rouw – veertig jaar!

Wat triest is het als een moeder haar kind verliest, of een kind haar moeder. Ze rouwen één jaar.

Voor broers en zusjes – zes maanden
Voor grootouders – zes maanden
Ooms en tantes – twee maanden
Oudooms en oudtantes – zes weken
Volle neven en nichten – vier weken
Achterneven en -nichten – drie weken

Kleding

Het is heel belangrijk de juiste rouwkleren uit te zoeken. Ze moeten nieuw zijn en verbrand worden na de rouwperiode, omdat het ongeluk brengt als je ze in huis houdt.

Alle goede families in Londen gaan naar Jay's in Regent Street om hun rouwkleren te kopen.

Dames dragen jurken van de beste paramatzijde en afgezet met crèpe voor volle rouw van hun echtgenoten, ouders of kinderen. Voor grootouders, broers en zusters dragen dames gewone zwarte zijde, afgezet met crèpe. Voor alle anderen dragen ze zwart zonder crèpe.

Dames dragen zwarte handschoenen en hebben witte zakdoeken bij zich met een zwarte rand.

Na een tijdje kunnen ze de crèpe er afhalen. Dit wordt genoemd de rouw 'afwijzen'.

Dan is er nog halve rouw. Dames dragen grijs of

lavendelblauw of violet, of zwart-witte strepen. Ook de handschoenen zijn grijs.

Sieraden

Tijdens volle rouw kunnen dames broches en oorringen van agaat dragen. De broches mogen versierd zijn met het haar van een dierbare. Bij halve rouw kunnen dames een beetje goud, zilver en parels en diamanten dragen.

Briefpapier

Schrijfpapier moet een zwarte rand hebben. Het is heel belangrijk dat de rand breed genoeg is om de dierbare overledene te eren, maar niet zo breed dat het vulgair wordt.

Heren

Heren dragen wat ze normaal dragen naar kantoor, maar ook zwarte hoedbanden, zwarte dassen en zwarte handschoenen. Ze dragen geen sieraden.

Kinderen (onder tien jaar)

Kinderen mogen zwart dragen als ze dat willen, maar meestal dragen ze witte jurken en soms lavendelblauw of lichtpaars of grijs. Ze kunnen handschoenen dragen. Kinderen ouder dan tien jaar moeten volle rouw dragen.

MAUDE COLEMAN

Toen we vandaag naar het kerkhof gingen waren ze bezig het graf van de familie Waterhouse uit elkaar te halen. Ik wist dat de tante van Lavinia de volgende dag begraven zou worden, maar ik had gedacht dat ze het graf later op de dag zouden delven. Het was vreemd Simon en zijn pa te zien werken aan een van onze graven in plaats van aan dat van een onbekende. Ik had onze graven altijd beschouwd als solide en onverwoestbaar, maar nu weet ik dat je een breekijzer kunt nemen en ze uit elkaar halen, en zelfs een engel kunt omstoten terwijl je bezig bent.

Lavinia pakte mijn arm toen ze de groep mannen rond het graf zag, en ik vroeg me af of ze een scène zou gaan maken. Ik vond haar vrij vermoeiend, moet ik bekennen. Sinds de dood van haar tante heeft ze over niets anders gesproken dan zwarte kleren en over wanneer ze weer sieraden kan gaan dragen – ook al mag ze die nauwelijks dragen! De gedragsregels van de rouw zijn heel streng als ik haar zo hoor. Ik denk niet dat ik er goed in zou zijn. Zonder het te weten zou ik voortdurend tegen de regels zondigen.

Toen riep mammie ineens: 'John!' Ik heb haar nooit zo hard horen roepen. We schrokken allemaal en vervolgens zag ik dat Simons pa meneer Jackson opzij had geduwd, zodat hij languit lag. En daarop viel de engel van de familie Waterhouse op de grond.

Het was allemaal heel vreemd. Het duurde een hele tijd voordat ik zag wat er gebeurd was. Ik begreep niet waarom Simons pa meneer Jackson had weggeduwd en waarom meneer Jackson hem lijkbleek bedankte. Ik begreep niet waarom de engel was gevallen. En ik begreep evenmin hoe mammie de voornaam van meneer Jackson kende.

Toen ik zag dat het hoofd van de engel van zijn lijf was gebroken, had ik moeite om niet te lachen. Lavinia viel natuurlijk flauw. Daarna rende Simon weg met het hoofd van de engel onder zijn arm en toen moest ik echt lachen, het deed me denken aan het gedicht over Isabella die het hoofd van haar minnaar begroef in de pot basilicum.

Gelukkig hoorde Lavinia me niet lachen; ze was bijgekomen en had het druk met overgeven. Mammie maakte verrassend veel drukte om haar, legde haar arm om haar heen en gaf haar een zakdoek.

Lavinia keek naar mammies zakdoek. 'O nee, ik moet mijn eigen rouwzakdoek gebruiken,' zei ze.

'Het is niet belangrijk,' zei mammie. 'Echt niet.'

'Weet u het zeker?'

'God zal je geen bliksem sturen omdat je een gewone zakdoek gebruikt.'

'Maar het heeft niets met God te maken, mevrouw Coleman,' zei Lavinia heel ernstig. 'Het gaat om respect voor de doden. Mijn tante zou zich zo gekwetst voelen als ze meende dat ik niet aan haar dacht bij alles wat ik deed.'

'Ik denk niet dat je tante zou willen dat je aan haar dacht terwijl je je mond afveegt na te hebben overgegeven.'

Ivy May giechelde. Lavinia keek haar fronsend aan.

'De dingen zijn aan het veranderen,' zei mammie. 'Niemand verwacht van jou of je vader of moeder dat je nog in volle rouw gaat. Misschien weet je dat niet meer, maar koning Edward beperkte de rouwperiode voor zijn moeder tot drie maanden.'

'Ik weet het nog. Maar mijn moeder heeft langer dan wie ook zwart gedragen. En ik zou me schamen als ik geen zwart droeg voor mijn tante.'

'Kan ik u soms helpen, mevrouw?' vroeg meneer Jackson, die naast hen stond.

'Kunt u een rijtuig bestellen om ons naar huis te brengen, alstublieft,' zei mammie zonder hem aan te kijken.

Meneer Jackson ging weg om een rijtuig te laten roepen. Tegen de tijd dat hij terugkwam was Lavinia weer op de been, maar ze was nog heel bleek en beverig.

'Zullen we haar naar de binnenplaats brengen?' vroeg meneer Jackson. 'Kun je lopen, jongedame, of heb je liever dat ik je draag?'

'Ik kan wel lopen,' zei Lavinia en ze zette een paar wankele pasjes.

Mammie legde haar arm om Lavinia's schouders en meneer Jackson pakte haar bij de elleboog. Ze begonnen langzaam het pad naar de ingang af te lopen. Terwijl Ivy May en ik hen volgden zag ik dat de handen van mammie en meneer Jackson elkaar leken te raken onder Lavinia's bovenarm. Helemaal zeker was ik niet en ik dacht even Ivy May te vragen wat zij zag, maar besloot toen het niet te doen.

Meneer Jackson moest Lavinia van de trap dragen naar de binnenplaats en daarna hield ze vol dat ze zich goed genoeg voelde om zelf te lopen. Toen we bij de voorpoort kwamen stond er een hansom op ons te wachten, niet erg groot voor vier personen, ook al waren drie van ons meisjes. Ik denk dat het het eerste rijtuig was wat te vinden was. Meneer Jackson hielp Lavinia erin; hij moest haar echt optillen, zo zwak was ze. Daarna draaide hij zich om en hielp mij met instappen en vervolgens Ivy May. Ivy May ging op mijn schoot zitten zodat er plaats zou zijn voor mammie. Ze zat heel stil, zonder te wiebelen. Ze voelt heel stevig aan, maar ik vond het fijn haar daar te hebben en ik sloeg mijn armen om haar heen om haar op haar plaats te houden. Het deed me wensen dat ik een broertje of zusje had om nu en dan op mijn schoot te zitten.

Meneer Jackson hielp mijn moeder met instappen en sloot het portier voor haar. Ze opende het raampje en hij leunde even naar binnen om te zeggen: 'Tot ziens, jongedames. Ik hoop dat je je beter voelt, juffrouw,' voegde hij eraan toe, met een knikje naar Lavinia. 'Voor je het weet hebben we je engel weer op zijn plaats.'

Lavinia keek nauwelijks naar hem, maar leunde achterover en sloot haar ogen.

Toen de wielen begonnen te rijden hoorde ik iemand met zachte stem zeggen: 'Morgen.' Ik dacht dat het meneer Jackson moest zijn die erbij zei dat de engel op tijd klaar zou zijn voor de begrafenis van de volgende dag.

Mammie moet het ook gehoord hebben, want ze ging ineens recht zitten, alsof juffrouw Linden op school was aan komen lopen met haar liniaal en haar in de zij porde, zoals ze dat met ons doet bij de etiquettelessen.

Toen reden we de heuvel af en ik zag Simon uit de werkplaats van de steenhouwer komen zonder het hoofd van de engel. Hij zag ons ook en uit mijn ooghoek zag ik hem naast de hansom rennen totdat hij het moest opgeven.

SIMON FIELD

Dit is wat er gebeurde. Ik heb het allemaal gezien.

Als we de marmerplaat van het graf van de familie Waterhouse schuiven, moeten we die loswrikken van de onderkant van het voetstuk waarop de engel staat. Dat doen Joe en ik terwijl onze pa en meneer Jackson toekijken. Meneer Jackson geeft aanwijzingen zoals hij dat graag doet. Ik wil hem zeggen dat we weten wat we aan het doen zijn, maar hij is de baas – hij kan zeggen wat hij wil.

Joe wrikt aan de plaat met een koevoet en hij leunt vervolgens tegen het voetstuk om zijn gewicht achter het ijzer te zetten. Nu is Joe een grote, sterke kerel en voordat je het weet begint het voetstuk te bewegen. Die metselaars moeten die fundering heel slecht hebben gelegd, anders zou dat niet gebeuren. Ik heb al zes jaar gegraven op het kerkhof en ik heb er nooit een zo zien bewegen.

Wat erger is, de mortel waarmee de engel vastzit op de basis van het voetstuk is zwak. Ik zie de engel heen en weer wiebelen.

'Joe,' zeg ik, 'stop.'

Joe houdt op met de koevoet, maar hij leunt nog steeds tegen het voetstuk en de engel wiebelt weer. Nu kan ik de scheur in de mortel zien, maar voordat ik iets kan zeggen begint de engel om te vallen. Ik hoor een vrouw roepen juist als de engel opzij valt en de urn van de Colemans raakt. Het hoofd breekt er helemaal af en valt de ene kant op, het lijf de andere kant. Het lijf valt zelfs precies waar meneer Jackson staat, alleen staat hij er nu niet meer, want onze pa heeft hem weggeduwd.

Het gebeurt allemaal langzaam en toch snel. Dan rennen Kitty Coleman en de meisjes naar ons toe. Livy kijkt maar even naar de onthoofde engel, schreeuwt en valt flauw, wat nu onderhand niets nieuws is. Mevrouw C. helpt meneer Jackson overeind – zijn gezicht is helemaal bleek en bezweet. Hij ademt zwaar, pakt een zakdoek en veegt zijn gezicht af. Dan kijkt hij naar de basis van het voetstuk, schraapt zijn keel en zegt: 'Die metselaar ga ik zijn nek omdraaien.'

Ik weet wat hij bedoelt.

Dan zegt hij: 'Dank je, Paul,' heel kalm en ernstig tegen onze pa. Het klinkt gek, want hij noemt onze pa nooit bij zijn naam.

Onze pa haalt zijn schouders op. 'Ik weet trouwens niet waarom ze daarop een engel moeten hebben,' zegt hij. 'Urnen en engelen en zuilen en zo. Verrekte onzin. Als je dood bent, ben je dood. Je hebt geen engel nodig om je dat te vertellen. Geef mij maar liever het graf van een pauper.' Onze pa klopt op een van de houten kruisen van de paupers. 'Mijn pa is in zo'n graf begraven en voor mij zal dat ook genoeg zijn.'

'Maar goed ook,' zegt meneer Jackson, 'want daarin zul je waarschijnlijk ook eindigen.'

Je zou denken dat onze pa beledigd zou zijn, maar iets in de manier waarop meneer Jackson dat zegt doet onze pa glimlachen. De baas lacht ook en het is een gek gezicht als je nagaat dat hij net bijna dood was. Het is net of ze maten zijn die in de pub een pint bier drinken en lachen om een mop.

'Hoe dan ook, we kunnen beter even voor het meissie zorgen,' zegt onze pa dan en hij knikt naar Livy. Maude hurkt bij haar neer en mevrouw C. loopt ook naar haar toe. Livy gaat rechtop zitten. Ze is weer in orde – dat is altijd zo.

Ivy May staat naast me. 'Je had die engel een merkteken moeten geven,' zegt ze.

Het duurt even voordat ik doorheb dat ze de doodskop en de knekels bedoelt. 'Dat kan ik niet,' zeg ik. 'Dat mag niet van Livy.'

Ivy May schudt haar hoofd en ik voel me rot, alsof ik haar teleurgesteld heb. Geen tijd trouwens om nog meer te zeggen, want meneer Jackson zegt tegen mij: 'Simon, ren naar de werkplaats van de steenhouwer en zeg tegen meneer Watson dat hij direct hierheen moet komen. Als hij klaagt geef je hem dit maar.' Hij geeft me het hoofd van de engel, waarvan de neus is afgebroken. Het is zwaar en bijna laat ik het vallen, zodat Livy weer gaat gillen. Ik stop het onder mijn arm en hol weg.

JENNY WHITBY

Ik was in de tuin vloerkleden aan het kloppen toen hij over de schutting kwam tuimelen en recht voor mijn voeten viel. 'Hé!' riep ik. 'Wat doet die jongen hier? Jij smerige deugniet, zomaar over de schutting springen alsof het huis van jou is. Waag het niet die modder uit het graf de tuin in te brengen!'

De brutale aap grijnsde alleen maar tegen me. 'Waarom niet?' zei hij. 'Jij brengt er genoeg van mee aan de onderkant van je rokken. Al hebben we je de laatste tijd niet vaak op het kerkhof gezien.'

'Hou je bek,' zei ik. Ja, hij was flink brutaal. Simon heet hij. Ik heb nooit veel tegen hem gezegd op het kerkhof, maar de meisjes hebben het steeds over hem. Ik denk altijd dat hij het broertje is dat Maude nooit heeft gehad.

Ik heb hem achter de graven zien kruipen om te kijken als ik bezig ben met de tuinman. Hij dacht dat hij zich verstopt had maar ik heb hem gezien. Wilde zeker zien wat we aan het doen waren. Het kon me niets schelen, ik vond het wel grappig. Maar nu wil de tuinman niks meer met me te maken hebben. Rotzak.

'Ik heb nooit een hoge pet van hem opgehad,' zei Simon nu, alsof hij precies wist wat ik dacht. 'Volgens mij mag je blij zijn dat je van hem af bent.'

'Hou je mond,' zei ik. 'Niemand heeft je wat gevraagd.' Maar echt kwaad was ik niet op de jongen. Met hem praten gaf me de kans mijn rug wat rust te gunnen; tegenwoordig verrek ik van de pijn bij het kleden kloppen. 'Trouwens, waarom ben jij hier?'

'Ik wil weleens zien waar de meisjes wonen.'

'Hoe heb je het gevonden?'

'Ik ben achter hun rijtuig aangelopen. Even was ik het kwijt, daarom liep ik gewoon wat rond totdat ik het weer zag terwijl Maude en haar mama hier werden afgezet. Livy was zeker al eerder uitgestapt.'

'Jazeker, zij woont hier ook, juffrouw Livy en haar zusje.' Ik wees naar het huis aan de achterkant.

Simon bekeek het eens goed. Hij is een broodmagere jongen ondanks al dat graven dat hij doet. Hij heeft rimpels om zijn ogen en zijn polsen zijn helemaal rood en knobbelig, ze steken uit een jasje dat te klein voor hem is.

'Wacht hier maar even,' zei ik. Ik liep de keuken in waar mevrouw Baker een kip in stukken aan het snijden was.

'Wie is die jongen?' vroeg ze meteen. Die ziet alles hier. Je kunt niks voor haar verborgen houden. Ik zie hoe ze me tegenwoordig van opzij aankijkt, al zegt ze niks.

Ik negeerde haar, sneed een snee brood af en smeerde er boter op. Daarna nam ik die mee naar buiten naar Simon en hij was er blij mee. Hij at hem vlug op. Ik schudde mijn hoofd en ging naar binnen om nog wat te halen. Toen ik dit keer de boter er dikker opsmeerde, zei mevrouw Baker: 'Als je een zwerfhond restjes geeft zal hij je nooit met rust laten.'

'Bemoei je met je eigen zaken,' snauwde ik.

'Dat brood is mijn zaak. Ik heb het vanmorgen gebakken en vandaag bak ik niet meer.'

'Dan doe ik wel zonder.'

'Nee, dat zul je niet,' zei ze. 'Als ik je je gang liet gaan zou je tegenwoordig de hele keuken leegeten. Pas jij maar op jezelf, Jenny Whitby.'

'Laat me met rust,' zei ik en ik holde naar buiten voordat zij nog iets kon zeggen.

Terwijl Simon het brood opat begon ik de kleden weer te kloppen.

'Moet je kijken,' zei hij na een tijdje, 'daar heb je Livy in het raam. Wat doet ze daar?'

Ik keek omhoog. 'Dat doen ze altijd, die twee. Ze gaan aan het raam van hun slaapkamers staan en seinen naar elkaar. Ze hebben hun eigen taal, alleen zij begrijpen die.'

'Ik durf te wedden dat ik het snap.'

Ik snoof minachtend. 'Wat zegt ze dan?' Juffrouw Livy wees omhoog en boog haar hoofd. Daarna trok ze een vinger over haar hals en keek sip.

'Ze praat over het kerkhof,' zei Simon.

'Hoe weet je dat?'

'Zo ziet de engel op haar graf eruit.' Simon boog zijn hoofd en wees. 'Dat deed-ie tenminste. De kop is eraf, daarom deed ze dat met haar hals.'

Toen vertelde hij me wat er met de engel was gebeurd en hoe zijn pa het leven van de baas had gered. Het was heel spannend.

'Kijk,' zei Simon toen. 'Livy heeft me gezien.'

Juffrouw Livy wees naar Simon.

Boven ons hoorde ik een raam opengaan en toen ik opkeek, stak juffrouw Maude haar hoofd naar buiten en keek omlaag.

'Ik moet gaan,' zei Simon. 'Ik moet onze pa helpen met het graf.'

'Nee, blijf maar, juffrouw Maude zal wel naar beneden komen om met je te praten.'

'Bedankt voor het brood,' zei Simon en hij kwam toch overeind.

'Er zal hier altijd brood voor je zijn als je komt,' zei ik en ik keek naar de tuin en niet naar hem. 'En je hoeft niet over de schutting te klimmen om hier nog eens te komen. Als de poort op slot is ligt de sleutel verborgen onder de losse steen bij de kolengoot.'

Simon knikte en ging de poort uit.

Ik had hem iets mee moeten geven. Ik heb er een hekel aan als ik zie dat een jongen zo'n honger heeft. Ik krijg al honger als ik er alleen maar aan denk. Ik ging naar binnen om wat brood voor mezelf te pakken. Mevrouw Baker kan doodvallen.

LAVINIA WATERHOUSE

Vanavond ging ik met Maude en haar vader naar de Heath om sterren te kijken. Ik wist niet zeker of ik zoiets wel mocht doen op de avond van dezelfde dag dat die lieve tante begraven was, maar mama en papa zeiden dat ik maar moest gaan. Ze leken beiden erg moe, mama viel zelfs tegen me uit. Ik zocht het op in *Cassell's* en *The Queen* onder 'sterren kijken', maar het stond in geen van beide; dat beschouwde ik als een teken dat ik kon gaan, zolang ik er maar niet echt plezier aan beleefde.

En in het begin deed ik dat ook niet. We gingen toen het schemerde omdat Maudes vader de maan wilde zien als die boven de horizon verscheen. Hij zocht naar iets wat Copernicus heette. Ik dacht dat het iemand was, maar Maude zei dat het een krater was die vroeger een vulkaan was geweest. Ik weet nooit zeker wat zij en haar vader bedoelen als ze over de maan en de sterren praten. Ze lieten me door de telescoop kijken en vroegen of ik kraters kon zien – wat dat dan ook mag zijn. Ik kon echt niets zien, maar om hen een plezier te doen zei ik van wel.

Ik kijk veel liever zonder de telescoop naar de maan, zo kon ik hem veel beter zien. Hij was prachtig om naar te kijken, een halvemaan die helemaal lichtoranje boven de horizon hing.

Toen ging ik op een deken liggen die ze hadden meegebracht en keek omhoog naar de sterren, die net aan de hemel verschenen. Ik was zeker in slaap gevallen want toen ik wakker werd, was het donker en er waren veel meer sterren. En toen zag ik een vallende engel, en daarna nog een! Ik wees ze Maude aan, maar ze waren natuurlijk verdwenen tegen de tijd dat ze keek.

Maude zei dat ze vallende sterren worden genoemd, maar dat het in werkelijkheid stukjes zijn van een oude komeet die verbranden, en dat ze meteorieten worden genoemd. Maar ik weet wat het in werkelijkheid zijn: het zijn engelen die struikelen wanneer ze boodschappen van God naar ons brengen. Hun vleugels trekken strepen langs de hemel totdat ze hun evenwicht weer kunnen vinden.

Toen ik dat probeerde uit te leggen keken Maude en haar vader me aan alsof ik mijn verstand had verloren. Ik ging liggen om te kijken of er nog meer kwamen en hield het voor me als ik er een zag.

RICHARD COLEMAN

De maan was vanavond magnifiek en Copernicus was duidelijk zichtbaar. Het deed me denken aan een avond jaren geleden, toen ik Kitty en haar broer meenam om naar de maan te kijken. Toen konden we Copernicus bijna even helder zien. Kitty zag er zo lieflijk uit in het maanlicht en ik was gelukkig, ook al babbelde Harry achter mijn rug aan één stuk over de man Copernicus, in een poging mij te imponeren. Die avond besloot ik haar ten huwelijk te vragen.

Vanavond wilde ik voor het eerst in lange tijd dat Kitty bij ons was, in plaats van dat ze thuis zat met een boek. Ze gaat nooit meer mee om sterren te kijken. Maude is in elk geval geïnteresseerd. Ik denk weleens dat het mijn dochter is die alles goedmaakt in dit gezin.

KITTY COLEMAN

Toen het ten slotte gebeurde aarzelde hij geen moment. Hij legde me op mijn rug op een bed met verwelkte sleutelbloemen en mijn lichaam drukte ze plat zodat het in de lucht om ons heen naar amandel rook. Een engel torende boven ons uit, maar hij wilde geen andere plaats zoeken. Hij daagde de engel uit hem bang te maken, zoals die andere gisteren had gedaan. Ik vond het niet erg dat hij daar was, met gebogen hoofd, zodat hij me in de ogen keek – ik mocht de engel dankbaar zijn dat hij hem in mijn armen had geleid.

Ik tilde de rok van mijn grijze jurk op en ontblootte mijn benen. In het schemerlicht zagen ze eruit als stelen van paddestoelen, of de meeldraden van een exotische bloem, een orchidee of een lelie. Hij stak zijn handen tussen mijn benen, deed mijn lippen van elkaar en duwde zijn penis in me. Tot zover was het vertrouwd. Het nieuwe was dat hij zijn handen daar hield en me voortdurend kneedde. Ik trok zijn hoofd omlaag tussen mijn borsten en hij beet me door mijn jurk heen.

Eindelijk week het zware gevoel dat ik in mijn binnenste had ervaren sinds ik trouwde – misschien wel vanaf mijn geboorte – en groeide langzaam uit tot een steeds groter wordende bel. De engel keek toe met niets ziende ogen en deze ene keer was ik blij dat zijn ogen me niet konden veroordelen, zelfs niet terwijl ik een kreet slaakte toen de bel barstte.

Terwijl ik daar later lag in zijn armen, keek ik op door de takken van de cipres die een koepel boven ons vormden. De halvemaan hing nog laag in de hemel, maar boven me waren de sterren verschenen en ik zag er een vallen, als om me te doen denken aan de gevolgen die me stonden te wachten. Ik had vandaag de tekenen in mezelf gemerkt en had ze genegeerd. Ik had eindelijk mijn genot beleefd en ik wist dat ik ervoor moest betalen. Ik wilde het hem niet zeggen, maar het zou voor ons het einde betekenen.

Mei 1906

ALBERT WATERHOUSE

Waarom ik twee rekeningen van de werkplaats van de steenhouwer heb gekregen, is me een raadsel. 'Voor reparaties aan grafmeubilair,' stond er in een van de rekeningen. Dit stond los van de rekening voor het beitelen van de naam van mijn zuster in het voetstuk. Bij haar begrafenis heb ik niet gezien dat er iets mankeerde aan het graf.

Trudy zegt dat ze er niets van weet, maar Livy raakte helemaal van streek toen ik erover begon en vluchtte de kamer uit. Later zei ze dat het kwam omdat ze een hoestbui kreeg, maar ik heb geen gehoest gehoord. En Ivy May keek me alleen maar aan, alsof ze het antwoord wist maar niet van plan was om het me te vertellen.

Mijn dochters zijn nog een groter raadsel voor me dan die

ene rekening, die ik met een vraag naar de hoofdopzichter heb gestuurd. Laat hij het maar uitzoeken; hij lijkt me een bekwame kerel.

Juli 1906

EDITH COLEMAN

Vaak is het voorgekomen dat ik degene ben die gedwongen wordt in te grijpen in een lastig parket. Deze generatie is verslapt. Ik zie het overal: in de dwaze modekleding die doorgaat voor damesjurken, in het stuitend liberale theater, in die belachelijke vrouwenbeweging waar je over hoort. Zelfs, durf ik zeggen, in het gedrag van onze koning. Ik hoop alleen dat zijn moeder nooit iets heeft gemerkt van zijn gedoe met mevrouw Keppel.

De jongeren missen de morele ruggengraat van de ouderen en telkens opnieuw wordt mijn generatie gedwongen te hulp te komen. Ik beklaag me niet dat ik dat moet; als ik kan helpen zal ik natuurlijk alles doen wat vereist wordt, uit christelijke naastenliefde. Maar als het in het huis van mijn eigen zoon gebeurt, voel ik het meer als een aanval op mezelf, als een kwaadaardige blamage van de naam van de Colemans.

Kitty lijkt gewoon blind te zijn. Ik was het die licht in donkere hoeken liet schijnen en het voor haar aan het daglicht bracht.

Ik was komen lunchen, een lunch die werd geserveerd op dat afschuwelijke zwart-geel geruite servies – nog zo'n voorbeeld van de frivoliteiten van tegenwoordig. De toestand van hun meid was echter veel erger. Nadat ze elke gang met een bons op tafel had gezet en weer was weggewaggeld, was ik sprakeloos van verbazing. Kitty keek me niet aan, maar schoof de gepocheerde vis en de nieuwe aardappelen rond op haar bord. Gebrek aan eetlust keur ik af; het is egoïstisch gedrag als er zoveel armoede is in de wereld. Dat zou ik hebben gezegd, maar ik was vooral bezig met hoe ik het probleem van Jenny ter sprake kon brengen.

Eerst probeerde ik het voorzichtig te doen. 'Liefste,' zei ik. 'Jenny ziet er niet goed uit. Heb je er met haar over gesproken?'

Kitty keek me verbaasd aan. 'Jenny?' herhaalde ze vaag.

'Je meid,' zei ik resoluut, 'is niet in orde. Dat kun je toch zeker wel zien?'

'Wat mankeert haar dan?'

'Toe nou, liefste, kijk eens goed. Het is zonneklaar wat het probleem is.'

'Is dat zo?'

Ik kon het niet helpen, ik moest wat ongeduldig worden met Kitty. Eigenlijk zou ik haar graag eens flink door elkaar rammelen, alsof ze een jong meisje was zoals Maude. Op een bepaalde manier is Maude volwassener dan haar moeder. Ik was teleurgesteld dat ze niet met ons lunchte; soms is het gemakkelijker met haar te praten dan met Kitty. Maar ik hoorde dat ze bij haar vriendin was. In elk geval kon ik vrijer praten met Kitty dan wanneer Maude erbij was geweest.

'Ze heeft zich in de nesten gewerkt. Met een man,' voegde ik eraan toe zodat er geen twijfel mogelijk was.

Kitty kletterde heel ongepast met haar bestek en staarde me aan met die donkerbruine ogen van haar die mijn zoon jaren geleden gek hadden gemaakt. Ze zag heel bleek.

'Ze is minstens zes maanden heen,' vervolgde ik omdat Kitty haar tong verloren leek te hebben. 'Waarschijnlijk meer. Ik heb altijd geweten dat dat meisje niet deugde. Ik heb haar nooit gemogen – veel te vrijpostig. Je kon het al zien als je alleen maar naar haar keek. En ze zingt onder haar werk, dat kan ik niet uitstaan bij personeel. Ik verwacht dat de man niet met haar zal trouwen, en zelfs als hij dat doet kan ze onmogelijk hier blijven. Je wilt toch zeker geen getrouwde vrouw en moeder op die post? Je hebt een meisje nodig dat niet gebonden is.'

Mijn schoondochter staarde me verbijsterd aan. Het was heel duidelijk dat ze het niet aankon; ik zou de teugels in handen moeten nemen.

'Na de lunch zal ik met haar praten,' zei ik. 'Laat het maar aan mij over.'

Even zei Kitty niets. Ten slotte knikte ze.

'Eet nu je vis maar op,' zei ik.

Ze duwde die nog wat rond op haar bord en zei toen dat ze hoofdpijn had. Zo'n verspilling zie ik niet graag maar in dit geval zei ik niets, want ze was duidelijk geschrokken en zag er wat ziek uit. Gelukkig is mijn eigen gestel sterker en ik at mijn vis op, die heel lekker was, alleen was de saus wat vet. De hemel zij dank voor mevrouw Baker – voorlopig zal zij het huis op orde moeten houden totdat we een vervangster vinden. Ik had mijn twijfels over haar in het begin toen Kitty haar had aangenomen, maar ze is een goede, eenvoudige kok en door en door christen. Het helpt als je een weduwe aanneemt, ze verwacht net als ik niet veel meer van het leven.

Jenny kwam afruimen en ik schudde onwillekeurig mijn hoofd over haar brutaliteit. Het is verbazingwekkend hoe ze door het huis kan lopen met zo'n dikke buik en kan denken dat niemand het merkt. Vergeet niet, ik neem aan dat ze haar meesteres kent. Als ik Kitty er niet attent op had gemaakt zou ze het nooit hebben gemerkt, totdat het meisje de baby huilend in haar armen had! Ik zag hoe Kitty Jenny nauwkeurig opnam toen ze zich bukte om onze borden te pakken, en even keek ze angstig. Ze kon het vast niet aan Jenny te ontslaan. Zelf voelde ik geen angst, alleen gerechtvaardigde vastberadenheid.

Kitty zei geen woord, alleen: 'Voor mij geen koffie, Jenny.'

'En voor mij ook geen warm water,' voegde ik eraan toe. Het had geen zin de zaken uit te stellen.

Het meisje bromde en toen ze wegging dacht ik wat een geluk bij een ongeluk dit was – een kans om van een rotte appel af te komen.

Ik zei tegen Kitty dat ze wat moest gaan liggen en wachtte toen even voordat ik naar de keuken ging, waar mevrouw Baker bezig was bloem van de tafel te vegen. Ik kom daar niet vaak, dus vond ik dat ze niet zonder reden verrast keek. Maar uit haar blik bleek meer. Mevrouw Baker is niet gek; ze wist waarom ik was gekomen.

'De vis was heel lekker, mevrouw Baker,' zei ik vriendelijk. 'De volgende keer misschien wat minder boter in de saus.'

'Dank u, mevrouw,' antwoordde ze heel correct, maar toch zag ze kans te klinken of ze geïrriteerd was.

'Waar is Jenny? Ik wil even met haar praten.'

Mevrouw Baker hield op met de tafel af te vegen. 'Ze is in de bijkeuken, mevrouw.'

'U weet het dus?'

Mevrouw Baker trok de schouders op en begon de tafel weer af te vegen. 'Iedereen met ogen in zijn hoofd kan het zien.'

Toen ik me naar de bijkeuken draaide verraste ze me door te zeggen: 'Laat haar maar, mevrouw. Laat haar toch maar.'

'Wilt u mij vertellen hoe dit huis bestierd moet worden?' vroeg ik.

Ze gaf geen antwoord.

'Het heeft geen zin daar sentimenteel over te doen, mevrouw Baker. Het is voor haar eigen bestwil.'

Mevrouw Baker haalde de schouders weer op. Ik was verrast; normaal is ze een verstandige vrouw. Ze is natuurlijk van een heel andere komaf dan ik, maar soms dacht ik weleens dat zij en ik niet zoveel verschillen.

Het duurde niet lang. Jenny huilde en liep natuurlijk het vertrek uit, maar het had erger kunnen zijn. Ze wist heel goed dat iemand haar toestand ten slotte zou ontdekken. Het wachten moet verschrikkelijk zijn geweest en ik denk graag dat ik het meisje van haar ellende heb afgeholpen.

Het speet me alleen dat Maude erbij was. Ik had gedacht dat ze bij de familie Waterhouse was, maar toen ik uit de bijkeuken kwam stond mijn kleindochter in de deuropening van de voorraadkamer. Ik had zacht met Jenny gesproken, en ik geloof niet dat Maude had gehoord wat ik zei, maar ze hoorde Jenny roepen en ik had liever gehad dat ze er niet bij was.

'Is Jenny ziek?' vroeg ze.

'Ja,' antwoordde ik met het idee dat het de beste manier was om het uit te leggen. 'Ze zal bij ons weg moeten gaan.'

Maude keek verschrikt. 'Gaat ze dood?'

'Doe niet zo dwaas.' Het was precies het soort dramatische vraag dat haar vriendin Lavinia zou stellen; Maude deed haar gewoon na. Ik wist wel dat dat meisje een slechte invloed had.

'Maar wat...'

'We hebben je gemist bij de lunch,' viel ik haar in de rede. 'Ik dacht dat je bij je vriendin was.'

Maude bloosde. 'Dat... dat was ik,' stamelde ze, 'maar Lavinia was wat... verkouden en daarom kwam ik terug. Ik heb mevrouw

Baker geholpen sodabrood te maken.'

Ze heeft nooit goed kunnen liegen. Ik had de leugen aan het licht kunnen brengen, maar de kwestie met Jenny had me vermoeid en daarom liet ik het erbij. En om eerlijk te zijn wilde ik het niet weten. Ik voelde me een beetje bedroefd dat mijn eigen kleindochter liever brood bakte met mevrouw Baker dan lunchte met mij.

MAUDE COLEMAN

Ik had nooit gedacht dat grootmoeder naar beneden naar de keuken zou komen. Het was de enige plek waar ik dacht veilig te zijn en kon blijven totdat zij was vertrokken, dan hoefde ik niet met haar te lunchen. Zelfs mammie dacht dat ik bij Lavinia was, alleen was Lavinia weg, op bezoek bij haar neefjes en nichtjes.

Toch zag ik bijna kans me te verstoppen voor grootmoeder. Ik zette de haver, de bloem en het zuiveringszout in de voorraadkamer voor mevrouw Baker, toen ik grootmoeder de keuken in hoorde komen en tegen haar hoorde praten. Ik week achteruit de voorraadkamer in maar durfde de deur niet te sluiten voor het geval zij die zag bewegen.

Ze kwam voorbij zonder naar binnen te kijken en ging de bijkeuken in, waar ze op zachte toon met Jenny begon te praten; ik rilde ervan. Het was de stem die ze gebruikt als ze iets vreselijks te zeggen heeft; als ze gezien heeft dat je een vaas hebt gebroken, niet naar de kerk bent geweest of slechte cijfers hebt gehaald. Jenny begon te huilen en ofschoon ik toen de kans kreeg de deur van de voorraadkamer te sluiten, deed ik dat niet, want ik wilde horen wat ze zeiden. Ik kroop dichter naar de deur en hoorde grootmoeder zeggen: '... Loon tot het eind van de week, maar je moet nu je spullen pakken.' Toen riep Jenny iets en rende de keuken uit, de trap op. Grootmoeder kwam uit de bijkeuken en daar stond ik in de deuropening met mijn schort vol meel.

Ik was verbaasd toen grootmoeder me daarop vertelde dat Jenny ziek was, maar ze was tegenwoordig ook langzaam en dik geworden, alsof ze indigestie had. Misschien had ze levertraan moeten nemen. Toen zei grootmoeder dat ze daarom weg moest. Ik dacht dat ze echt verschrikkelijk ziek moest zijn, maar grootmoeder wilde er niets meer over zeggen.

Gelukkig besloot zij toen te vertrekken, anders had ik een saaie middag gehad alleen met haar, omdat ze zei dat mammie naar bed was gegaan met hoofdpijn. Ik liet haar uit en toen ze wegging zei ze dat ik later tegen mammie moest zeggen dat alles naar voldoening was opgelost. Ik wachtte me wel te vragen wat ze bedoelde.

Toen ze vertrokken was ging ik naar beneden en vroeg het mevrouw Baker. 'Gaat Jenny bij ons weg?'

Even was het stil, toen zei mevrouw Baker. 'Ik verwacht van wel.'

'Is ze dan erg ziek?'

'Ziek? Noemt ze dat zo?'

Er werd op de buitendeur van de keuken geklopt. 'Misschien is het Lavinia,' zei ik hoopvol en ik holde naar de deur.

'Zeg hierover niets tegen haar,' waarschuwde mevrouw Baker.

'Waarom niet?'

Mevrouw Baker schudde zuchtend haar hoofd. 'Laat maar. Vertel haar maar wat je wilt. Ze komt er gauw genoeg achter.'

Het was Simon. Hij zei niet goedendag; hij zegt nooit goedendag. Hij liep naar binnen en keek om zich heen. 'Waar is onze Jenny? Is ze boven?'

Ik keek even naar mevrouw Baker, die de kom en de zeef oppakte die we voor het brood hadden gebruikt. Ze fronste haar wenkbrauwen maar gaf geen antwoord.

'Ze is ziek,' zei ik. 'Misschien moet ze hier weg.'

'Die is niet ziek,' zei Simon. 'Ze is zwanger.'

'Zwanger, is dat net als bonken?' vroeg ik ongerust. Ik hoopte dat niemand Jenny pijn had gedaan.

'Maude!' blafte mevrouw Baker en ik schrok. Ze schreeuwde nooit tegen me, alleen tegen de slagersjongen als het vlees bedorven was, of de bakker, die ze er eens van beschuldigde zaagsel in zijn broden te doen. Ze wendde zich tot Simon. 'Heb jij haar die smerige taal geleerd? Moet je haar zien, ze weet niet eens wat ze zegt. Je moest je schamen, jongen!'

Simon keek me vreemd aan. 'Sorry,' zei hij. Ik knikte, al wist ik niet echt waarom hij zich verontschuldigde. Op veel manieren wist hij zo weinig; hij was nooit naar school geweest, kon nauwelijks lezen, alleen wat hij van de grafstenen had geleerd. Toch wist hij duidelijk dingen van de wereld waar ik geen benul van had.

Simon vroeg mevrouw Baker: 'Is er ergens brood?'

'Het ligt in de oven, kleine bedelaar,' snauwde mevrouw Baker. 'Je zult moeten wachten.'

Simon keek haar alleen maar aan. Hij leek zich er niets van aan te trekken dat ze hem een bedelaar had genoemd. Ze zuchtte, zette vervolgens de kom en zeef neer en liep naar de zijtafel waar ze de korst van een brood vond. 'Ga er maar wat boter op doen,' zei ze en ze gaf het hem. 'Je weet waar die staat.'

Simon verdween in de voorraadkamer.

'Maak maar een kop thee voor hem, Maude,' zei ze terwijl ze de kom en de zeef weer oppakte en naar de bijkeuken liep. 'Maar één klontje suiker,' zei ze over haar schouder.

Ik gaf hem twee klontjes.

Simon had grote stukken boter op het brood gesmeerd, alsof het kaas was. Ik keek toe terwijl hij het aan tafel opat en met zijn tanden regelmatige groeven in de boter trok.

'Simon,' fluisterde ik. 'Wat betekent zwanger?' Ik voelde me zondig toen ik de woorden uitsprak nu ik wist dat ze heel slecht waren.

Simon schudde zijn hoofd. 'Dat mag ik niet zeggen. Vraag het liever aan je ma.'

Ik wist dat ik dat nooit zou doen.

SIMON FIELD

Sodabrood ruikt lekker als het in de oven ligt te bakken. Ik wil erop wachten, maar ik weet dat ik geluk heb gehad dat ik zelfs maar iets kreeg van mevrouw Baker. Ze is niet zo gul met brood als onze Jenny.

Ik wil met onze Jenny praten. Maude denkt dat ze boven op haar kamer is. Als ik dus het brood op heb doe ik net of ik wegga, maar ik trek de deur niet dicht. Ik wacht en gluur door het raam tot ik Maude en mevrouw B. samen de bijkeuken in zie gaan. Dan sluip ik heel zachtjes terug en ren de trap op voordat iemand me ziet.

Ik ben nog nooit in de rest van het huis geweest. Het is groot, met een boel trappen en daarom blijf ik staan omdat er zoveel te zien is. Er hangen schilderijen aan de muren en tekeningen van allerlei dingen, gebouwen en mensen, maar meestal vogels en bloemen. Sommige vogels ken ik van het kerkhof en sommige bloemen ook. Het zijn mooie tekeningen met alles wat er aan de plant en aan de bloem hoort. In het portiershuis heb ik een boek van meneer Jackson gezien met net zulke afbeeldingen.

De kleden op de trappen en in de gangen zijn voornamelijk groen, met wat gele en blauwe en rode patroontjes erop. Op elke overloop staat een plant, van die lange met bladeren die op en neer waaien als ik voorbijloop. Onze Jenny heeft er de pest aan omdat ze al die blaadjes moet schoonmaken, en dat duurt zo lang. 'Niemand vraagt mij wat voor planten ze zouden moeten hebben,' zei ze eens. 'Waarom neemt ze niet een van die aspidistra's met een paar grote bladeren die gemakkelijk af te nemen zijn?'

Ik ga naar boven totdat ik op de bovenste overloop sta. Boven zijn twee deuren, beide gesloten. Ik moet kiezen en dus doe ik er een open en ga naar binnen. Het is Maudes kamer. Ik blijf lange tijd staan kijken. Er zijn zoveel speelgoedjes en boeken, meer dan ik ooit in een kamer heb gezien. Er is een hele plank met poppen, allemaal van verschillende grootte, en nog een plank met spelletjes – dozen vol dingen, puzzels en zo. Er zijn veel planken met boeken. Er staan een bruin en een wit hobbelpaard met een zwartleren zadel dat op en neer beweegt op rollers. Er staat een houten poppenhuis met deftig meubilair in alle kamers, miniatuurkleden, -stoelen en -tafels. Aan de muren van Maudes kamer hangen prenten met kinderen en honden en katten, en iets wat eruitziet als een kaart van de hemel, met alle sterren verbonden door lijnen om afbeeldingen te vormen zoals ik die zag in de sterren op die koude nacht in het graf.

Het is erg warm in de kamer – er is een haard waarin een vuur brandt met een hekje ervoor waaraan kleren te drogen hangen. Ik wil hier blijven maar dat kan ik niet; ik moet onze Jenny zoeken.

Ik ga de kamer uit naar de andere deur en klop.

'Ga weg,' zegt ze.

'Ik ben het, Jenny.'

'Ga weg.'

Ik kniel en kijk door het sleutelgat. Onze Jenny ligt op bed, met haar handen onder haar wang gestopt. Haar ogen zijn rood, maar ze huilt niet. Naast haar ligt haar korset. Ik kan de vorm van haar dikke buik zien onder haar rok.

Ik ga toch naar binnen. Ze schreeuwt niet tegen me, daarom

ga ik op een stoel zitten. Er staat niet veel in de kamer, alleen de stoel en een bed, een kamerpot en een kolenkit, een groen kleed op de vloer en een rij haken waaraan haar kleren hangen. Op het raamkozijn staan een paar gekleurde flessen, blauw en groen. De kamer is donker omdat er maar een klein raam is dat op het noorden ligt en uitkijkt op de straat.

'Jenny, onze Jenny,' zeg ik, 'wat ga je nu doen?'

'Ik weet het niet,' zegt ze. 'Teruggaan naar mijn moeder, denk ik. Ik moet aan het eind van de dag weg.'

'Je moet naar onze ma gaan; die doet dat, baby's halen. Nellie van Leytonstone High Street, naast de Rose and Crown. Iedereen kent haar. Eigenlijk had je eerder naar haar toe moeten gaan, dan zou ze je er af hebben geholpen.'

'Dat zou ik niet kunnen!' Onze Jenny klonk geschrokken.

'Waarom niet? Je wilt het toch niet?'

'Het is een zonde. Het is moord!'

'Maar je hebt immers al gezondigd? Wat maakt het dan nog uit?'

Ze antwoordt niet, maar schudt haar hoofd heen en weer, en trekt haar benen op zodat die krom om haar buik liggen. 'Hoe dan ook, het is te laat,' zegt ze. 'De baby komt gauw, en daarmee uit.' Ze begint te huilen, diepe, akelige snikken. Ik kijk rond en zie een bruine gebreide sjaal op de stoel. Die leg ik over haar heen.

'O, mijn god, wat moet ik doen?' jammert onze Jenny. 'Mijn moeder vermoordt me. Ik stuur haar het grootste deel van mijn loon – hoe moet ze het rooien zonder dat geld?'

'Je moet een andere baan zien te krijgen en je ma kan voor de baby zorgen.'

'Maar niemand zal me aannemen als ze ontdekken wat er gebeurd is. Ze zal me nooit een getuigschrift geven. Dit is de enige baan die ik heb gehad. Ik heb haar getuigschrift nodig.'

Ik denk even na. 'Mevrouw C. zal dat geven als je haar dwingt,' zeg ik ten slotte. Ik voelde me rot dat te zeggen want ik mag Maudes ma wel. Ik weet nog dat ze naar me glimlachte op de dag dat ze die groene jurk droeg.

Onze Jenny kijkt nu vragend naar me op. 'Wat bedoel je?'

'Je weet iets over haar,' zeg ik. 'Over haar en meneer Jackson, die elkaar ontmoeten op het kerkhof. Daar moet je iets over zeggen.'

Onze Jenny duwt zich omhoog zodat ze komt te zitten. 'Dat is slecht. Bovendien is het geen zonde om te praten. Ze praten alleen, nietwaar?'

Ik trek mijn schouders op

Ze veegt haar haar uit haar gezicht, waar het op haar wangen zit geplakt. 'Wat zou ik moeten zeggen?'

'Zeg haar dat je het haar man zult vertellen dat zij en meneer Jackson elkaar ontmoeten, als ze je geen goed getuigschrift geeft.'

'O, maar dat is slecht.' Onze Jenny denkt even na. Dan krijgt ze een vreemde blik in haar ogen, als een dief die net een open raam in de gaten heeft gekregen in het huis van een rijke man. 'Misschien zou ik zelfs mijn baan kunnen houden. Ze zal me aan moeten houden, anders zeg ik het tegen haar man.'

Ik voel me misselijk als ze dat zegt. Ik mag onze Jenny, maar ze wil te veel. 'Ik weet het niet,' zeg ik. 'Onze pa zegt dat je nooit te veel moet vragen. Vraag net wat je nodig hebt, anders krijg je misschien helemaal niks.'

'En kijk eens wat je vader heeft gekregen: zijn hele leven doodgraver,' zegt onze Jenny.

'Ik zie niet in dat doodgraver zijn slechter is dan meid zijn.'

'Hoe dan ook, maak dat je wegkomt. Als ik met haar ga praten kan ik maar beter mijn korset weer aandoen.'

Aan haar ogen zie ik dat ik niets kan zeggen om haar tegen te houden, dus ga ik maar de trap af. Ik kom op de volgende overloop en daar zijn vier gesloten deuren. Ik luister even maar ik hoor niemand. Ik ben nog nooit in zo'n huis geweest. Onze ma en mijn zusjes delen twee kamers in een rijtjeshuis, twee kamers voor ons vijven. Vijf of zes gezinnen zouden in dit huis kunnen wonen. Ik kijk naar de deuren. Ze zijn allemaal van eikenhout met glanzende koperen klinken, onze Jenny heeft ze gepoetst. Ik kies er een en open die.

Ik heb over zulke kamers gehoord, maar ik ben er nooit in geweest. Overal zijn tegels, witte tegels op de vloer en tegen de zijkanten van de muren tot vlak boven mijn hoofd. Op een rij tegels bovenaan staan bloemen, zoals tulpen, rood en groen. Er staan een grote witte badkuip en een witte wasbak, met zilveren pijpen en kranen, allemaal glanzend gepoetst door onze Jenny. Aan een rek hangen grote witte handdoeken en ik raak er een aan. Waar ik hem heb aangeraakt blijft een zwarte vlek zitten en ik voel me rot omdat het verder zo schoon is.

In een bijbehorend kamertje is een wc, ook wit, met een zitting van mahoniehout, zoals sommige kisten van rijke mensen die ik op het kerkhof zie. Ik denk aan de plee en emmer die onze pa en ik gebruiken, en het is zo anders dan dit dat ze niet eens voor hetzelfde doel lijken.

Ik ga naar buiten en kies een andere deur, naar de kamer aan de voorkant van het huis. De muren zijn geel en ofschoon hij uitkijkt op het noorden, net als de kamer van onze Jenny, zijn er twee grote ramen met balkons waarop je kunt lopen, en het licht dat binnenkomt wordt geel als het op de muren valt. Er staan twee sofa's tegen elkaar geduwd in een L-vorm met sjaals erover uitgespreid, geborduurd met vlinders en bloemen. Er staat een piano met boeken en tijdschriften erop, en ik zie een buffet met foto's erop, van haar en Maude en Maudes pa en nog wat andere mensen.

Dan hoor ik Jenny praten buiten op de overloop. Er is geen tijd om de kamer uit te gaan en op de een of andere manier weet ik dat zij en mevrouw C. hier binnen zullen komen. Ik kruip snel achter een van de sofa's. Als ik verstoppertje zou spelen met mijn zusjes zou dat de eerste plek zijn waar ze kijken. Maar Jenny en mevrouw C. zijn niet naar mij op zoek.

JENNY WHITBY

Ondanks mijn grote mond tegen Simon was ik bang om met mevrouw te gaan praten. Ze heeft me al die tijd niet slecht behandeld, en ik weet dat ik heb gezondigd. En mijn toevlucht nemen tot chantage leek me ook niets. Maar ik heb mijn baan hier nodig, ik heb mijn loon nodig. Het was net zoiets als wanneer je een kamer dweilt en niet oplet, en voordat je het weet heb je jezelf in een hoek gedweild en moet je ver springen om eruit te komen.

Toen ik mijn kleren had gefatsoeneerd, mijn muts had opgezet en water op mijn gezicht had gespetterd, ging ik naar beneden. Op de overloop kwam zij net uit haar slaapkamer en ik wist dat ik het toen moest doen. Ik deed mijn mond open maar voordat ik een woord kon zeggen zei zij: 'Jenny, ik wil graag even met je praten. Laten we naar de zitkamer gaan.'

Ik liep achter haar aan naar binnen. 'Ga zitten,' zei ze. Ik ging op een sofa zitten. Ik maak hier elke dag schoon, maar ik ben er nooit gaan zitten. Het is een mooie kamer.

Ze liep naar een van de ramen en keek door de jaloezieën. Ze droeg een crèmekleurige jurk, met een cameebroche onder haar hals gepind. De kleur stond haar niet; ze zag er moe en bleek uit.

Ik slikte want mijn keel was droog en ik kon nog niet praten. Ik had eigenlijk nog niet bedacht wat ik zou gaan zeggen.

Maar toen bleek het heel anders te zijn dan ik dacht. In nog geen honderdduizend jaar zou ik geraden hebben wat ze ging zeggen.

Ze draaide zich om van het raam. 'Het spijt me toen ik hoorde over je probleem, Jenny,' zei ze. 'En het spijt me dat mevrouw Coleman je zo heeft behandeld. Ze kan heel ongevoelig zijn.'

'Ze is een kreng,' zei ik voordat ik me kon inhouden. Nu ik dat had gezegd was het gemakkelijker verder te gaan. 'Nu moet ik u ook iets zeggen, mevrouw.'

'Luister alsjeblieft eerst naar mij. Misschien kunnen we elkaar wel helpen.'

'Ik u helpen? Ik denk van niet, mevrouw. Er is niets...'

'Jenny, ik heb je hulp nodig.'

'U heeft mij nodig? Nadat u me op straat heeft gegooid als een versleten bezem, na alles wat ik voor u en juffrouw Maude en meneer Coleman heb gedaan, alleen omdat, omdat ik...' Ik kon het niet helpen. Ik begon te huilen.

Ze liet me een tijdje huilen. Toen zei ze iets heel zachtjes. Ik kon het niet horen en ze moest het nog eens zeggen. 'Ik zit met hetzelfde dilemma als jij.'

Ik wist niet wat dat betekende, maar het deftige woord klonk zo ernstig dat ik ophield met huilen.

'Ik ben nog... niet zover,' zei ze. 'En daarom kan ik er nog iets aan doen. Maar ik weet niet waar ik heen moet. Ik weet niet wie ik moet vragen. Ik kan het onmogelijk mijn vriendinnen vragen. En daarom vraag ik jou of je me kunt helpen door me te zeggen waar ik heen moet om... om dit te doen. Begrijp je wat ik je vertel?'

Ik keek haar aan en ik dacht aan de maaltijden die ze had laten staan, en de keren dat ze hoofdpijn had gehad, en de middagdutjes, en de wasjes die niet ik maar zijzelf een paar maanden had gedaan, en ik had het door. Ik had het gewoon niet gemerkt omdat ik met mijn eigen sores zat.

'Ja,' zei ik, rustig nu. 'Ik begrijp het.'

'Ik wil nergens heen gaan waar ze me kennen. Het moet een plaats ver weg zijn, maar niet zo ver dat ik er niet gemakkelijk kan komen. Weet jij waar ik heen moet gaan?'

Nu snapte ik wat ze van me wilde. 'Het is zondig,' zei ik.

Ze keek weer uit het raam. 'Dat is mijn verantwoordelijkheid, niet de jouwe.'

Ik liet haar wachten. Ze overhandigde me de chantage op een zilveren presenteerblaadje, net zoals ik haar elke morgen de post breng in haar kamer. Ik zou zelfs niets hoeven zeggen over haar en meneer Jackson. Wel zo goed, want ik wist niet echt wat ze hadden uitgespookt – tot nu.

Ik wist ook waarom ze het me nu vroeg. Ze dacht dat ze me toch zou kwijtraken, zodat ik het niemand kon vertellen. Maar ze moest een prijs betalen om mij stil te houden. Daarin zat juist de chantage.

'Het zal u wat gaan kosten,' zei ik.

'Hoeveel wil je hebben?' Ze zei het alsof ze had verwacht dat ik een prijs zou noemen. Maar ik verraste haar.

'Mijn baantje hier.'

Ze staarde me aan. 'En als ik je nu eens wat geld gaf? Voor jou en de baby, om je op de been te houden totdat je een andere baan hebt gevonden?'

'Nee.'

'Ik zou je natuurlijk een goed getuigschrift geven. We zouden de baby niet hoeven te noemen. We zouden een andere reden kunnen verzinnen waarom je weggaat – dat je moeder ziek was en dat je voor haar moest zorgen.'

'Laat mijn moeder erbuiten.'

'Ik suggereer niet...'

'Ik wil hier blijven.'

'Maar... wat moet ik tegen mevrouw Coleman zeggen? Zij

heeft je ontslagen. Ik kan haar beslissing niet herroepen.' Ze klonk vertwijfeld.

'U bent de vrouw des huizes, mevrouw. Ik neem aan dat u kunt doen wat u wilt. U hebt het trouwens al gedaan.'

Ze zweeg een tijdje. De baby bewoog zich in mijn buik, ik kon zijn voetje voelen trappen.

'Goed dan,' zei ze ten slotte. 'Je kunt terugkomen zodra je de baby hebt gekregen. Maar je moet vandaag vertrekken, en je kunt je baby niet meebrengen of hem door iemand laten meebrengen om je te bezoeken. Je kunt hem 's zondags opzoeken.'

'En op de zaterdagmiddagen. Ik wil de zaterdagmiddagen ook vrij hebben.' Ik verbaasde mezelf; het succes van de chantage maakte me overmoedig.

'Goed, zaterdagmiddagen ook. Maar je mag niemand iets hierover vertellen, anders zorg ik ervoor dat je baby je wordt afgenomen. Is dat duidelijk?'

'Ja, mevrouw.' Het was vreemd te horen hoe ze probeerde hard te zijn, ze was er niet erg goed in.

'Goed. Waar moet ik dan naartoe gaan?'

'Leytonstone,' zei ik. 'Naar Nellie aan High Street, naast de Rose and Crown.'

Toen hoorde ik achter mijn sofa een geluid, en ik wist dat daar iemand zat. Zij leek het echter niet te merken, ze staarde weer uit het raam. Ik keek vlug achter me en zag daar Simon zitten. Het verraste me niet dat hij afluisterde; echt iets voor die kleine deugniet. Hij keek me heel kwaad aan omdat ik zijn moeder had genoemd. Ik haalde mijn schouders op – wat kon ik anders zeggen?

'Ga nu maar,' zei ze, zonder me aan te kijken. 'Ga je spullen pakken. Ik zal een rijtuig voor je laten komen.'

'Ja, mevrouw.' Ik stond op. Nu we klaar waren met de zaak wilde ik nog iets tegen haar zeggen, maar ik wist niet wat.

Daarom zei ik maar: 'Tot ziens, mevrouw,' en zij zei: 'Tot ziens, Jenny.' Ik liep naar de deur en trok die open. Net voordat ik de kamer verliet keek ik naar haar om. Ze stond nog steeds bij het raam, met haar ogen gesloten en haar vuisten gebald op haar buik.

'Och,' zei ze, tegen zichzelf met een lichte zucht.

Simon zat nog steeds achter de sofa verstopt.

Ik hoop dat zijn moeder voorzichtig met haar zal zijn.

September 1906

ALBERT WATERHOUSE

Ik denk niet dat ik het iemand zal vertellen, zelfs Trudy niet, maar ik heb gisteravond Kitty Coleman thuisgebracht. Ik kwam terug van de netkooi op de Heath met Richard Coleman, toen ik me herinnerde dat Trudy me had gevraagd een boodschap achter te laten bij de dominee van St. Anne's – iets onbelangrijks over altaarbloemen of zo. Meestal let ik niet op dat soort details, dat kan ik beter aan Trudy overlaten. Maar ik zei tegen Richard dat ik even weg moest en hem terug zou zien bij de Bull and Last en holde weg als een brave boodschappenjongen.

Later, toen ik eenmaal op weg naar de pub was, keek ik Swain's Lane in en zag Kitty Coleman lopen, met gebogen hoofd en tegen haar rokken schoppend. Ik vond het een vreemd gezicht aangezien het schemerdonker was en zij alleen was en een beetje doelloos leek te wandelen.

'Goedenavond, mevrouw Coleman,' zei ik en ik nam mijn pet af. 'Mooie avond voor een wandelingetje, nietwaar? Het lijkt of we een staartje van de zomer beleven.' Mijn woordkeus deed me blozen. Ik weet niet wat dat is met Kitty Coleman, ze brengt me ertoe dingen te zeggen die ik voor me moet houden.

Ze leek het echter niet te merken; ze staarde me aan alsof ik een geest was. Ik schrok ervan zoals ze eruitzag. Richard had het erover gehad dat ze ziek was geweest en er niet op haar knapst uitzag. Maar het was meer dan dat. Haar schoonheid was duidelijk verdwenen, het spijt me dat ik het zeggen moet.

'Bent u onderweg ergens heen?'

Kitty Coleman aarzelde. 'Ik was... ik wilde de heuvel opklimmen, maar ik was er niet toe in staat.'

'Hij is steil, die heuvel naar het kerkhof. En als u de laatste tijd niet lekker bent geweest moet het wel een berg lijken. Wilt u misschien dat ik u naar uw man vergezel? Ik ben op weg naar de pub om hem te ontmoeten.'

'Ik wil Richard niet zien,' zei Kitty Coleman vlug.

Ik wist niet wat ik daarvan moest denken, maar ik kon haar niet alleen laten; ze leek zo ziek en zo kinderlijk. 'Zal ik u dan naar huis brengen?'

Met een wat onnozel gevoel stak ik mijn arm uit en vroeg me af wat Trudy zou zeggen als ze ons zo zag. Ik weet dat ze Kitty Coleman niet erg hoog heeft. Gelukkig zat Trudy veilig thuis met onze meisjes. Maude was er ook, ze zou blijven logeren.

Kitty Coleman twijfelde even maar pakte toen mijn arm. De snelste weg naar haar huis was recht langs de Bull and Last, maar die kant ging ik niet op. Ik zou het vreemd hebben gevonden als ik langs de pub paradeerde en Richard Coleman naar buiten keek en mij met zijn vrouw aan de arm zag, terwijl ik eigenlijk verondersteld werd bij de dominee te zijn. Ik kon het uitleggen, maar het leek niet correct. Daarom maakte ik een omweg en zij zei er niets over. Ik probeerde onderweg een gesprek aan te knopen, maar ze zei niet veel, alleen 'Ja' en 'Dank je' terwijl er eigenlijk niets te bedanken viel.

Hoe dan ook, ik bracht haar naar huis, met een wat dwaas gevoel maar ook een beetje trots – haar gezicht mag dan nu niet zo knap zijn, maar ze heeft nog een goede houding en droeg een mooie groene jurk, ook al was die wat gekreukt. Een paar voorbijgangers staarden naar ons en ik rechtte onwillekeurig mijn rug wat.

'Is alles nu goed met u, mevrouw Coleman?' vroeg ik toen we bij haar deur waren.

'Natuurlijk. Dank u.'

'Pas maar goed op uzelf. Ga maar naar bed met een slaaptablet en ga vroeg slapen.'

Ze knikte en glipte naar binnen. Pas toen ik weer terugliep naar de pub besefte ik dat ze zelfs mijn naam helemaal niet had genoemd. Ik begon me af te vragen of ze me wel had herkend.

In de Bull and Last plaagde Richard me omdat ik zo lang bij de dominee was gebleven. Ik knikte alleen en bestelde nog een bier.

Oktober 1906

LAVINIA WATERHOUSE

Ik schrok echt toen ik Maudes moeder zag.

We zagen haar heel toevallig. We waren bij Maudes huis langsgegaan, op weg terug van school, alleen omdat ik van Maude een boek over planten kon lenen zodat ik alinea's kan overnemen voor mijn opstel. Maude aarzelde om het te halen omdat ze mijn kopiëren afkeurde, want onze opstellen worden verondersteld origineel te zijn. (Het is zo vervelend dingen te bedenken om op te schrijven, en dan nog over 'de levenscyclus van bladeren'.) Maar nu geloof ik dat ze niet wilde dat ik haar moeder zag. Ja, nu ik eraan denk, Maude is bijna elke dag naar ons huis gekomen – zelfs vaker dan voorheen.

Ze liep haastig met me de trap op naar haar kamer en even haastig weer met me naar beneden. Op dat moment kwam mevrouw Coleman uit de zitkamer. Ze keek ons zo vaag aan dat ik niet eens wist of ze ons wel zag, totdat Maude heel zacht zei: 'Daag, mammie,' en even knikte.

Ik was zo verrast door haar uiterlijk dat ik er niet eens iets over zei tegen Maude en dat maakte me een beetje triest omdat ik dacht dat we al onze gedachten deelden. Maar ik kon het niet over mijn hart verkrijgen haar te vragen waarom haar moeder zo mager is en er ineens grijs tussen haar haren zit en haar huid eruitziet als afwaswater. Erger nog dan dat – want je kunt altijd grijze haren verven of uittrekken (zoals mama doet) en een tonicum gebruiken voor je huid –, mevrouw Coleman sprankelde niet eens meer zoals ze vroeger deed. Ik moet toegeven dat die sprankeling soms wat ondeugend leek – en daarom mag mama haar niet – maar zonder dat is ze echt heel saai.

Er zit duidelijk iets fout bij de Colemans. Niet alleen is Maudes moeder zichzelf niet, maar een paar maanden geleden werd hun dienstbode Jenny ineens ziek en moest ze vertrekken. Misschien hebben ze dezelfde ziekte. Ik moet eens kijken of ze ook grijze haren heeft. Maar goed ook dat ze terugkomt, want de tijdelijke werksters zijn verschrikkelijk geweest. Maude mag ze geen van allen en het huis ziet er helemaal niet schoon uit, het beetje dat ik ervan heb gezien. De planten op de overloop waren vreselijk stoffig.

Daar zei ik niets van tegen Maude, die lieve schat. Ze was heel stil toen we naar ons huis liepen. Ik probeerde speciaal lief tegen haar te zijn en stelde zelfs voor naar de officiële opening van onze plaatselijke bibliotheek te gaan. Die zijn ze de hele zomer aan Chester Road aan het bouwen geweest en donderdagmiddag is de officiële opening. Ik ga niet bijzonder graag – het zullen wel allemaal saaie toespraken zijn – maar misschien kikkert het Maude op, want ze is zo gek op bibliotheken. En het zou betekenen dat we eerder weg konden gaan en de laatste les op school konden overslaan – rekenen. Rekenen kan ik niet uitstaan; al die vervelende cijfers. Ik vind eigenlijk geen van mijn lessen leuk, alleen die voor huishoudkunde en steloefeningen, al zegt juffrouw Johnson dat mijn fantasie in toom gehouden moet worden – een compliment, mag ik wel zeggen!

Mama zal toestemming voor ons moeten vragen om eerder van school te gaan, omdat Maudes moeder duidelijk niet in staat is zoiets te regelen. En ik verwacht dat mama en Ivy May met ons mee moeten gaan, al is het maar een paar minuten hiervandaan. Maude en ik zijn elf jaar en toch mogen we nergens alleen heen gaan, we mogen alleen samen naar school lopen. Mama zegt dat je nooit weet wat er kan gebeuren en ze leest allerlei afschuwelijke dingen voor uit de krant: baby's die op de Heath worden achtergelaten en daar bevriezen, of mensen die in vijvers verdrinken, of slechte mannen die op zoek zijn naar meisjes.

Toen we thuiskwamen vroeg ik of we allemaal naar de ceremonie bij de bibliotheek mochten gaan. Ze zei ja, de schat. Tegen mij zegt ze altijd ja.

Toen vroeg Maude iets vreemds. 'Alstublieft, mevrouw Waterhouse,' zei ze, 'zou u mijn moeder willen vragen met ons mee te gaan. Ze is de laatste maanden niet goed geweest en ze kan best wat frisse lucht gebruiken.'

Nou ja, mama wist niet wat ze moest denken van dat verzoek – Maude kon toch zeker zelf haar moeder wel vragen! – maar ze zei dat ze het zou doen. Ik was een beetje geïrriteerd omdat ik niet zeker weet of ik wel gezien wil worden met iemand die zich zo duidelijk heeft laten gaan. Toch moet ik mijn vriendin trouw blijven. Bovendien lukt het mama misschien niet om mevrouw Coleman over te halen met ons mee te gaan; ze zijn niet bepaald goede vriendinnen. Maar als ze het doet zal ik misschien op een avond naar hun huis sluipen en een flesje haarverf op de drempel achterlaten.

GERTRUDE WATERHOUSE

Ik durfde geen nee te zeggen tegen Maude. Het is afschuwelijk als je bedenkt dat een meisje niet eens haar eigen moeder kan vragen ergens met haar mee naartoe te gaan. Ik wilde informeren waarom ze dacht dat ze dat niet kon, maar ze keek zo deemoedig en bedroefd dat ik alleen zei mijn best te zullen doen, en daar liet ik het bij. Ik dacht echter dat ik niet veel goeds zou bereiken, ook al is het zoiets als het arrangeren van een uitje. Ik heb nog nooit invloed gehad op Kitty Coleman en als Maude haar niet kan overhalen mee te gaan naar een onbelangrijke plaatselijke gebeurtenis, dan zie ik niet in hoe ik dat voor elkaar zou krijgen.

Desondanks bracht ik Kitty de volgende morgen een bezoek toen de meisjes op school waren. Zo gauw ik haar zag voelde ik me verschrikkelijk schuldig dat ik er niet eerder heen was gegaan. Ze zag er vreselijk uit – mager en gekweld – en haar prachtige haar glansde niet meer. Het is zo'n verrassing als je ziet hoe alle levenskracht verdwenen is uit iemand die eens zo vitaal was. Als ik meer rancuneus was zou ik me beter hebben gevoeld door de aanblik van haar afgetakelde schoonheid. In plaats daarvan ging mijn hart naar haar uit. Ik gaf haar zelfs een hand, wat haar verraste, al trok ze hem niet terug. Haar hand was koud.

'Och, wat ben je koud, schat!' riep ik uit.

'Is dat zo?' vroeg ze verstrooid.

Ik trok de gele sjaal van de achterleuning van de sofa en sloeg

die om haar heen. 'Ik vind het zo erg dat je ziek bent geweest.'
'Zei iemand dan dat ik dat was?'
'Och, ik...' Ik raakte in de war. 'Maude – zij zei dat je een tijdje terug longontsteking had gehad.' Dat was in elk geval waar, al begon ik het me af te vragen, gezien Kitty Colemans reactie.
'Zei Maude dat?' vroeg ze. Ik vroeg me af of Kitty Coleman wel een vraag zou beantwoorden in plaats van er een te stellen. Maar toen schokschouderde ze. 'Ik neem aan dat dat voldoende zegt,' mompelde ze, en dat was onbegrijpelijk, maar ik probeerde niet verder te vragen.
Ze belde, maar toen het meisje verscheen – het was niet haar gewone dienstbode – keek Kitty haar nietszeggend aan, alsof ze vergeten was waarom ze haar had geroepen. Het meisje keek even uitdrukkingsloos terug.
'Misschien wat thee voor je mevrouw,' opperde ik.
'Ja,' mompelde Kitty. 'Dat zou fijn zijn.'
Toen het meisje weg was zei ik: 'Ben je de laatste tijd naar een dokter geweest?'
'Waarom?'
'Nou ja, voor je herstel. Misschien kun je iets nemen, een tonicum bijvoorbeeld. Of naar een kuuroord gaan.' Ik probeerde zonder succes geneesmiddelen op te sommen voor wat haar dan ook mankeerde. Ik kon alleen maar denken aan romans die ik had gelezen, waarin de heldin naar kuuroorden in Duitsland ging of naar het zuiden van Frankrijk voor het klimaat.
'De dokter zei dat ik moet aansterken met veel eten en frisse lucht,' herhaalde Kitty werktuigelijk. Ze zag eruit alsof ze niet veel meer binnenkreeg dan een mondvol eten per dag, en ik betwijfel of ze eigenlijk wel naar buiten ging.
'Daar kom ik nu juist met je over praten. Ik stel voor dat we de meisjes meenemen voor een uitje naar de nieuwe bibliotheek die wordt geopend aan Chester Road, en ik vroeg me af of jij en

Maude mee wilden gaan. Daarna zouden we thee kunnen gaan drinken in Waterlow Park.' Ik voelde me een beetje dwaas omdat ik het deed klinken alsof ik een expeditie naar de zuidpool voorstelde, in plaats van een trip om de hoek.

'Ik weet het niet,' antwoordde ze. 'Het is wat ver weg.'

'De bibliotheek is heel dichtbij,' zei ik vlug, 'en we hoeven niet helemaal de heuvel op te lopen om thee te drinken, we zouden een plaats dichter in de buurt kunnen nemen. Of jij zou bij mij kunnen komen.' Kitty was nog nooit in mijn huis geweest. Ik wilde haar niet laten plaatsnemen in mijn kleine salon, maar ik meende dat ik het aan moest bieden.

'Ik ben niet...'

Ik wachtte op Kitty om haar zin af te maken, maar dat deed ze niet. Er was iets met haar gebeurd; ze was als een lammetje dat verdwaald is en doelloos in een wei ronddoolt. Ik was er niet bepaald happig op haar herder te spelen, maar ik wist ook dat God niet wilde dat een herder Zijn kudde slecht beoordeelde. Ik greep haar hand opnieuw. 'Wat scheelt eraan, schat? Wat heeft je zo van streek gemaakt?'

Kitty staarde me aan. Haar ogen waren zo donker, het leek wel of je in een put keek. 'Ik heb mijn leven doorgebracht met wachten tot er iets gebeurde,' zei ze. 'En ben tot de conclusie gekomen dat er niets zal gebeuren. Of misschien is het al gebeurd en heb ik even met mijn ogen geknipperd en is het voorbij. Ik weet niet wat het ergste is: iets gemist te hebben of te weten dat er niets te missen valt.'

Ik wist niet wat ik moest zeggen want ik begreep haar helemaal niet. Toch moest ik proberen te antwoorden. 'Volgens mij ben jij een geluksvogel,' zei ik en ik liet mijn stem zo streng klinken als ik durfde. 'Je hebt een prima man en een lieve dochter en een prachtig huis en een mooie tuin. Je hebt eten op tafel en een kok om het te koken. Veel mensen kunnen je om je leven benijden.' Alleen ik niet, voegde ik er stilzwijgend aan toe.

'Ja, maar...' Kitty zweeg weer en zocht in mijn gezicht ergens naar. Kennelijk vond ze het niet en ze sloeg haar ogen neer.

Ik liet haar hand los. 'Ik zal je een tonicum sturen dat mijn moeder altijd voor me maakte als ik me niet goed voelde, met cognac en eigeel en wat suiker. Ik weet zeker dat het je echt zal opkikkeren. En heb je wat brillantine? Een beetje op de borstel zal wonderen doen voor je haren. En, schat, ga nu donderdag met ons mee naar de opening van de bibliotheek.' Kitty opende haar mond om iets te zeggen, maar ik overstemde haar dapper. 'Ik sta erop. Maude zal het zo fijn vinden, want ze wil zo graag dat je meegaat. Je wilt haar toch zeker niet teleurstellen. Ze is zo'n lief meisje, de beste van haar klas.'

'Is ze dat?'

Kitty moest toch zeker wel weten hoe goed haar dochter kon leren! 'We komen je donderdag om halfdrie halen. De frisse lucht zal je goed doen.' Voordat ze kon tegensputteren stond ik op en trok mijn handschoenen aan; ik wachtte niet eens op de thee (hun meisje is heel traag) en ging weg.

Voor het eerst sinds ik Kitty Coleman heb leren kennen, was ik in een positie waarin ik de sfeer van onze relatie kon dicteren. In plaats van te genieten van die macht voelde ik me heel triest.

Niemand heeft ooit gezegd dat christenplicht gemakkelijk zou zijn.

MAUDE COLEMAN

Ik weet niet waarom Lavinia er zo op gebrand is naar de opening van de bibliotheek te gaan. Ze scheen te denken dat ik dolgraag mee zou gaan, maar ze heeft plechtigheid en functie door elkaar gehaald. Natuurlijk ben ik blij dat we een lokale openbare bibliotheek hebben, maar ik was meer geïnteresseerd in boeken lenen dan in het feest eromheen. Lavinia is precies het tegengestelde; ze gaat altijd liever naar feestjes dan ik, maar in een bibliotheek kan ze nog geen vijf minuten stilzitten. Ze houdt niet eens zo erg van boeken, al verdiept ze zich natuurlijk graag in Dickens, en zij en haar moeder lezen graag voor uit sir Walter Scott. En ze kan een paar gedichten opzeggen: 'Lady of Shalott' van Tennyson en 'La Belle Dame sans Merci' van Keats.

Maar om haar een plezier te doen zei ik dat ik mee zou gaan, en mevrouw Waterhouse zag kans mammie over te halen ook met ons mee te komen – het was voor het eerst dat ze buiten is geweest sinds haar ziekte. Ik wilde graag dat ze iets vrolijkers had gedragen; ze heeft zoveel mooie jurken en hoeden, maar ze gaf de voorkeur aan een bruine jurk en een zwarte vilthoed met drie zwarte rozetten. Tussen de feestvierders zag ze eruit als een begrafenisganger. Maar ja, ze kwam in elk geval – ik vond het alleen al fijn met haar mee te lopen.

Ik geloof niet dat ze erg goed begreep waar de nieuwe bibliotheek is. Pappie en ik waren op een zomeravond vaak gaan kijken naar de voortgang van het gebouw, maar mammie was nooit met ons meegekomen. Toen we Chester Road insloegen vanuit Swain's Lane raakte ze overstuur bij het zien van de zuidelijke muur van het kerkhof waar Chester Road aan grenst. Ze greep zelfs mijn arm vast en zonder precies te weten waarom, zei ik: 'Het is wel goed, mammie, we gaan niet naar binnen.' Ze ontspande zich een beetje, al bleef ze me vasthouden totdat we de zuidelijke poort voorbij waren en bij de menigte kwamen die voor de bibliotheek stond.

De bibliotheek is een mooi bakstenen gebouw, afgezet met gele steen, een voorportaal met Corinthische zuilen en zijkanten met hoge boogramen. Voor de opening was de voorgevel versierd met witte doeken en op de voortrap was een klein podium geplaatst. Er krioelden tot aan de straat een heleboel mensen op het trottoir. De wind rukte aan de doeken en deed de bolhoeden van de mannen en de veren en bloemen van de vrouwen wegwaaien.

We waren er nog niet lang of de toespraken begonnen. Er stapte een man op het podium en hij riep: 'Goedemiddag, dames en heren. Het is mij een groot genoegen, als voorzitter van het comité voor educatie en bibliotheken van de gemeenteraad van St. Pancras, u welkom te heten bij deze veelbelovende gelegenheid, de opening van de eerste vrije bibliotheek in de gemeente, als de eerste stap naar de toepassing van de wet op openbare bibliotheken in St. Pancras.

We zijn veel dank verschuldigd aan wethouder T.H.W. Indris, MP en vroegere burgemeester, voor zijn succesvolle pogingen om de heer Andrew Carnegie uit Pittsburgh in de Verenigde Staten te bewegen tot een schenking van veertigduizend pond voor de toepassing van de wet...'

Op dat moment voelde ik een elleboog in mijn ribben. 'Kijk eens!' siste Lavinia, en ze wees. Over Chester Road naderde een begrafenisstoet. De voorzitter op het podium hield op met spreken toen hij de rijtuigen zag, en de mannen in de menigte namen hun hoeden af, terwijl de vrouwen hun hoofd bogen. Ik boog het mijne ook maar keek op door mijn wimpers en telde vijf rijtuigen achter het rijtuig waarin de kist lag.

Een felle windvlaag deed de vrouwen naar hun hoeden grijpen. Lavinia, Ivy May en ik droegen onze groene schoolbaretten, maar Lavinia trok de hare af, alsof de wind hem had losgerukt, schudde haar haren en trok haar schouders op. Ik weet zeker dat ze het deed om met haar krullen te pronken.

De dragers die naast het voorste rijtuig liepen, klemden hun handen op hun hoge hoeden; eentje werd afgeblazen en de man moest erachteraan hollen in zijn lange zwarte jas. De zwarte pluimen van de paarden woeien heen en weer en één paard hinnikte en steigerde toen hij de wind in zijn neus kreeg, zodat de koetsier met zijn zweep moest knallen, waardoor een paar dames gingen gillen en de stoet stilhield. Mammie greep bevend mijn arm vast.

De wind had de doeken aan de bibliotheek losgerukt zodat de volgende windvlaag met een deel ervan speelde en dit omhoog blies. Het lange witte doek zeilde boven onze hoofden en voerde een soort dans uit boven de begrafenisstoet, totdat de wind ineens ging liggen en het doek boven op het rijtuig viel waarin de kist lag. De menigte hield de adem in – Lavinia krijste natuurlijk – en het nerveuze paard steigerde opnieuw.

Het was allemaal vreselijk verwarrend. Maar boven de kreten, de wind en het hinnikende paard uit hoorde ik een vrouw lachen. Ik keek om me heen en zag haar aan de rand van de menigte staan, helemaal in het wit gekleed, met veel kanten ruches die flapperden zodat ze op een vogel leek. Ze lachte niet echt hard, maar het geluid klonk boven alles uit, zoals de stem van de voddenman die door een straat loopt en roept: 'Voddèèè!'

Meneer Jackson kwam uit de begrafenispoort aanhollen en trok het doek van het rijtuig. 'Doorrijden!' riep hij. 'Snel, voordat de paarden op hol slaan!' Hij rende weer naar de poort, zwaaide die open en wenkte het voorste rijtuig. Nadat het laatste rijtuig voorbij was gereden zwaaide hij de poort dicht en pakte vervolgens het doek. Toen hij het begon op te vouwen keek hij naar de menigte voor de bibliotheek en hield op met opvouwen. Mammie schrok op alsof iemand haar op de schouder had getikt en liet mijn arm los.

Daarna stapte de voorzitter van het podium en stak de weg over om het doek over te nemen. Meneer Jackson werd gedwongen zich naar hem toe te draaien en mammie liet ineens het hoofd hangen. Opnieuw blies een windvlaag door de menigte en ze zag eruit alsof ze om zou vallen. In een oogwenk stond de lachende vrouw naast haar, pakte terloops de arm van mijn moeder vast en hield haar op de been.

'Wat een show hier, nietwaar?' zei ze en ze lachte opnieuw. 'En de toespraken zijn nog maar net begonnen!'

Het was een kleine vrouw, veel kleiner dan mammie, maar met kaarsrechte schouders, waardoor ze even zelfverzekerd leek als een langere vrouw. Ze had grote bruine ogen die op haar gelaat leken te liggen zodat je hun blik niet kon ontwijken. Wanneer ze lachte werd een tand zichtbaar aan de zijkant van haar mond, wat me deed denken aan een paard dat zijn tanden laat zien.

Ik wist meteen dat ik haar niet zou mogen.

'Ik ben Caroline Black,' zei ze en ze stak haar hand uit.

Mammie keek ernaar. Even later pakte ze hem vast. 'Kitty Coleman,' zei ze.

Ik schrok me dood toen ik de naam herkende, al deed mammie dat kennelijk niet. Caroline Black was een suffragette die op de pagina voor ingezonden brieven van de plaatselijke krant een langdurige pennenstrijd voerde met allerlei sceptische heren over stemrecht voor vrouwen.

Pappie doet heel sarcastisch over de suffragettes. Hij zegt dat het woord klinkt als de uitdrukking voor een soort techniek die in de Krimoorlog is ontwikkeld om iemand te verbinden. De suffragettes hebben aankondigingen voor hun bijeenkomsten gekalkt op de trottoirs in onze buurt, en pappie heeft hen nu en dan met emmers water bedreigd – misschien Caroline Black zelf ook wel.

De voorzitter begon weer te spreken. '... de gemeenteraad heeft ons een open deur gegeven waardoor iedere inwoner van St. Pancras zonder dat daar kosten aan verbonden zijn of zonder te worden aangehouden kan binnengaan om te genieten van de schatten aan literatuur die als kostbaarheden liggen opgeslagen in dit gebouw.'

De menigte begon te applaudisseren. Caroline Black klapte echter niet, en mammie ook niet. Ik keek om me heen naar Lavinia maar zag haar niet. Mevrouw Waterhouse en Ivy May stonden nog dichtbij en ik volgde Ivy Mays blik naar de overkant van de straat. Lavinia stond bij de kerkhofpoort te wachten. Ze zag me en wenkte en ze trok aan de poort om te laten zien dat die open was. Ik aarzelde – ik wilde mammie liever niet alleen laten met Caroline Black. Aan de andere kant waren de toespraken nogal saai, zoals ik van tevoren wel geweten had, en het kerkhof leek me veel interessanter. Ik zette een stap in Lavinia's richting.

'Dat is allemaal mooi en wel, meneer Ashby,' riep Caroline Black plotseling. Ik verstijfde. 'Ik ben helemaal voor het idee van vrije toegang tot literatuur en educatie. Maar kunnen we nu echt zo'n gelegenheid feestelijk vieren als de helft van de bevolking die nieuw beschikbare kennis niet kan toepassen op dat deel van het leven dat voor ons allen zo belangrijk is? Als vrouwen niet mogen stemmen, waarom zouden ze dan de moeite nemen de schatten van de literatuur te lezen?'

Terwijl ze sprak zetten de mensen om haar heen een paar passen terug, zodat zij alleen stond in een kring van toeschouwers, afgezien van mammie en mij, die gegeneerd naast haar stonden.

Meneer Ashby probeerde ertussen te komen, maar Caroline Black ging op rustige toon en met een doordringende stem door, en ze liet zich niet onderbreken. 'Ik weet zeker dat als onze MP, meneer Dickinson, hier was, hij het met me eens zou zijn dat het onderwerp van stemrecht voor vrouwen hand in hand gaat met zaken als openbare bibliotheken en educatie voor allen. Op dit moment hoopt hij zelfs een wetsvoorstel in te dienen in het parlement over het vrouwenstemrecht. Ik doe een beroep op u...,' ze gebaarde naar de kring om haar heen, 'bezorgde, onderlegde leden van de gemeenschap: dat u, telkens wanneer u dit gebouw binnengaat, aan het feit denkt dat uzelf – of u nu een man bent, of een vrouw of dochter – de kans wordt ontnomen verantwoordelijke burgers te zijn door uw stem uit te brengen voor degenen die u zouden vertegenwoordigen. Maar u kunt hier iets aan doen. Kom naar de bijeenkomsten van de plaatselijke WSPU, elke dinsdag om vier uur 's middags in Birch Cottage, West Hill in Highgate. Stemrecht voor vrouwen!' Ze maakte een lichte buiging alsof ze dankte voor een applaus dat alleen zij kon horen en zette een stap achteruit, zodat mammie en ik alleen in de kring bleven staan.

De gezichten om ons heen staarden ons nieuwsgierig aan, zich waarschijnlijk afvragend of wij ook suffragettes waren. Mevrouw Waterhouse wierp me in elk geval een blik van ontstelde sympathie toe. Naast haar stond Ivy May naar mijn moeder te staren. Mammie zelf keek naar Caroline Black, en voor het eerst in maanden lachte ze weer.

Ik keek naar de kerkhofpoort, maar Lavinia was er niet meer. Toen ving ik een glimp van haar op, net voordat ze tussen de graven verdween.

KITTY COLEMAN

Haar lach klonk als een klaroenstoot en zond een schok door me heen, zodat ik mijn ogen wijd opensperde. Ik had gedacht dat het weer zo'n nevelige, bedompte dag was, maar toen ik om me heen keek naar de herkomst van die lach, ontdekte ik dat het een van die frisse, winderige herfstdagen was waarop ik dol ben, toen ik als meisje appels wilde eten en door dode bladeren wilde schoppen.

Toen zag ik John Jackson aan de overkant bij de poort en ik moest heel stil blijven staan opdat hij me niet zou zien. Toch zag hij me. Ik had een paar keer geprobeerd de heuvel op te lopen om hem te spreken en uitleg te geven. Maar dat was me nooit gelukt. Ik vermoedde dat hij het begreep – de meeste dingen begrijpt hij.

Ik hoorde de lach weer, vlak naast me. Caroline nam me bij de arm en ik wist dat niets ooit nog hetzelfde zou zijn.

SIMON FIELD

Ik sta onder in het graf op de kist als zij voorbijkomt. De stoet is net vertrokken en ik schep aarde om de spleten langs de kist te vullen. Daarna moet ik de laagste stutplank er met een hamer uit slaan en door onze pa en Joe laten optrekken met een touw.

Onze pa en Joe zijn aan het zingen:

> 'Zij is mijn liefje
> Zij is mijn duifje, mijn liefste schat
> Zij is geen meisje dat dromend blijft zitten
> Zij is de enige koningin in Laguna.'

Ze zwijgen, maar ik ga door:

> 'Ik weet dat ze van me houdt
> Ik weet dat ze van me houdt
> Omdat ze dat zegt
> Zij is de lelie van Laguna
> Zij is mijn lelie en mijn roos.'

Dan kijk ik op en zie Livy aan de rand van het graf lachend naar me omlaag kijken.

'Verdomme, Livy,' zeg ik. 'Wat doe jij hier?'

Ze schudt met haar haren en trekt de schouders op. 'Ik kijk

naar jou, ondeugende jongen,' zegt ze. 'Je mag geen "verdomme" zeggen.'

'Sorry.'

'Nu kom ik naar beneden, naar jou toe.'

'Dat kun je niet maken.'

'Jawel.' Ze draait zich om naar onze pa. 'Wilt u me omlaag helpen?'

'O nee, juffie, je kunt daar niet in gaan. Dat is geen plek voor jou. Bovendien zullen je mooie jurk en schoenen helemaal smerig worden.'

'Dat geeft niets, die kan ik later laten schoonmaken. Hoe moet je omlaag klimmen, met een ladder?'

'Nee, nee, geen ladder,' zegt onze pa. 'Bij een diep graf zoals dit hebben we er al dit hout ingestoken, zie je wel, zowat om de halve meter, om te zorgen dat de zijkanten niet instorten. We klimmen ertegenop en eraf. Maar jij moet dat niet doen,' voegt hij eraan toe, maar te laat, want Livy is al naar beneden aan het klimmen. Het enige wat ik van haar zie zijn haar twee benen die uit een jurk en een onderrok steken.

'Niet naar beneden komen, Livy,' zeg ik, maar ik meen het niet. Ze klimt omlaag langs dat houten staketsel alsof ze nooit anders heeft gedaan. Dan staat ze beneden naast me op de kist. 'Ziezo,' zegt ze. 'Ben je blij me te zien?'

'Natuurlijk.'

Livy kijkt rillend om zich heen. 'Wat is het hier koud. En zo modderig!'

'Wat had je gedacht? Het is immers een graf.'

Livy schraapt met haar schoen door de klei op de kist. 'Wie ligt hierin?'

Ik trek de schouders op. 'Weet niet. Wie ligt er in de kist, pa?' roep ik omhoog.

'Nee, laat me eens raden,' zegt Livy. 'Het is een klein meisje dat longontsteking heeft gekregen. Of een man die in een van de vijvers op de Heath is verdronken, toen hij zijn hond probeerde te redden. Of...'

'Het is een oude man,' roept pa naar beneden. 'Natuurlijke dood.' Onze pa probeert graag iets te weten te komen over wie we begraven, meestal door aan de rand van het graf naar de begrafenisgangers te luisteren.

Livy kijkt teleurgesteld. 'Ik denk dat ik maar eens ga liggen,' zegt ze.

'Dat moet je niet doen,' zeg ik. 'Het is modderig, zoals je zelf zei.'

Ze luistert niet naar me. Ze gaat op het deksel van de kist zitten en strekt zich dan uit en haar haren komen onder de modder. 'Ziezo,' zegt ze en ze kruist haar handen op haar borst alsof ze dood is. Ze kijkt omhoog naar de lucht.

Ik kan niet geloven dat die modder haar niets kan schelen. Misschien is ze kierewiet geworden. 'Doe dat nou niet, Livy,' zeg ik. 'Sta op.'

Ze blijft liggen met gesloten ogen en ik kijk naar haar gezicht. Het is gek zo'n knap iemand daar in de modder te zien liggen. Ze heeft een mond die me doet denken aan een paar met chocola bedekte kersen die ik eens van Maude kreeg. Ik vraag me af of haar lippen zo smaken.

'Waar is Maude?' Ik moet er steeds maar aan denken.

Livy trekt een gezicht maar houdt haar ogen dicht. 'Ginds bij de bibliotheek, met haar moeder.'

'Is mevrouw C. weer op de been?'

Ik had niets moeten zeggen en ook niet verbaasd moeten klinken. Livy doet haar ogen open, als een dode die plotseling tot leven komt. 'Wat weet jij over Maudes moeder?'

'Niks,' zeg ik vlug. 'Alleen dat ze ziek was. Meer niet.'

Ik heb het te vlug gezegd. Livy merkt het. Het is gek – ze lijkt niet op Ivy May, die alles ziet. Maar wanneer ze het wil merkt ze dingen op.

'Mevrouw Coleman was ziek, maar dat was meer dan twee maanden geleden,' zegt ze. 'Ze ziet er echt vreselijk uit, maar ze mankeert nog iets anders. Ik weet het zeker.' Livy gaat zitten. 'En jij weet het ook.'

Ik schuifel met mijn voeten. 'Ik weet niks.'

'Jawel,' lacht Livy. 'Jij kunt gewoon niet jokken, Simon. Zeg op, wat weet je over Maudes moeder?'

'Niks wat ik jou ga vertellen.'

Livy kijkt vergenoegd en ik wou dat ik dat niet had gezegd. 'Ik wist dat er iets was,' zegt ze. 'En ik weet dat jij het mij gaat vertellen.'

'Waarom zou ik jou iets vertellen?'

'Omdat je mij mag kussen als je dat doet.'

Ik staar naar haar mond. Ze heeft net over haar lippen gelikt en ze glanzen helemaal, net als regen op bladeren. Ze heeft me te pakken. Ik beweeg me naar haar toe, maar ze trekt haar gezicht terug.

'Eerst vertellen.'

Ik schud mijn hoofd. Ik zeg het niet graag, maar ik vertrouw Livy niet. Ik moet mijn kus hebben voordat ik iets zal zeggen. 'Ik zeg het je pas daarna.'

'Nee, de kus daarna.'

Ik schud mijn hoofd weer en Livy ziet dat ik het meen. Ze gaat weer achterover liggen in de modder. 'Goed dan. Maar ik ga net doen of ik Sneeuwwitje ben en jij bent de prins die me wakker kust.' Ze sluit haar ogen en kruist haar handen weer op haar borst, alsof ze dood is. Ik kijk omhoog. Onze pa buigt zich niet over het graf; hij is vast gaan zitten wachten met de fles. Ik weet niet hoelang ik de kans nog zal hebben, dus buk ik me snel en druk mijn mond op die van Livy. Ze blijft stil liggen. Haar lippen zijn zacht. Ik raak ze aan met mijn tong – ze smaken niet naar chocoladekersen, maar ik proef zout. Ik ga weer op mijn hurken zitten en Livy opent haar ogen. We kijken elkaar aan zonder iets te zeggen. Ze glimlacht even.

'Simon, schiet eens op, jongen. Hierna moeten we nog een graf graven,' roept onze pa omlaag. Hij staat boven aan de rand en bukt zich alsof hij erin zal vallen. Ik weet niet of hij ons heeft zien kussen; hij zegt het niet. 'Moet ik je naar boven helpen, juffie?' zegt hij.

Ik wil niet dat hij naar beneden komt waar Livy bij is. Drie mensen is te veel in een graf. 'Laat haar met rust,' riep ik. 'Ik haal er haar wel uit.'

'Ik kom naar boven zodra Simon antwoord heeft gegeven op mijn vraag,' zegt Livy.

Onze pa kijkt omlaag te willen klimmen, daarom moet ik het vlug zeggen. 'Mevrouw C. is bij ons ma geweest,' fluister ik.

'Wat, een liefdadigheidsbezoek?'

'Wie zegt dat wij liefdadigheid nodig hebben?'

Livy antwoordt niet.

'Het was trouwens zakelijk, geen liefdadigheid.'

'Jouw moeder is baker, nietwaar?'

'Ja, maar...'

'Wil je zeggen dat ze weer een kind heeft?' Livy spert haar ogen open. 'Heeft Maude stiekem ergens een broertje of een zusje? Wat fijn! Ik hoop echt dat het een broertje is.'

'Dat was het niet,' zeg ik vlug. 'Ze heeft geen broertje of zoiets. Het was het andere. Ze raakte een broertje of zusje kwijt voordat het geboren werd. Anders zou het een onecht kind zijn geweest, snap je.'

'O!' Livy gaat rechtop zitten en staart me aan. Ik wou dat ik mijn mond had gehouden. Sommige mensen weten nog niets van het leven, en Livy is er een van. 'O!' zegt ze weer en ze begint te huilen. Ze gaat achterover in de modder liggen.

'Het is wel goed, Livy. Ons ma is voorzichtig geweest. Maar het duurde een tijd voordat ze beter was.'

'Wat moet ik tegen Maude zeggen,' snikt ze.

'Zeg niks tegen haar,' zeg ik vlug, want ik wil niet dat het nog erger wordt. 'Zij hoeft het niet te weten.'

'Maar ze kan onmogelijk bij haar moeder wonen onder zulke omstandigheden.'

'Waarom niet?'

'Ze kan bij ons komen wonen. Ik zal het mama vragen. Ik weet zeker dat ze ja zal zeggen als ze hoort waarom.' Livy huilde nu niet meer.

'Je mag niks tegen haar zeggen, Livy,' zeg ik.

Dan hoor ik boven iemand gillen en ik kijk op. Livy's moeder staat op ons neer te kijken en Maude gluurt over haar schouder. Ivy May staat alleen aan de andere kant van het graf.

'Lavinia, waarom lig je daar in hemelsnaam zo?' roept haar moeder. 'Kom er direct uit!'

'Hallo, mama,' zegt Livy rustig, alsof ze helemaal niet heeft gehuild. Ze gaat zitten. 'Zocht u me?'

Livy's moeder laat zich op haar knieën zakken en begint te huilen, niet zacht zoals Lavinia maar vochtig, met veel gesnotter.

'Het is wel goed, mevrouw Waterhouse,' zegt Maude en ze klopt op haar schouder. 'Met Lavinia is het prima. Ze komt direct naar boven, nietwaar Lavinia?' Ze kijkt woedend naar ons beiden.

Livy glimlacht raar en ik weet dat ze aan Maudes ma denkt.

'Waag het niet om het haar te vertellen, Livy,' fluister ik.

Livy zegt niks en kijkt me niet aan. Ze klimt gewoon vlug tegen het hout op en verdwijnt voordat ik iets kan zeggen.

Ivy May laat een brok klei in het graf vallen. Hij komt aan mijn voeten terecht.

Het is stil als ze allemaal weg zijn. Ik begin modder in de spleten rond de kist te schrapen.

Onze pa komt op de rand van het graf zitten met zijn benen over de kant bungelend. Ik kan de fles ruiken.

'Kom je me nu helpen, pa, of wat?' zeg ik. 'Je kunt nu de kooibak brengen.'

Onze pa schudt zijn hoofd. 'Het heeft geen zin meissies zoals haar te kussen,' zegt hij.

Hij heeft het dus gezien. 'Waarom niet?' vraag ik.

Onze pa schudt zijn hoofd weer. 'Dat soort meissies is niet voor jou, jongen. Dat weet je. Ze vinden je aardig omdat je anders bent dan zij, meer niet. Ze laten zich zelfs een keer door je kussen. Maar je komt geen stap verder met hen.'

'Ik ga niet proberen een stap verder te komen met hen.'

Onze pa begint te grinniken. 'Natuurlijk doe je dat niet, jongen. Natuurlijk doe je dat niet.'

'Stil, pa. Hou nu je mond maar.' Ik bemoei me weer met de modder; dat is gemakkelijker dan met hem praten.

LAVINIA WATERHOUSE

Eindelijk ben ik tot een besluit gekomen.

Ik heb me beroerd gevoeld, de hele tijd sinds Simon het me vertelde. Mama denkt dat ik kou heb gevat, onder in het graf, maar dat is niet zo. Ik lijd aan Morele Afschuw. Zelfs Simons kus – waar ik niemand iets over zal vertellen – kon het afschuwelijke nieuws over Kitty Coleman niet goedmaken.

Toen ze me op het kerkhof kwamen halen durfde ik Maude nauwelijks aan te kijken. Ik wist dat ze boos op me was, maar ik voelde me echt beroerd en kon niet praten. Toen kwamen we weer bij de bibliotheek en ik voelde me nog beroerder toen ik Maudes moeder zag. Gelukkig lette ze niet op me – die vreselijke vrouw, van wie Maude zei dat het een plaatselijke suffragette is, had haar te pakken. (Ik begrijp niet wat al die drukte over stemmen te betekenen heeft. Politiek is zo saai – welke vrouw zou er nu willen stemmen?) Ze liepen arm in arm naar huis alsof ze elkaar al jaren kenden en negeerden me, wat wel zo goed is. Het is werkelijk verbazingwekkend hoe schaamteloos Maudes moeder is, gezien wat ze heeft gedaan.

Sinds die dag heb ik me niet meer behaaglijk gevoeld met Maude, en ik heb me zelfs een tijdje te ziek gevoeld om haar op te zoeken of naar school te gaan. Ik weet dat zij dacht dat ik maar deed alsof, maar het was me allemaal te veel. Daarna was het godzijdank vakantie; Maude ging op bezoek bij haar tante in

Lincolnshire en ik kon haar een tijdje uit de weg gaan. Maar nu is ze terug, en de last van wat ik weet drukt zwaarder dan ooit op me. Ik vind het afschuwelijk zo'n geheim voor haar verborgen te houden, en zelfs voor iedereen, en dat heeft me ziek gemaakt.

Ik heb het niet tegen mama gezegd, want ik kan het niet over mijn hart verkrijgen haar aan het schrikken te maken. Die lieve mama en papa zijn me heel dierbaar en zelfs Ivy May. Het zijn eenvoudige mensen, anders dan ik, ik ben wat ingewikkelder, maar ik weet in elk geval dat zij eerlijk zijn. Dit is geen Huis van Geheimen.

Ik moet iets doen. Ik kan niet rustig blijven toekijken hoe de besmetting in het hart van het huis van de Colemans overgaat op Maude. Dus na drie weken diep te hebben nagedacht ging ik vanmiddag in mijn kamer zitten en schreef, met een verdraaid handschrift, de volgende brief:

> Geachte meneer Coleman,
> Het is mijn christenplicht u te wijzen op Onbetamelijk Gedrag dat heeft plaatsgevonden in uw huishouden betreffende uw vrouw. Meneer, het wordt u aangeraden uw vrouw te vragen naar de ware aard van haar ziekte, eerder dit jaar. Ik denk dat u hevig zult schrikken.
>
> Ik schrijf dit zoals het iemand betaamt die zich zorgen maakt om het morele welzijn van uw dochter, juffrouw Maude Coleman. Slechts haar beste belangen gaan mij ter harte.
>
> Met respectvolle begaanheid,
> Wens ik te blijven,
> Met de meeste hoogachting,
> Anonymus

Ik zal er vanavond heen sluipen en de brief voorzichtig onder de deur door schuiven. Ik weet zeker dat ik me dan een stuk beter zal voelen.

November 1906

JENNY WHITBY

Ik zag meteen dat het huis een smeerboel was. Ik moest het van boven tot onder schoonmaken en er toen nog eens doorheen gaan. Het enige goede eraan was dat ik geen tijd had om aan Jack te denken. Dat, en verder mevrouw Baker, die echt blij was me weer te zien. Ik denk dat ze meer dan genoeg had van de plaatsvervangers. Die werksters deugen voor geen cent.

Verder waren er mijn tieten. Elke paar uur zwollen ze op en de melk voor Jack liep eruit langs heel mijn borst. Ik moest katoenen kussentjes dragen en ze voortdurend vervangen, en zelfs toen werd ik betrapt. Gelukkig zag mevrouw het nooit – niet dat ze trouwens iets zou merken. Maar het gebeurde een keer toen ik de haard schoonmaakte in de kamer van juffrouw Maude. Ze kwam binnen en ik moest vlug een stapel linnengoed tegen me aandrukken, helemaal onder het kolenstof, en een uitvlucht verzinnen om weg te komen. Ze keek me vreemd aan maar zei niets. Ze is zo blij dat ik terug ben dat ze niet zal gaan klagen.

Ik weet niet hoeveel ze weet; mevrouw Baker denkt dat ze niet veel weet, dat ze nog steeds een onschuldig lam is. Maar ik weet het niet – soms betrap ik haar erop dat ze naar mij of naar haar moeder staart en dan denk ik: ze is niet gek.

Haar moeder – kijk, dat is raar. Ik kom schoorvoetend terug, bang om haar te zien nadat we zo uit elkaar zijn gegaan. Ik dacht dat ze verlegen met me zou zijn, maar toen ik kwam gaf ze me een hand en zei: 'Wat heerlijk jou terug te zien, Jenny. Kom binnen, kom binnen!' Ze liet me in de zitkamer, waar een zenuwachtig vrouwtje, een juffrouw Black, opsprong en me ook een hand gaf.

'Jenny is ons dierbaar,' zei mevrouw tegen juffrouw Black. Nou, daar moest ik van blozen en ik dacht dat ze me plaagde. Maar ze leek het echt te menen, alsof ze alles over die chantage vergeten was.

'Ik zal gauw mijn spullen naar mijn kamer brengen en beginnen,' zei ik

'Juffrouw Black en ik beramen belangrijke zaken, nietwaar, Caroline?' zei mevrouw alsof ze me niet had gehoord. 'Ik weet zeker dat je ons heel goed kunt helpen.'

'Och, dat weet ik niet, mevrouw. Misschien zal ik eerst wat thee voor u halen.'

'Zeg me eens, Jenny,' zei juffrouw Black, 'wat vind jij van vrouwenstemrecht?'

'Nou ja, ik denk dat we allemaal recht gestemd zijn,' zei ik voorzichtig, onzeker wat er te zeggen viel.

Juffrouw Black en mevrouw lachten, al had ik het niet als grap bedoeld.

'Nee, ik bedoel stemrecht voor vrouwen,' legde juffrouw Black uit.

'Maar vrouwen stemmen toch niet,' zei ik.

'Vrouwen mógen niet stemmen, maar ze horen daar het volle recht toe te hebben, net als mannen. Daar vechten wij voor, zie je. Denk jij niet dat je evenveel recht hebt als je vader, je broer, je man om te kiezen wie het land moet besturen?'

'Die heb ik geen van allen.' Ze had het niet over zonen gehad.

'Jenny, we zullen ervoor vechten dat jij gelijkgesteld wordt,' zei mevrouw.

'Dat is heel vriendelijk van u, mevrouw. Wat zal ik nu voor u halen, koffie of thee?'

'Och, ik denk koffie, jij ook, Caroline?'

Die twee zitten nu steeds bij elkaar samen te spannen tegen de regering of zoiets. Ik moet eigenlijk blij zijn voor mevrouw, omdat ze gelukkiger lijkt dan voorheen. Maar dat ben ik niet. Er is iets aan haar wat niet juist lijkt, als een tol die te strak is opgewonden; hij draait zoals het hoort, maar hij zou weleens kapot kunnen gaan.

Niet dat het me nu veel kan schelen – ik moet aan anderen denken. De eerste zaterdag dat ik terugging naar mam huilde ik toen ik Jack zag. Er waren pas vijf dagen om en hij leek de baby van een ander. Ik had toen nog wat melk in me over maar hij wilde die niet nemen, hij wilde het meisje tegenover ons, die hem voedt nu ze haar eigen baby verloren heeft. Ik huilde opnieuw toen ik hem aan haar borst zag.

Hoe ik haar al die maanden moet betalen weet ik niet. Ik wou dat ik daaraan had gedacht toen ik mijn baan hier veilig stelde bij mevrouw. Vier maanden geleden zou ze me alles hebben gegeven, maar als ik nu om loonsverhoging zou vragen zou ze me waarschijnlijk een preek geven over vrouwen die geen recht hebben. Eén ding heb ik geleerd: als je niet bang bent voor chantage, werkt die niet. Ik geloof dat alles haar op dit moment koud laat, behalve stemrecht voor vrouwen.

Dit is nog zoiets vreemds: mevrouw gedraagt zich helemaal alsof haar deze zomer niets is overkomen, maar iemand is het niet vergeten. Ik was bezig de schoenen in de gang te zetten, glanzend gepoetst en klaar voor de volgende dag, toen er een brief onder de deur werd geschoven, geadresseerd aan meneer Coleman. Ik pakte hem op en keek ernaar. Het was een raar handschrift, alsof een schoolmeisje het had geschreven op een wiebelende stoel. Ik deed de voordeur open en keek naar buiten. Het was een mistige avond en ik kon nog net juffrouw Lavinia de straat in zien lopen en verdwijnen.

Ik legde de brief niet op het dienblad voor meneer maar hield hem bij me. De volgende morgen zat ik met een kop thee in de keuken en liet de brief aan mevrouw Baker zien. Het is gek dat zij en ik vriendschappelijker met elkaar omgaan sinds Jack geboren is. Ze weet niets over de chantage maar ze moet iets vermoeden. Ze heeft me nooit gevraagd hoe ik mijn baantje heb teruggekregen.

'Waarom zou zij meneer schrijven als het niet was om moeilijkheden te maken?' zei ik.

Mevrouw Baker bekeek de brief, nam hem vervolgens mee naar de theeketel en had hem in een minuutje open gestoomd. Dat mag ik aan haar: soms kan ze afschuwelijk zijn, maar ze is resoluut.

Ik las mee over haar schouder. Toen we klaar waren keken we elkaar aan. 'Hoe weet ze dat allemaal?' vroeg ik me hardop af, voordat ik besefte dat mevrouw Baker misschien niets wist over het lastige parket van mevrouw.

Maar ze wist het. Mevrouw Baker is niet gek. Ze moet het zelf uitgedokterd hebben.

'Dat dwaze meisje,' zei ze nu. 'Probeert de boel op te stoken.'

Ze trok het deurtje van het fornuis open en gooide de brief in het vuur.

Zoals ik al zei, ze is resoluut.

EDITH COLEMAN

Toen ze de deur opendeed dacht ik even dat ik droomde. Maar ik wist heel goed dat ik klaarwakker was – dromen is niets voor mij. Natuurlijk grijnsde ze om me te laten merken dat ze wist dat ik verrast was.

'Wat doe jij hier in hemelsnaam?' vroeg ik. 'Waar is de werkster die ik heb aangenomen?' Ik had het huishouden overgenomen toen Kitty ziek was en had werksters aangenomen totdat we een goede meid konden vinden.

'Ik werk hier, mevrouw,' zei dat brutale ding.

'Wie zegt dat?'

'U kunt het beter aan mevrouw vragen, mevrouw. Zal ik uw mantel aannemen, mevrouw?'

'Blijf met je vingers van mijn mantel af. Wacht maar in de keuken. Ik ga zelf wel naar boven.'

Het meisje schokschouderde en ik dacht te horen dat ze zei: 'Je doet maar.'

Ik wilde iets zeggen maar nam de moeite niet – ik moest niet met haar praten. Jenny zou zeker niet hier zijn als Kitty haar niet had laten terugkomen, achter mijn rug om en tegen mijn bevel in.

Ik liep onaangekondigd de zitkamer in. Kitty zat er met juffrouw Black, die ik bij een andere gelegenheid al een keer had ontmoet. Ik had toen niet veel met haar op. Ze bleef maar doordraven over vrouwenkiesrecht, een onderwerp dat ik niet kan verdragen.

Beiden gingen ze staan en Kitty liep naar me toe en kuste me. 'Laat me uw mantel aannemen, moeder Coleman,' zei ze. Waarom heeft Jenny hem niet aangenomen bij de deur?'

'Dat zou ik graag met jou bespreken,' antwoordde ik en ik hield mijn mantel nog even aan; ik wist niet zeker of ik wel wilde blijven. Het kwam slecht uit dat Kitty niet alleen was omdat ik niet graag over Jenny sprak waar anderen bij waren.

'Moeder Coleman, u heeft Caroline Black eerder ontmoet,' zei Kitty. 'Caroline, je herinnert je mijn schoonmoeder nog wel, mevrouw Coleman.'

'Natuurlijk,' zei juffrouw Black. 'Het doet me genoegen u weer te zien, mevrouw Coleman.'

'Komt u niet bij ons zitten?' vroeg Kitty en ze gebaarde naar de sofa's. 'Jenny heeft net de thee gebracht en mevrouw Baker heeft wat reuzelkoekjes gebakken.'

Ik ging zitten en voelde me heel gegeneerd in mijn mantel. Geen van beide vrouwen leek het te merken.

'Caroline en ik hebben zitten praten over de Women's Social and Political Union,' zei Kitty. 'Wist u dat ze nu een kantoor in Londen hebben geopend, in een zijstraat van Aldwych? Het is heel handig voor de krantenredacties, en ze kunnen veel effectiever vanuit een basis hier in het parlement lobbyen voor vrouwenkiesrecht dan vanuit Manchester.'

'Ik keur het af dat vrouwen stemmen,' viel ik haar in de rede. 'Dat hoeven ze niet; hun echtgenoten zijn heel goed in staat dat namens hen te doen.'

'Er zijn heel veel ongetrouwde vrouwen – ikzelf ook – die vertegenwoordigd moeten worden,' zei juffrouw Black. 'Bovendien heeft een vrouw niet altijd dezelfde mening als haar man.'

'In elk goed huwelijk is de vrouw volkomen dezelfde mening toegedaan als haar man. Anders zouden ze niet eens zijn getrouwd.'

'Echt waar? Zou jij altijd hetzelfde stemmen als je man, Kitty?' vroeg juffrouw Black.

'Ik zou hoogstwaarschijnlijk op de Conservatieven stemmen,' zei Kitty.

'Zie je wel?' zei ik tegen juffrouw Black. 'De Colemans stemmen altijd op de Conservatieven.'

'Maar dat is alleen omdat een kandidaat van de Conservatieven nu geneigd lijkt om in te stemmen met het vrouwenkiesrecht,' voegde Kitty eraan toe. 'Als een Liberaal of zelfs een Labourkandidaat openlijk zijn steun gaf, zou ik op hen stemmen.'

Ik schrok me dood bij die uitspraak. 'Doe niet zo dwaas. Natuurlijk zou je dat niet doen.'

'Ik bemoei me niet met politieke partijen. Ik bemoei me met een morele kwestie.'

'Je zou je meer moeten bemoeien met morele kwesties veel dichter bij huis,' zei ik.

'Wat bedoelt u in hemelsnaam?' Ik merkte dat Kitty dat zei zonder me aan te kijken.

'Waarom is Jenny hier? Ik heb haar in juli ontslagen.'

Kitty trok de schouders op en keek juffrouw Black aan alsof ze zich voor mij verontschuldigde. 'En ik heb haar in oktober weer aangenomen.'

'Kitty, ik heb vier maanden geleden je meid ontslagen omdat ze immoreel gedrag vertoonde. Zo'n handelwijze is onherroepelijk en ze is niet geschikt om in dit huis te werken.'

Eindelijk keek mijn schoondochter me aan. Ze keek bijna verveeld. 'Ik heb Jenny gevraagd terug te komen omdat ze een heel goede dienstbode is, ze is beschikbaar en we hebben een goede dienstbode nodig. De werksters die u heeft aangenomen waren onaanvaardbaar.'

Iets in haar gezicht zei me dat ze loog, maar ik wist niet wat voor leugen dat kon zijn.

'Ben je vergeten wat ze gedaan heeft?' vroeg ik.

Kitty zuchtte. 'Nee, dat ben ik niet vergeten. Ik vind het gewoon niet belangrijk. Ik ben met andere dingen bezig en ik wilde alleen iemand aannemen van wie ik wist dat ze goed zou werken in huis.'

Ik rechtte mijn rug. 'Dat is belachelijk,' zei ik. 'Je kunt geen meisje in huis hebben dat...' Ik zweeg en keek even naar juffrouw Black, die me rustig aankeek. Ik wilde er geen doekjes om winden, maar het leek ongepast zo open te zijn waar een vreemde bij was. Ik maakte mijn zin niet af, wetend dat Kitty dat zou kunnen doen. In plaats daarvan zei ik: 'Wat is dat voor voorbeeld voor Maude of voor mijn zoon?'

'Die weten het niet. Ze denken dat Jenny ziek was.'

'De morele fundering van dit huis zal ondermijnd worden door haar aanwezigheid, of ze de omstandigheden kennen of niet.'

Kitty glimlachte, wat mij een zeer ongepaste reactie leek. 'Moeder Coleman,' zei ze, 'u weet dat ik u heel dankbaar ben dat u zo goed voor het huis heeft gezorgd toen ik ziek was. U bent royaal geweest met uw tijd en moeite. Nu is het echter tijd dat ik opnieuw de leiding neem in mijn eigen huis. Ik heb besloten dat Jenny weer voor ons kan werken, en daar valt niet aan te tornen.'

'Wat zegt mijn zoon hierover?'

'Richard weet gelukkig niets van huishoudzaken. Volgens mij heeft u me dat geleerd, je man nooit lastig te vallen over het huishouden.'

Ik negeerde haar opmerking, maar ik vergat die niet. 'Ik zal eens met hem praten.'

'Denkt u dat hij dat prettig zou vinden?'

'Ik denk dat iedere man zou willen weten dat zijn huis in moreel opzicht wordt bedreigd.'

'Blijft u nog theedrinken?' Kitty vroeg het heel vriendelijk, maar ze impliceerde met haar woorden dat ze dacht dat ik misschien liever vertrok.

En weggaan wilde ik. 'Ik blijf niet voor de thee,' zei ik en ik kwam overeind. 'Ik zet geen voet meer in dit huis zolang zij hier is. Tot ziens, Kitty.' Ik draaide me om en ging de kamer uit. Kitty liep me niet na, en het was maar goed dat die brutale meid niet in de gang was, anders weet ik niet wat ik tegen haar gezegd zou hebben.

Een van de onplezierige gevolgen als je wat ik zou willen noemen resoluut van karakter bent, is dat je soms in een dilemma terecht kunt komen. Ik had geen gewetenswroeging over het verbreken van het contact met Kitty, maar datzelfde kon ik niet zeggen wat mijn zoon en kleindochter betreft. Het is tenslotte hun schuld niet dat Kitty moreel nonchalant is. Ik voelde er echter niet veel voor Richard te betrekken bij wat vrouwenzaken zijn, waar Kitty me zelf aan herinnerde. Toch vond ik dat hij iets hoorde te weten over het ongepaste gedrag van zijn vrouw, zo niet over haar besluit om Jenny terug te nemen, danwel over haar vriendschap met een vrouw van twijfelachtig allooi. Maar zodra ik hem zag wist ik dat ik geen woord tegen hem zou zeggen, niet over Jenny en niet over Caroline Black. Hij straalde, zelfs na een dag op kantoor, en het deed me denken aan zijn blik toen hij en Kitty terugkeerden van hun huwelijksreis.

Dat is het dus, dacht ik rechtuit. Ze heeft hem weer opgenomen in haar bed, zodat ze daarbuiten kan doen wat ze wil.

Ze is niet gek, die schoondochter van me. Ze is heel ver gekomen sinds de dag waarop Richard haar voor het eerst aan me voorstelde, een mager, onhandig meisje uit de provincie met jurken die twee jaar uit de mode waren. Ik speel niet graag spelletjes, en toen ik naar mijn zoon keek wist ik dat ze van me had gewonnen.

RICHARD COLEMAN

Dit jaar zullen we met nieuwjaar thuisblijven.

Februari 1907

GERTRUDE WATERHOUSE

Lieve hemel, ik ben net teruggekomen van een van Kitty Colemans jours en ik heb zó'n hoofdpijn.

In januari gebeurde er iets waarvan ik altijd al vreesde dat het er op een dag van zou komen: Kitty Coleman verplaatste haar jours naar de woensdagmiddag, zodat ze op dinsdag een of andere vergadering in Highgate kon bijwonen. (Dat betekent in elk geval dat ze niet naar een van mijn jours zal komen!) Nu voel ik me verplicht te gaan – niet elke week hopelijk, maar ten minste een of twee keer per maand. De eerste paar keer kon ik het vermijden door te zeggen dat ik verkouden was of dat de meisjes ziek waren, maar dat excuus kon ik niet elke keer aanvoeren.

Vandaag ben ik dus maar gegaan en ik nam Lavinia en Ivy May mee als steun. Toen we daar kwamen zat de kamer al vol vrouwen. Kitty Coleman verwelkomde me en vloog daarna her en der de kamer door zonder ons voor te stellen. Ik moet zeggen dat het de luidruchtigste jour was die ik ooit had meegemaakt. Iedereen sprak tegelijk en ik weet niet zeker of er eigenlijk wel iemand luisterde. Maar ik luisterde en terwijl ik dat deed sperde ik mijn ogen wijd open en tuitte mijn lippen. Ik durfde geen woord te zeggen. De kamer zat vol suffragettes.

Twee spraken er over een vergadering die ze moesten bijwonen in Whitechapel. Een ander liet iedereen het ontwerp voor een poster zien van een vrouw die vanuit een treinraampje met een bord zwaaide waarop stond 'Vrouwenstemrecht'. Toen ik dat zag draaide ik me om naar mijn dochters. 'Lavinia,' zei ik, 'ga Maude eens helpen.' Maude serveerde thee aan de andere kant van de kamer en ze keek even ellendig als ik me voelde. 'En luister niet naar wat iedereen om je heen zegt,' voegde ik eraan toe.

Lavinia stond strak naar Kitty Coleman te staren. 'Heb je me gehoord, Lavinia?' vroeg ik. Ze schudde haar hoofd en haalde haar schouders op, alsof ze mijn woorden van zich af wilde schudden, trok toen een gezicht en liep de kamer door naar Maude.

'Ivy May,' zei ik, 'zou jij alsjeblieft naar beneden willen gaan en de kok vragen of ze hulp nodig heeft?'

Ivy May knikte en verdween. Zij is een braaf meisje.

Een vrouw naast me zei dat ze pas had gesproken op een bijeenkomst in Manchester en dat ze rotte tomaten naar haar hoofd had gekregen.

'Het waren in elk geval geen rotte eieren!' riep een andere vrouw en iedereen lachte.

Nou ja, bijna iedereen lachte. Een paar vrouwen, zoals ik, waren heel stil en keken even geschrokken als ik me voelde. Dat waren zeker Kitty's vroegere vriendinnen die naar de jour kwamen en een prettige conversatie en de uitstekende scones van mevrouw Baker verwachtten.

Een van hen, niet zo verlegen, zei eindelijk iets. 'Waar spreekt u over op die bijeenkomsten in Manchester?'

De tomatenvrouw keek haar ongelovig aan. 'Och, om voor vrouwen het kiesrecht te proberen te krijgen natuurlijk.'

De arme vrouw werd zo rood als een biet, alsof ze zelf door een tomaat was geraakt, en ik schaamde me voor haar.

Ik moet zeggen dat Caroline Black haar te hulp kwam. 'De Women's Social and Political Union voert een campagne om een wetsvoorstel in het parlement te krijgen dat alle vrouwen bij algemene verkiezingen stemrecht zou geven,' legde ze uit. 'We roepen de hulp in van alle vrouwen en mannen in het hele land om ons te steunen door naar kranten te schrijven, MP's te lobbyen en verzoekschriften te tekenen. Heeft u het pamflet van de WSPU gezien? Neem er maar een mee en lees het – er staat zoveel in. U kunt daarvoor een bijdrage leggen op de tafel naast de deur als u weggaat. En vergeet niet het pamflet door te geven als u het gelezen heeft; het is werkelijk verrassend hoelang een pamflet meegaat als u het aan anderen doorgeeft.'

Ze was in haar element; ze sprak zo glad en vriendelijk en tegelijk zo krachtig dat verscheidene vrouwen inderdaad pamfletten aannamen en munten achterlieten naast de deur – ikzelf ook, moet ik tot mijn schande bekennen. Toen de stapel pamfletten bij mij kwam, keek Caroline Black me aan met zo'n lieve glimlach op haar gelaat dat ik er wel eentje moest nemen. Ik kon het niet over mijn hart verkrijgen het weg te moffelen tussen de achterleuning en de sofa, wat ik misschien had willen doen. Dat deed ik later, thuis.

Kitty Coleman trad niet zo op de voorgrond op dezelfde manier als Caroline Black, maar ze was toch heel opgewonden, met stralende ogen en blozende wangen, alsof ze op een bal was en nog geen dans had overgeslagen. Ze zag er niet bepaald gezond uit.

Ik weet dat ik dit niet hoor te zeggen, maar ik wilde dat zij en Caroline Black elkaar nooit hadden ontmoet. Kitty's transformatie was dramatisch geweest en het had haar ongetwijfeld uit de depressie gehaald waarin ze verkeerde, maar ze is nog steeds niet haar oude zelf; ze is veranderd in iemand anders, veel radicaler. Niet dat ik nu zo dol was op haar oude zelf, maar ik geef daar de voorkeur aan boven haar huidige staat. Zelfs wanneer ze niet op haar jours vol suffragettes is, praat ze toch onophoudelijk over politiek en vrouwen dit en vrouwen dat, totdat ik mijn handen het liefst voor mijn oren zou willen houden. Ze heeft voor zichzelf een fiets gekocht en rijdt erop rond, zelfs door regen en wind, en krijgt vetvlekken op haar rokken – als die al niet onder het krijt zitten van alle dingen die ze op trottoirs heeft getekend over vergaderingen en bijeenkomsten en zo. Steeds als ik haar ergens aantref met een stukje krijt, steek ik de weg over en doe net of ik haar niet zie.

Ze is nu 's middags nooit thuis, maar is altijd naar een of andere vergadering en ze verwaarloost die arme Maude schandelijk. Soms denk ik aan Maude als mijn derde dochter, zo vaak is ze bij ons thuis. Niet dat ik iets te klagen heb; Maude is heel attent, ze helpt mij met de thee of Ivy May met haar huiswerk. Ze vormt een goed voorbeeld voor Lavinia, die, het spijt me het te moeten zeggen, dat voorbeeld nooit lijkt te volgen. Het is heel vreemd dat de ene dochter een moeder kan hebben die geen aandacht aan haar schenkt en toch goed terechtkomt, terwijl de andere alle aandacht in de wereld krijgt en toch zo lastig en zelfzuchtig is.

Het was een opluchting Kitty's jour te kunnen verlaten. Ook Lavinia leek graag te vertrekken. Toen we thuis waren was ze heel lief voor me en stuurde me naar bed vanwege mijn hoofdpijn, terwijl zij erop stond het souper te bereiden. Het kon me zelfs niets schelen dat ze de soep liet aanbranden.

JENNY WHITBY

Mijn god, ik hoop dat die jours niet blijven duren. Sinds mevrouw ze naar de woensdag heeft verplaatst ren ik me rot. In elk geval heb ik Maude om me te helpen, al weet ik niet of ze dat zal blijven doen. De hele middag leek het of ze ervandoor wilde gaan, zelfs toen Lavinia haar gezelschap kwam houden.

Die maakt me aan het lachen. Als ze hier is kijkt ze woedend naar mevrouw en als meneer thuis is kijkt ze helemaal verward en triest naar hem. Maar ze heeft niets gezegd en ook geen nieuwe brief gestuurd – daar heb ik op gelet. Ik ben niet van plan haar dit huis te laten ruïneren; ik heb mijn loon nodig. Zoals het nu is kan ik niet voor Jack betalen. Eigenlijk wel, maar ik heb daarvoor iets moeten doen waartoe ik nooit had gedacht dat ik me zou kunnen verlagen: lepels pakken van een oud zilverbestek in het buffet dat de moeder van mevrouw haar heeft nagelaten. Ze gebruiken het niet en alleen ik poets het ooit. Het is niet juist, dat weet ik, maar ik kan niet anders.

Eindelijk luisterde ik vandaag naar die suffragettes terwijl ik de scones serveerde. Van wat ik hoorde moest ik bijna spugen. Ze spraken over vrouwen helpen, maar het blijkt dat ze kieskeurig zijn over wie ze precies helpen. Ze vechten niet voor mijn stemrecht, alleen voor vrouwen die een huis bezitten of naar de universiteit zijn geweest. Maar die Caroline Black had het lef mij te vragen of ik iets van mijn loon wilde afstaan 'voor de goede zaak.'

Ik zei haar dat ze geen cent van me zou krijgen totdat de zaak iets met mij te maken had!

Ik was zo kwaad dat ik het aan mevrouw Baker moest vertellen toen we later afwasten.

'Wat zei ze daarop?' vroeg mevrouw Baker.

'O, dat mannen nooit zouden toestaan Jan en alleman stemrecht te geven, dat ze met sommige vrouwen moesten beginnen en dat ze, als ze dat eenmaal voor elkaar hadden, voor iedereen zouden vechten. Maar komt het er niet altijd op neer dat ze zichzelf vooropstellen? Ik zeg maar zo, waarom kunnen ze niet eerst voor ons vechten? Laat de werkende vrouwen maar bepalen wat er moet gebeuren.'

Mevrouw Baker grinnikte. 'Jij zou niet eens weten op wie je moest stemmen, ook al viel je erover, en dat weet je best.'

'Dat zou ik wel!' riep ik uit. 'Zo stom ben ik niet. Labour, natuurlijk. Labour voor de werkende vrouwen. Maar die dames boven zullen niet voor Labour stemmen, zelfs niet voor de Liberalen. Het zijn allemaal Tory's, net als hun mannen, en die Tory's zullen de vrouwen nooit stemrecht geven, wat ze ook zeggen.'

Mevrouw Baker zei niets. Misschien verbaasde het haar dat ik over politiek praatte. Om eerlijk te zijn, ik was er zelf ook verbaasd over. Ik heb te veel suffragettes om me heen gehad; door hen begin ik een heleboel onzin uit te kramen.

Juli 1907

MAUDE COLEMAN

Pappie en ik waren op de Heath toen ik het voelde. Het was onze vrijdagavond samen en we hadden de telescoop opgesteld op Parliament Hill. We hadden naar een paar sterren gekeken en wachtten op het verschijnen van Mars. Ik vond het niet erg om te wachten. Soms praatten we wat, maar meestal zaten we gewoon te observeren.

Toen ik wat van de thee dronk uit onze thermosfles begon ik een doffe pijn te voelen in mijn maag, alsof ik te veel had gegeten. Toch had ik de tosti van mevrouw Baker bij het avondeten nauwelijks aangeraakt, ik heb nooit honger als het warm is. Ik ging wat verzitten op mijn vouwstoel en probeerde me te concentreren op wat pappie zei.

'Op de vergadering van de vereniging zei iemand onlangs dat

de oppositie van Mars deze maand waarschijnlijk heel duidelijk zal zijn,' zei hij. 'Ik weet niet of deze telescoop krachtig genoeg is. We hadden die van de vereniging moeten lenen, maar misschien heeft iemand anders die vanavond al. Dit zal allemaal een stuk gemakkelijker zijn als het observatorium er staat.'

'*Als* het ooit wordt gebouwd,' herinnerde ik hem. De Hampstead Scientific Society was bezig geweest een stuk land op de Heath te zoeken waar een observatorium gebouwd kon worden, maar tegen elke plek was protest aangetekend, en op de brievenpagina van de plaatselijke krant woedde een debat erover.

Het jeukte tussen mijn benen: het was daar vochtig alsof ik thee in mijn schoot had gemorst. Ineens begreep ik wat er aan de gang was. 'O,' zei ik voordat ik me in kon houden.

Pappie trok zijn wenkbrauwen op.

'Het is niets. Het is...' Ik zweeg, krimpend van de pijn.

'Voel je je wel goed, Maude?'

De pijn was ineens zo fel dat ik nauwelijks adem kon halen. Even hield hij op en toen begon hij weer, als een hand die mijn maag omklemde, kneep en dan weer losliet.

'Pappie,' hijgde ik. 'Ik ben niet lekker. Het spijt me zo, maar ik moet naar huis.'

Pappie fronste de wenkbrauwen. 'Wat is er? Wat mankeert eraan?'

Ik schaamde me zo, ik wist nauwelijks wat ik moest zeggen. 'Het is... iets wat ik met mammie moet bespreken.' Meteen wilde ik dat ik gewoon had gezegd dat ik buikpijn had. Ik kan niet zo goed jokken.

'Wat...' Pappie zweeg. Ik denk dat hij het begreep. Hij vroeg in elk geval niets meer. 'Ik breng je naar huis,' zei hij en hij pakte de vleugelmoer vast waarmee de telescoop in zijn stand staat.

'Ik kan best alleen gaan. Het is niet ver en u wilt alles niet nog eens opstellen.'

'Natuurlijk breng ik je naar huis. Ik wil mijn dochter niet 's avonds alleen over de Heath laten dwalen.'

Ik wilde hem zeggen dat ik, sinds mammie het zo druk had gekregen met de suffragettes, overal alleen naartoe begon te gaan: naar het kerkhof, de heuvel op naar het dorp, zelfs over de Heath naar Hampstead. Soms ging Lavinia met me mee, maar vaak was ze te nerveus om ver te gaan. Maar dit was niet het moment om zoiets tegen pappie te zeggen. Bovendien wist ik niet hoe diep mammie erbij betrokken was geraakt – ze sprak met iedereen over vrouwenkiesrecht behalve met hem, en beperkte haar bezigheden voor de WSPU meestal tot overdag, als ze wist dat pappie bezig was. Voor zover hij wist was ze elke dag thuis aan het lezen en tuinieren, zoals ze vroeger deed.

Zwijgend pakten we onze spullen in. Ik was blij dat het zo donker was dat pappie mijn gezicht niet kon zien, want ik was vuurrood geworden. Ik liep achter hem aan de heuvel af en werd gedwongen nu en dan langzaam te lopen wanneer de pijn te erg werd. Pappie leek het niet te merken, maar bleef het pad aflopen alsof er niets aan de hand was. Als ik kon liep ik hard om hem in te halen.

We kwamen aan de rand van de Heath, waar mannen met hun glazen bier op straat stonden voor de Bull and Last. 'Vanaf hier kan ik naar huis lopen, pappie,' zei ik. 'Het is niet ver en er zijn genoeg mensen op straat. Het zal heel goed gaan.'

'Onzin.' Pappie bleef doorlopen.

Toen we thuiskwamen ontsloot hij de deur. Op het haltafeltje brandde een lamp. Pappie schraapte zijn keel. 'Je moeder is op bezoek bij een zieke vriendin, maar Jenny kan wel voor je zorgen.'

'Ja.' Ik bleef met mijn rug tegen de muur staan voor het geval er op de achterkant van mijn jurk een vlek zat. Ik zou me dood hebben geschaamd als pappie dat had gezien.

'Zo.' Pappie draaide zich om om weg te gaan en bleef even bij de deur staan. 'Denk je dat je het zo redt?'

'Ja.'

Ik kreunde toen de deur achter hem dichtging. Mijn dijen waren plakkerig en deden pijn van het schuren en ik wilde gaan liggen. Maar eerst had ik hulp nodig. Ik ontstak een kaars en ging naar boven en bleef even staan voor mammies zitkamer. Misschien was ze daar toch en zat ze op de sofa een boek te lezen. Ze zou opkijken en zeggen: 'Hallo daar, wat heb je voor tekenen aan de hemel gezien?' zoals ze dat dan deed.

Ik opende de deur. Natuurlijk was mammie er niet. Soms had ik het gevoel dat de kamer niet langer meer van haar was, maar aan een zaak behoorde. De vroegere kenmerken van mammie – de gele zijden sjaal op de sofa, de piano met een vaas droogbloemen erop, de prenten van planten – waren er nog. Maar wat me in plaats daarvan opviel was een half afgemaakt spandoek waarop stond GEEN WOORDEN MAAR DADEN; de stapel WSPU-pamfletten op de piano; het plakboek op de tafel, krantenknipsels, brieven, foto's op een hoop ernaast, samen met schaar en lijmpot; de doos met krijtjes, de strooibiljetten, de vellen papier met lijsten erop gekrabbeld. Pappie kwam hier nooit. Als hij dat deed zou hij heel verbaasd zijn.

Ik deed de deur dicht, klom de trap op naar Jenny's kamer en klopte op de deur. 'Jenny?' riep ik. Eerst kwam er geen antwoord maar toen ik nog eens klopte hoorde ik gegrom en Jenny deed de deur open, met half dichtgeknepen ogen en een rode striem op haar gezicht waar dat in het kussen gedrukt had gelegen. Ze droeg een lange witte nachtpon en was op blote voeten. 'Wat mankeert eraan, juffrouw Maude?' mompelde ze en ze wreef over haar gezicht.

Ik staarde naar Jenny's dikke gele teennagels. 'Alsjeblieft, je moet me helpen,' fluisterde ik.

'Kan het niet tot morgen wachten? Ik sliep al, weet je. Ik moet vroeger opstaan dan jullie.'

'Het spijt me. Het is... mijn maandstonden zijn begonnen en ik weet niet wat ik moet doen.'

'Wat?'

Ik zei het opnieuw en bloosde weer.

'O hemel, de rooie vlag,' mompelde Jenny. Ze bekeek me van boven tot onder. 'Verroest, juffrouw Maude, twaalf jaar is jong om te beginnen – er zijn bij jou zelfs nog geen borstjes te zien!'

'Zo jong ben ik niet. Ik word dertien, over acht maanden.' Ik wist hoe dwaas dat klonk en ik begon te huilen.

Jenny deed haar deur wijd open. 'Zo erg is het nu ook weer niet.' Ze sloeg haar arm om me heen. 'Je kunt maar beter binnenkomen, het wordt er niet beter op als je hierbuiten staat te janken.'

Jenny's kamer was de kamer waar onze kinderjuffrouw had geslapen toen ik klein was. Ofschoon ik er maar een of twee keer was geweest sinds Jenny er was ingetrokken, voelde ik me er toch thuis. Het rook er naar warme huid, wollen dekens en kamferolie, net als de warme kompressen die de kinderjuffrouw gebruikte als ik kou had gevat. Jenny's jurk, schort en muts hingen aan haken. Haar haarborstel lag op de smalle schoorsteenmantel boven de haard, en er stond ook een foto op van Jenny met een baby op haar schoot. Ze zaten voor een achtergrond van palmbladeren en Jenny droeg haar beste jurk. Beiden keken ze ernstig en verbaasd, alsof ze niet hadden verwacht dat de camera zou flitsen.

'Wie is dat?' vroeg ik. Ik had die foto nog nooit gezien.

Jenny was bezig een kamerjas aan te trekken en ze keek nauwelijks op. 'Mijn neefje.'

'Ik heb je nooit over hem horen praten. Hoe heet hij?'

'Jack.' Jenny sloeg haar armen over elkaar. 'Zo, heeft je mammie je iets verteld, of iets voor je geregeld?'

Ik schudde mijn hoofd.

'Natuurlijk niet. Ik had het kunnen weten. Je moeder heeft het zo druk met vrouwen te redden dat ze niet eens op haar eigen vrouwen let.'

'Ik weet wat er aan de hand is. Ik heb erover gelezen in een boek.'

'Maar je weet zeker niet wat je moet doen? Dat is het belangrijke, wat je eraan moet dóen. Wie kan het wat schelen wat het is? "Geen woorden maar daden," zegt je mammie dat niet altijd?'

Ik fronste mijn wenkbrauwen.

Jenny tuitte haar lippen. 'Sorry, juffrouw Maude,' zei ze. 'Goed dan, ik zal je wat van de mijne lenen totdat we hebben wat je nodig hebt.' Ze knielde bij een kistje waar ze haar spullen in bewaarde en haalde er een paar lange, dikke doeken uit en een vreemde ceintuur die ik nog nooit had gezien. Ze liet me zien hoe ik de doek in drieën moest vouwen en vast moest maken aan de ceintuur. Ze legde me uit over de emmer met zout water om de doeken in te weken, die ik onder het bed bij de kamerpot moest zetten. Daarna ging ze naar beneden een emmer en een warmwaterkruik halen voor de pijn, terwijl ik me waste op mijn kamer en de doek en de ceintuur probeerde om te doen. Ik had het gevoel alsof mijn onderrok en directoire helemaal opgepropt tussen mijn benen zaten, zodat ik waggelde als een eend. Ik wist zeker dat iedereen het zou kunnen zien.

Hoe erg het ook geweest was dat zoiets gebeurde met pappie als getuige, ik was in elk geval blij dat Lavinia er niet bij was. Ze zou het me nooit hebben vergeven dat ik het eerst begonnen was. Zij was altijd de schoonheid geweest, de vrouw, zelfs toen we jonger waren deed ze me denken aan de vrouwen in prerafaelitische schilderijen, met haar krulhaar en mollig figuurtje. Jenny had gelijk: ik ben plat, en zoals grootmoeder al eens van me zei, mijn kleren hangen aan mijn lijf als aan een waslijn. Lavinia en ik hadden altijd aangenomen dat zij als eerste een korset zou dragen, het eerst zou trouwen, het eerst kinderen zou krijgen. Soms zat me dat dwars, maar vaak was ik stiekem opgelucht. Ik heb het haar nooit gezegd, maar ik wist nog niet zo zeker of ik wilde trouwen en kinderen krijgen.

Nu zou ik mijn ceintuurs en maandverbanden en pijn voor haar moeten verbergen. Ik verzweeg niet graag geheimen voor mijn beste vriendin. Maar zij verzweeg er ook een voor mij. Vanaf het moment dat mammie bevriend raakte met Caroline Black, gedroeg Lavinia zich vreemd bij haar, maar ze wil niet zeggen waarom. Als ik het haar vraag zegt ze alleen dat suffragettes slecht zijn, maar ik weet zeker dat het meer is dan dat. Het had iets met Simon te maken en daar onder in dat graf zijn. Maar ze wil het niet zeggen, en Simon ook niet. Ik ging alleen naar het kerkhof en vroeg het hem, maar hij trok even zijn schouders op en ging door met graven.

Toen Jenny terugkwam met de emmer omhelsde ze me. 'Nu ben je een vrouw, weet je. Voordat je het weet zul je een korset dragen. Dat is iets om morgen aan je mammie te vertellen.'

Ik knikte. Maar ik wist dat ik morgen niets tegen mammie zou zeggen. Ze was er niet nu ik haar het hardst nodig had. Morgen deed er niet toe.

Februari 1908

KITTY COLEMAN

Tot mijn verrassing was het moeilijker Maude onder ogen te komen dan Richard.

Richards reactie was te voorspellen: een woede die hij inhield waar de politie bij was, maar die losbarstte in het rijtuig naar huis. Hij schreeuwde over de goede naam van de familie, over de schande voor zijn moeder, over de nutteloosheid van de zaak. Ik wist dat ik dat alles kon verwachten nadat ik gehoord had over de reacties van echtgenoten van andere vrouwen. Ik heb inderdaad geluk gehad dat ik zo lang kon doorgaan zonder dat Richard klaagde. Hij had gedacht dat mijn bezigheden met de WSPU een onschuldige hobby was, een liefhebberij tussen theekransjes door. Nu pas begrijpt hij ten volle dat ik ook een suffragette ben.

Eén ding verraste me in het rijtuig. 'Hoe zit het met je dochter?' schreeuwde hij. 'Nu ze flink op weg is een vrouw te worden heeft ze een beter voorbeeld nodig dan jij geeft.'

Ik fronste – hij drukte het zo onbeholpen uit, hij moest vast iets maskeren. 'Wat bedoel je?'

Richard staarde me aan, zowel ongelovig als gegeneerd. 'Heeft ze het je niet verteld?'

'Wat verteld?'

'Dat ze is begonnen met haar... haar...' Hij gebaarde vaag met zijn hand naar mijn rok.

'Is ze dat?' riep ik uit. 'Wanneer?'

'Maanden geleden.'

'Hoe kun jij dat weten als ik het niet weet?'

'Omdat ik erbij was toen ze begon, daarom! En een vernederend ogenblik was het, voor ons beiden. Uiteindelijk moest ze naar Jenny gaan; jij was niet thuis. Toen had ik moeten weten hoe diep je betrokken was bij deze belachelijke onzin.'

Richard had meer kunnen zeggen, maar hij leek te voelen dat het niet nodig was. Ik dacht terug aan toen mijn eerste maandstonden begonnen waren, hoe ik huilend naar mijn moeder was gelopen en hoe ze me had getroost.

De rest van de weg terug zwegen we. Toen we thuis waren pakte ik een kaars van het haltafeltje en ging rechtstreeks naar Maudes kamer. Ik ging op haar bed zitten in het schemerlicht en vroeg me af wat voor andere geheimen ze voor me verzweeg, en hoe ik haar zou vertellen wat ik moest vertellen.

Ze deed haar ogen open en ging rechtop zitten voordat ik iets had gezegd. 'Wat is er, mammie?' vroeg ze zo helder dat ik niet zeker wist of ze wel had geslapen.

Het was het beste eerlijk en rechtuit te zijn. 'Weet je waar ik was vandaag toen jij op school zat?'

'Op het hoofdkantoor van de WSPU?'

'Ik was in Caxton Hall voor het vrouwenparlement. Maar daarna gingen we met een paar anderen naar Parliament Square en probeerden het House of Commons binnen te dringen.'

'En, is dat gelukt?'

'Nee. In plaats daarvan werd ik gearresteerd. Ik ben net terug met je vader uit het politiebureau in Cannon Row. Je vader is natuurlijk woedend.'

'Maar waarom werd u gearresteerd? Wat heeft u gedaan?'

'Ik deed niets. We drongen ons alleen door de mensenmassa heen toen er politieagenten aankwamen, ons vastpakten en op de grond gooiden. Toen we opstonden gooiden ze ons telkens weer neer. De blauwe plekken op mijn schouders en ribben zijn duidelijk te zien. Die hebben we allemaal.'

Ik zei niet dat veel van die blauwe plekken kwamen door de rit in de arrestantenwagen, dat de koetsier de bochten zo scherp nam dat ik heen en weer werd geslingerd, of dat de hokjes in de wagen zo klein waren dat ik het gevoel had in een lijkkist te staan, of dat het er naar urine rook, en ik was er zeker van dat de politie het met opzet had gedaan om ons nog meer te straffen.

'Werd Caroline Black ook gearresteerd?' vroeg Maude.

'Nee. Zij was achtergeraakt om met iemand te praten die ze kende en tegen de tijd dat ze ons had ingehaald, had de politie ons al te pakken. Ze vond het verschrikkelijk dat zij niet ook was gearresteerd. Ze kwam zelfs uit zichzelf naar Cannon Row en ging bij ons zitten.'

Maude zei niets. Ik wilde haar vragen over wat Richard me in het rijtuig had verteld, maar merkte dat ik het niet kon. Het was gemakkelijker te praten over wat mij was overkomen.

'Morgen moet ik voor de rechtbank komen,' vervolgde ik. 'Misschien sturen ze me wel direct naar Holloway. Ik wilde nu afscheid van je nemen.'

'Maar... hoe lang zou u dan... in de gevangenis zijn?'

'Ik weet het niet. Misschien wel drie maanden.'

'Drie maanden? Wat moeten wij dan doen?'

'Jullie? Jullie zullen het best maken. Maar er is iets wat ik wil dat je voor me doet.'

Maude keek me vol verwachting aan.

Nog voordat ik de collectekaart tevoorschijn haalde en haar begon te vertellen over de zelfverloocheningsweek – een campagne die de WSPU was begonnen om geld in te zamelen – wist ik dat het niet goed was wat ik deed. Als haar moeder moest ik haar troosten en geruststellen. Maar zelfs toen ze teleurgesteld keek ging ik door met uitleggen dat ze al onze buren moest vragen, en ook alle bezoekers, om voor donaties in te tekenen op de kaart, en dat ze die aan het eind van de week naar het kantoor van de WSPU moest sturen.

Ik weet niet waarom ik zo wreed was.

DOROTHY BAKER

Als regel bemoei ik me niet met het gaan en staan van de familie. Ik kom om halfzeven 's morgens, ik kook voor hen, ik ga naar huis om zeven uur 's avonds of zes uur als het koud avondeten is. Ik blijf uit de buurt. Ik houd er geen meningen op na. Ik heb mijn eigen huisje, mijn grote kinderen met hun drama's – meer heb ik niet nodig. Niet zoals Jenny, die haar neus in allerlei zaken steekt als ze de kans krijgt. Het is een wonder dat die neus nog niet is afgesneden.

Maar ik heb medelijden met juffrouw Maude. Op een avond ging ik door een dichte mist naar huis toen ik haar vlak voor me uit zag lopen. Ik had haar nog nooit eerder in Tufnell Park gezien. Ze hoeft daar helemaal niet te komen; haar leven gaat andere kanten op, naar het noorden en westen naar Highgate en Hampstead, niet naar het oosten naar Tufnell Park en Holloway. Dat kun je verwachten van zo'n familie.

De straten zijn hier niet zo onveilig, maar toch zag ik haar niet graag alleen, vooral niet in die dichte mist. Iemand zou er voorgoed in kunnen verdwijnen. Ik dacht dat ik haar moest volgen om er zeker van te zijn dat haar niets overkwam. Het was duidelijk genoeg waarheen ze op weg was. Ik kan het haar niet kwalijk nemen – ik zou hetzelfde hebben gedaan als ik in haar schoenen stond, maar ofschoon ik er dichtbij woonde, voel ik geen behoefte erheen te gaan. Maar ja, ik heb daarbinnen geen familie. Mijn kinderen voeren hun drama's op binnen de grenzen van de wet.

Juffrouw Maude vond haar weg daarheen heel gemakkelijk, zelfs met de mist en de onbekende straten wist ze heel goed wat ze deed. Toen ze daar kwam bleef ze staan kijken. Ze moet geschrokken zijn van het gebouw zoals het daar oprees uit de mist. 'Het Kasteel' noemen ze het hier in de buurt. Het lijkt er ook echt op, met een grote boogpoort als ingang en stenen torens met borstweringen. Heel vreemd voor een gevangenis. Mijn kinderen speelden er vroeger ridder en edelvrouwe voor, als ze durfden. Er zijn ook hele rijen raampjes in de stenen muur, ver van de weg, waar de gevangenen moeten zitten.

Toen hoorden we beiden iets verrassends – ik mag doodvallen als die vrouw van Black niet op en neer marcheerde voor de ingang. Ze is maar klein, maar ze droeg een lange grijze mantel die om haar enkels flapte, waardoor ze groter leek. Dit zong ze:

> 'Zing eens een lied over Cristabels plan
> Vierentwintig suffragettes totaal in de ban
> De kar ging open, naar het bureau met elan
> Was dat geen cadeautje voor Cambell-Bannerman?
> Asquith zat bij de kassa, hij telde het geld
> Lloyd George tussen de liberale vrouwen speelde voor held
> En toen kregen al die mannetjes een helder idee
> "Laten we stemmen als vrienden, en de vrouwen stemmen mee."'

Daarna draaide ze zich naar de raampjes en schreeuwde: 'Hou je haaks, schat, je hebt de helft erop zitten. Nog maar drie weken! En we hebben zoveel te doen als je vrijkomt!' Maar haar stem drong nauwelijks door de mist – ik snap niet hoe ze kon denken dat iemand haar binnen kon horen.

Juffrouw Maude had genoeg gezien, ze draaide zich om en holde weg. Ik liep haar achterna, maar de dagen dat ik kon rennen zijn al lang voorbij en ik verloor haar uit het oog. Het was nu halfdonker en ik begon me zorgen te maken. De winkels waren dicht en spoedig zouden er geen fatsoenlijke mensen meer op straat zijn aan wie ze de weg kon vragen.

Toen sloeg ik een hoek om en zij kwam uit de mist op me afrennen, heel verschrikt kijkend.

'Juffrouw Maude, wat doe je in hemelsnaam hier helemaal?' zei ik en ik deed net of ik niets wist.

'Mevrouw Baker!' Ze was zo opgelucht toen ze mij zag dat ze mijn arm vastgreep.

'Je hoort thuis te zijn,' berispte ik haar, 'niet over straat te zwerven.'

'Ik was... aan het wandelen en toen verdwaalde ik.'

Ik keek haar aan. Het had geen zin te doen alsof. 'Je wilde zeker zien waar ze is?'

'Ja.' Juffrouw Maude boog haar hoofd.

Ik huiverde. 'Somber gebouw. Ik ben er nooit fel op geweest dat het zo vlak voor mijn deur staat. Hé, jij!' riep ik tegen een voorbijgaande gedaante.

'Hallo, mevrouw Baker.'

'Juffrouw Maude, dit is Jimmy, de zoon van mijn buurvrouw. Wil je met haar meelopen naar de Boston Arms, Jimmy? Vanaf daar weet ze de weg.'

'Dank u, mevrouw Baker,' fluisterde juffrouw Maude.

Ik haalde mijn schouders op. 'Het zijn mijn zaken niet,' zei ik. 'Ik zal hierover tegen niemand iets zeggen. Kijk uit waar je loopt in de mist.'

Ik houd mijn woord.

Maart 1908

SIMON FIELD

Het regent dat het giet, daarom laat onze Jenny me binnen. Mevrouw Baker zegt niets als ze me ziet, ze gromt alleen. Maar ze maakt wel een zachtgekookt ei voor me.

'Lieve hemel,' zegt onze Jenny en ze kijkt uit het raam terwijl ik aan tafel zit te eten. 'Wat een dag om de gevangenis te bezoeken.'

'Wie gaat er naar de gevangenis?' vraag ik.

Mevrouw B. zet met een klap een pan water op het fornuis en kijkt onze Jenny aan. Jenny negeert haar; zij zegt waar ze zin in heeft.

'Meneer en juffrouw Maude. Ze gaan nu pas op bezoek – die suffragettes mogen de eerste vier weken geen bezoek hebben. Eerst zou meneer alleen gaan, maar ik hoorde hen ruziemaken en juffrouw Maude kreeg haar zin, de schat. Ze mist haar moeder. Alleen de hemel mag weten waarom, de vrouw was vroeger nauwelijks thuis.'

'Zo kan het wel weer, Jenny,' zegt mevrouw B.

'Het doet er niet toe, het is Simon maar.'

'Wat doet er niet toe?' Maude was de trap afgekomen en stond daar met haar armen over haar maag geklemd. Ik vond dat ze er pips uitzag.

Onze Jenny en mevrouw B. draaien zich snel om en kijken naar haar.

'Niets, juffrouw Maude,' zegt onze Jenny. 'Heb je genoeg gegeten?'

'Ik heb niet veel honger, dank je.'

'Rotpech, de rooie vlag te krijgen en dan ook nog die regen op je bezoekdag.'

Maude kijkt mij aan en dan woedend naar Jenny.

'Laat het meisje in hemelsnaam met rust, Jenny!' Mevrouw B. schreeuwt niet vaak. 'Hallo,' is alles wat ik zeg.

'Hallo.'

Het is moeilijk je Maudes moeder in de gevangenis voor te stellen. Wie zou ooit hebben gedacht dat ze daar terecht zou komen? Toen ik het voor het eerst hoorde van onze Jenny, liet ik meneer Jackson op een dag nonchalant weten dat mevrouw C. in Holloway zat. Hij schrok op alsof iemand hem in zijn gat had geknepen.

'Goeie god. Waarom is ze daar?'

Om de waarheid te zeggen wist ik dat niet precies. 'Vrouwenzaken, meneer.'

Hij staarde me zo doordringend aan dat ik nog iets moest zeggen. 'U weet wel, die vrouwen die rondrijden op fietsen, van alles op het trottoir tekenen en op bijeenkomsten schreeuwen en zo.'

'Je bedoelt suffragettes?'

'Ik denk van wel, meneer.'

'Goeie god,' zei hij opnieuw. 'De gevangenis is een afschuwelijke plaats voor een vrouw. Ik hoop maar dat ze haar fatsoenlijk behandelen.'

'Waarschijnlijk niet fatsoenlijker dan alle anderen in de gevangenis, meneer. Mijn neef is er na zes maanden uitgekomen met niet meer dan wat vlooienbeten.'

'Dat is een schrale troost, Simon.'

'Sorry, meneer.'

Ik wil nu iets tegen Maude zeggen, maar ik kan niets bedenken wat zou helpen. Dan wordt er op de deur geklopt; Livy komt druipnat binnen en ik heb niet veel kans meer om er iets tussen te krijgen. Maude kijkt niet erg blij als ze haar ziet. Livy rent op haar af en omhelst haar stevig. Over Maudes schouder ziet ze mij maar ze zegt niks. Ze doet raar tegen me sinds ik haar heb gekust. Dat was meer dan een jaar geleden en sindsdien is ze niet meer dezelfde geweest. Ik denk dat onze pa gelijk had.

Het komt erop neer dat we voor het eerst in lange tijd met z'n drieën bij elkaar zijn. Niet zoals toen de meisjes jonger waren en gewend waren steeds het kerkhof te bezoeken.

'Och, lieve schat, wat zie je bleek!' zegt Livy nu. 'Je moet heel erg van streek zijn over je bezoek.'

Met Livy is het zo dat ze zulke dingen zegt maar iets anders bedoelt. Ze vindt het niet verschrikkelijk erg dat mevrouw C. in Holloway zit; voor haar is het een reuzenmop, al zou ze dat nooit toegeven. Ze kijkt nu zo opgewonden dat ik weet wat er verder komt.

Ze laat Maude aan tafel gaan zitten. 'Zo,' zegt ze. 'Ik wil je iets voorstellen.' Ze doet net of er verder niemand anders is, alsof ik niet aan tafel zit, en mevrouw B. geen aardappelen aan het schillen is aan de zijtafel en onze Jenny geen blad met ontbijtspullen naar de bijkeuken draagt. Maar ze weet dat we er zijn en luisteren. 'Ik weet dat je nee zult zeggen, daarom wil ik dat je belooft stil te zijn totdat ik gezegd heb wat ik wil zeggen. Beloof je dat?'

'Goed dan,' zegt Maude.

'Ik wil vanmorgen met je meegaan op bezoek bij je moeder.'

'Dat kun je...'

'Ik ben nog niet klaar.'

Maude fronst haar wenkbrauwen maar blijft zwijgen.

'Je weet dat het afschuwelijk zal zijn en dat je erdoor van streek zult raken. Wil je niet dat je vriendin bij je is om je hand vast te houden en je te helpen zo dapper mogelijk te zijn waar je moeder bij is?'

Allemaal wachten we af wat Maude zal zeggen – onze Jenny staat in de deuropening van de bijkeuken. Mevrouw B. kijkt fronsend naar een aardappelschil alsof ze niet luistert.

'Maar hoe zit het met jouw moeder?' zegt Maude. 'En pappie? Ik weet zeker dat hij je niet mee wil nemen.'

Livy glimlacht. 'Mama hoeft het niet te weten, en maak je maar geen zorgen over je vader. Die zal ja zeggen, daar zal ik wel voor zorgen.'

En dat zal ze ook. Livy kan een man om haar vinger winden. Ik heb haar op het kerkhof met haar ogen zien rollen en met haar rok zien zwaaien, en mannen doen wat zij graag wil. Zelfs meneer Jackson haalt een gieter voor haar als ze die wil hebben, alleen kan dat ook zijn omdat hij zich nog rot voelt over het omvallen van haar engel. Tenzij je heel goed kijkt kun je de spleet in de hals niet zien waar de steenhouwer het hoofd er weer op heeft gezet, maar de neus hebben ze verknoeid. Ze hadden hem waarschijnlijk beter afgebrokkeld kunnen laten. Ik heb Livy eens meegenomen langs alle engelen en haar alle afgebroken stukjes en krassen erop laten zien. Ze voelde zich er wat beter door, maar toch leek het haar van streek te maken.

'Maude, ben je klaar?'

Iedereen draaide zich om en kijkt naar Maudes pa, die de trap afkomt. Te zien aan de manier waarop onze Jenny en mevrouw B. reageren – Jenny's ogen worden groot en mevrouw B. laat haar mes glippen zodat ze zich in de duim snijdt en eraan moet zuigen – is het duidelijk dat hij nooit hier beneden komt. Hij zal zich wel nerveus voelen over dat naar Holloway gaan, of hij houdt er niet van dat het hele huis boven ons leeg is, en is op zoek gegaan naar mensen.

Zelfs Maude schrikt als ze hem ziet. 'Ja, pappie, ik moet alleen... wat dingen halen uit mijn kamer.' Ze kijkt naar Livy, wringt zich dan langs haar pa en rent de trap op. Hij staat nog steeds onder aan de trap met een gezicht alsof hij zelf verbaasd is dat hij hier beneden is.

Livy maakt zich op om haar charme te gaan gebruiken. 'Meneer Coleman...'

Maar meneer C. heeft mij gezien. 'Mevrouw Baker, wie is die jongen die hier ons brood zit te eten?'

Mevrouw B. vertrekt geen spier. 'De jongen van de tuinman, meneer.' Ze heeft goed gekozen: de tuin is het domein van mevrouw C. Meneer C. zet er waarschijnlijk geen voet in, alleen om een sigaret te roken. Hij zal niet weten wie de jongen van de tuinman is.

Meneer C. kijkt naar buiten naar de regen. 'Nou ja, hij heeft er wel een dag voor uitgekozen, nietwaar?'

'Ja, inderdaad, meneer. Hoor je me, Simon? Je hoeft vandaag niet te tuinieren. Ga dus maar gauw weg.'

Ik slok de rest van mijn thee naar binnen, zet mijn pet op en loop naar buiten, de regen in. Ik kan niets meer zeggen tegen Maude en ook het gefleem van Livy niet horen. Geeft niks, ik heb in elk geval mijn buikje vol.

LAVINIA WATERHOUSE

Het was echt helemaal niet moeilijk. Ik deed gewoon een beroep op zijn vriendelijke aard. En een vriendelijke aard heeft hij. Hij is duidelijk een gebroken man nu zijn vrouw in de gevangenis zit, dat kan iedereen zien die maar naar hem kijkt. Maar ik geloof niet dat iedereen kijkt, alleen ik. Ik geloof ook dat hij en ik een speciale band hebben vanwege de brief. Ofschoon hij niet weet dat ik hem heb geschreven, moet hij weten dat iemand een oogje op hem houdt.

Lange tijd kon ik niet begrijpen waarom hij zijn vrouw niet op straat heeft gezet toen hij de brief eenmaal had gelezen, maar nu ik wat ouder ben en mannen beter begin te begrijpen, zie ik in dat hij heel galant zijn eigen gevoelens opzij heeft gezet om de familienaam voor een schandaal te behoeden.

Hij zei ja, toen ik hem vroeg of ik met hen mee mocht naar Holloway. Ik herhaalde min of meer wat ik tegen Maude had gezegd – dat het onder moeilijke omstandigheden een troost voor haar zou zijn – maar ik suggereerde ook dat hij een voorbeeldige vader en een heer was, omdat hij op die manier deed wat zijn dochter graag wilde.

Ik moet er onwillekeurig aan denken dat hij deels ja zei omdat hij liever mijn gezelschap heeft dan dat van Maude. Ik was in elk geval de meest opgewekte in het rijtuig ernaartoe. Maar dat kon ook niet anders; we zouden het interieur van een gevangenis te zien krijgen! Ik kon niets anders bedenken wat zo heerlijk opwindend was.

Het enige wat een domper vormde (behalve dan de regen) was dat ik, toen het rijtuig voorbij ons huis reed, zag dat Ivy May het glasgordijn opzij had getrokken en uit het raam keek. Ze leek me recht aan te kijken en ik mocht hopen dat ze me niet zou verklikken – mama denkt dat Maude en ik naar de bibliotheek waren.

Ik had de gevangenis van Holloway nooit eerder gezien. Toen we naar de houten boogdeuren van de hoofdingang liepen, pakte ik Maude bij de arm. 'Het lijkt wel een kasteel!' fluisterde ik.

Ik was verbaasd dat Maude haar arm losrukte. 'Dit is geen sprookje!' siste ze.

Nou ja, ik was wat geïrriteerd, maar dat was gauw over toen ik de vrouw zag die de zijdeur opende en ons binnenliet. Ze was klein en dik en droeg een grijs uniform met een grote bos sleutels aan haar middel. Het mooiste van alles was dat ze een grote moedervlek had op haar bovenlip. Ze was net een personage uit Dickens, al zei ik dat niet tegen Maude. Ik moest mijn hand voor mijn mond slaan om de vrouw niet te laten zien dat ik lachte. Dat deed ze echter wel, de trol.

We kwamen in een ontvangstruimte en Maude en ik gingen op een smalle bank zitten terwijl de trol een register opensloeg en de bijzonderheden van meneer Coleman noteerde. Ik was verbaasd dat ze kon lezen en schrijven.

De trol keek naar ons. 'Een van jullie kan niet naar binnen,' zei ze. 'Er zijn maar drie bezoekers tegelijk toegestaan en er is er al een. Een van jullie zal hier moeten wachten.' Ze keek me strak aan met een geel oog.

'Nog een bezoeker?' Meneer Coleman keek verrast. 'Wie dan?'

De trol legde haar vinger op een pagina van het register.

'Juffrouw C. Black.'

'Verdomme! Wat doet die in hemelsnaam hier?'

'Ze vroeg een bezoek aan, net als u.'

'Ze is geen familie van mijn vrouw. Zeg haar dat ze moet gaan.'

De trol glimlachte sluw. 'Ze heeft het recht haar te bezoeken, net als iedereen. Uw vrouw beslist wie er wel of niet bij haar komt.'

'Maar ik ben gekomen om mammie te bezoeken!' riep Maude.

'Het is beter als je hier blijft met Lavinia. We kunnen haar niet alleen laten.'

Hij wendde zich tot de vrouw. 'Kunnen de meisjes hier op mij wachten?'

De trol gromde wat.

Ik glimlachte, opgelucht door zijn voorkomendheid.

'Maar Lavinia kan hier best alleen blijven,' hield Maude vol. 'Nietwaar, Lavinia?'

Ik opende mijn mond om te protesteren, maar die vervelende vrouw bemoeide zich ermee. 'Ik wil niet dat jullie hier met z'n tweeën mijn bank in beslag nemen.' Ze wees naar Maude. 'Ga jij maar met je vader mee, en jij' – ze wees naar mij – 'jij blijft zitten waar je zit.' Ze liep naar de deur en riep iets de gang in.

Ik was zo geschrokken dat ik niets kon zeggen. Alleen gelaten te worden in een gevangenis met een afschuwelijke trol? En om zo'n dwaze reden dat ze ruimte nodig had op een harde bank? De trol zei dat vast alleen om mij dwars te zitten. Ik draaide me naar meneer Coleman om hulp. Helaas liet hij toen zien dat hij niet zo voorkomend is als ik dacht; hij knikte slechts tegen de trol.

Er kwam nog een vrouw binnen, een lange vrouw dit keer, ook in een grijs uniform en op een heel irritante manier met haar sleutels rammelend.

'H15, tweede afdeling,' zei de trol tegen haar. 'Er is daar al iemand anders.'

Nou ja. Toen ze weg waren grijnsde de trol tegen me vanachter haar tafel. Het verbaasde me toen ik zag dat ze al haar tanden nog had; ik had verwacht dat ze zwart en afgebrokkeld zouden zijn. Ik negeerde haar en bleef zo stil als een muisje zitten. Want ik was nogal bang.

Met een muisje is het echter zo dat het onwillekeurig rondkijkt of er geen kruimels te happen vallen. Veel was er niet te zien in het vertrek – alleen de tafel en een paar banken, allemaal leeg – en ik merkte dat ik naar de trol zat te kijken. Ze zat achter haar tafel iets in het register te schrijven. Ze was echt heel afstotelijk, zelfs erger dan iets wat Dickens bedacht kon hebben. Haar moedervlek glom helemaal op haar lip. Ik vroeg me af of er haren uit groeiden. Het idee deed me giechelen. Ik dacht niet dat ze kon zien dat ik haar begluurde – ik keek naar haar door mijn wimpers terwijl ik net deed of ik mijn vingernagels bestudeerde – maar ze gromde: 'Waar lach je om, meisje?'

'Een binnenpretje,' zei ik dapper. 'Het heeft niets met u te maken. En u kunt me echt beter juffrouw Waterhouse noemen.'

Ze was zo onbeschaamd om te lachen, daarom voelde ik me gedwongen uit te leggen dat ik bijna zeker wist dat we familie waren van de schilder J.W. Waterhouse, ook al denkt papa van niet, en dat ik hem had geschreven om de connectie uit te zoeken. (Ik zei haar niet dat meneer Waterhouse nooit antwoord had gegeven op mijn brief.) Natuurlijk verwachtte ik veel te veel van een poortwachteres van een gevangenis met een moedervlek op haar lip, ook al kan ze schrijven – ze had duidelijk nog nooit gehoord van JWW, zelfs niet toen ik haar zijn schilderij beschreef van de Lady of Shalott dat in Tate Gallery hangt. Ze had nog nooit van haar gehoord! Straks ging ze nog vragen wie Tennyson was.

Gelukkig werd dat nutteloze gesprek onderbroken doordat er weer een andere gevangenbewaarster verscheen. De trol zei dat ze blij was dat de ander was gekomen omdat ik 'aan één stuk door ouwehoerde en alleen maar onzin ook nog.'

Ik kwam erg in de verleiding mijn tong naar haar uit te steken – hoe langer ik daar zat, des te meer moed kreeg ik. Maar toen ging de bel en ze liep weg om de deur te openen. De andere bewaarster stond daar maar naar mij te staren alsof ik een museumstuk was. Ik keek kwaad naar haar, maar dat scheen haar niets te kunnen schelen. Ik denk dat ze niet vaak meisjes als ik op de bank zien zitten – geen wonder dat ze zo staarde.

De trol kwam terug met een man achter haar aan, gekleed in een donker pak en met een bolhoed op. Hij stond bij de tafel terwijl de trol in haar register keek en zei: 'Ze heeft haar bezoekers voor vandaag al. Populaire dame. Heeft u vooraf geschreven om het aan te vragen?'

'Nee,' zei de man.

'U moet vooraf schrijven om toestemming,' zei de trol opgewekt. Ze had echt plezier in de tegenslagen van anderen. 'En dan ligt het aan haar om te zeggen of ze u wil ontvangen.'

'Ik begrijp het.' De man draaide zich om en wilde gaan.

Echt, tegen die tijd verbaasde me niets meer. Toen hij dus naar me keek en schrok als een schichtig paard, lachte ik gewoon met mijn liefste glimlach en zei: 'Hallo, meneer Jackson.'

Gelukkig vertrok hij voordat Maude en haar vader terugkwamen, anders zou het een heel gênante scène zijn geweest. Dit keer hield de trol haar mond in plaats van dat ze ieders ellende nog erger maakte, en ik zweeg ook. Het was echt heel vreemd dat meneer Jackson Maudes moeder zou willen bezoeken.

Het was zo'n vermoeiende dag dat ik toen ik thuiskwam een lang middagdutje moest doen en een bord met broodpudding moest eten om me op te beuren, alsof ik ziek was. Al die tijd tolden er gedachten door mijn hoofd in een poging de zaken te rijmen. Ze hadden te maken met Maudes moeder en meneer Jackson. Ik deed mijn uiterste best ze niet te laten rijmen en ik geloof dat ik erin slaagde.

MAUDE COLEMAN

Pappie en ik liepen door een gang achter de bewaakster aan en kwamen op een grote binnenplaats. Vanaf de grond konden we helemaal tot aan het dak kijken. Langs de muren zag je de ene rij deuren boven de andere. Voor de rijen deuren waren looppaden van zwart ijzerwerk, waarover andere bewaaksters in grijze uniformen liepen.

Onze bewaakster beklom voor ons uit twee trappen en liep een van de looppaden op. Vanaf de ijzeren reling aan mijn kant tot aan de andere reling aan de overzijde van de binnenplaats was boven de lege ruimte een net van draad gespannen. Er zaten vreemde dingen in vast: een houten lepel, een witte muts, een leren schoen vol barsten.

In het midden van elke celdeur hing een leren lap. Toen ik er een voorbijliep voelde ik een onweerstaanbare drang om hem op te tillen. Ik hield me wat in zodat pappie en de bewaakster een paar stappen voor me uit liepen, tilde snel de lap op en legde mijn oog tegen het kijkgaatje.

De cel was heel klein, misschien anderhalve meter bij twee, niet veel groter dan onze bijkeuken. Ik kon heel weinig zien; een houten plank tegen een muur, een handdoek aan een spijker en een vrouw die in een hoek op een kruk zat. Ze had donkerbruin haar in een knot op haar hoofd, een olijfkleurige huid en een krachtige kaak en mond, ze zag eruit als een soldaat die in een parade marcheert. Ze hield zich kaarsrecht, zoals grootmoeder altijd tegen mij zeurt dat ik moet doen. Ze droeg een donkergroene jurk met witte pijlen erop genaaid – het teken van een gevangene – een geruite schort en een witte muts zoals er een vastzat in het net buiten de cellen. Op haar schoot lagen een bol wol en breinaalden.

Ik wilde dat ze naar me keek. Toen ze ten slotte mijn blik trof wist ik precies wie ze was. Ik had mevrouw Pankhurst nog nooit gezien, de merkwaardige Emmeline Pankhurst, leidster van de suffragettes. Mammie hoopte altijd dat ze naar een jour zou komen, maar dat deed ze nooit. Ik hoorde eens hoe Caroline Black de ogen van haar leidster beschreef als 'diepblauw' en zo doordringend dat je alles voor haar zou doen, bijvoorbeeld 'met een schop naar Mount Snowdon gaan als zij zei dat die haar uitzicht bedierf.'

Mevrouw Pankhurst lachte naar me.

'Maude!'

Ik sprong terug van het kijkgaatje. Pappie staarde ontzet naar me. De bewaakster liep nog steeds snel voor hem uit maar bleef staan toen ze pappie hoorde roepen.

Ik holde naar hem toe.

'Waar was je in hemelsnaam mee bezig?' fluisterde hij en hij greep me bij de arm.

'Sorry,' fluisterde ik.

De bewaakster gromde. 'Pas op, blijf bij me, anders zien jullie haar helemaal niet.'

Verderop op het looppad stonden twee vrouwen bij een celdeur – de ene was een bewaakster, de andere Caroline Black. Onder haar grijze mantel droeg ze een helderwitte jurk met een paar rijen kanten ruches over haar borst; haar hoed was afgezet met verlepte sleutelbloemen. Ze zag eruit alsof ze in Hyde Park aan het wandelen was. Daarmee vergeleken waren mijn eigen gewone blauwe mantel en oude strohoed heel saai.

Toen we dichterbij kwamen zei ze in de richting van de cel: 'De kleuren moeten dieprood zijn voor waardigheid, wit voor reinheid en groen voor hoop. Is dat geen geweldig idee? Ik zou ze vandaag zelf hebben gedragen, maar voor jou wilde ik sleutelbloemen nemen. Denk je eens in hoe dat eruit zal zien bij openbare bijeenkomsten, als je iedereen in dezelfde kleuren ziet!' Ze keek glimlachend naar me en kondigde aan: 'Nog meer bezoek!'

'Wie is er gekomen?' hoorde ik van binnen uit de cel.

'Mammie!' riep ik. Ik sprong naar voren maar bleef toen staan – ofschoon de deur openstond waren er nog tralies dwars over de deuropening. Ik kon wel huilen.

Mammies cel was hetzelfde als die van mevrouw Pankhurst, tot de bol wol toe die op de kruk lag, met een grijze sok met bovenaan rode strepen bijna af tussen de breinaalden. Mammie stond tegen de achtermuur. 'Dag Maude,' zei ze. 'Je bent dus naar je opgesloten moeder komen kijken?'

Net als mevrouw Pankhurst was zij ook gekleed in donkergroene katoen met witte pijlen. De jurk was te lang voor haar, hij bedekte haar voeten en verborg haar taille. Ondanks dat hij zo groot was kon ik aan haar magere gezicht zien dat ze was afgevallen. Ze had donkere wallen onder haar ogen en haar huid was gelig gevlekt. Haar ogen schitterden alsof ze koorts had.

'Dag Richard,' zei ze tegen pappie, die achter mij en Caroline Black was blijven staan.

We stonden alledrie wat gegeneerd in de deuropening, stapten heen en weer en tuurden om elkaar heen alsof we probeerden naar een dier in de dierentuin te kijken. De twee bewaaksters stonden als schildwachten aan weerszijden van de deuropening.

'In hemelsnaam, Kitty, eet je niet meer?' zei pappie.

Ik kromp ineen en Caroline Black schudde even haar hoofd zodat de sleutelbloemen fladderden op haar hoed. Ik wilde dat hij iets anders had gezegd in plaats van het eerste wat hem inviel eruit te flappen, maar ik had ook medelijden met hem – hij zag er zo gespannen en niet op zijn gemak uit.

'Mammie, ik heb je geschreven,' zei ik snel, 'maar de brief werd teruggestuurd.'

'De eerste vier weken mogen we nog geen brieven hebben,' zei mammie. 'Dat had Caroline je kunnen vertellen. En hoeveel heb je opgehaald tijdens de zelfverloocheningsweek? Een behoorlijk bedrag, hoop ik.'

'Ik... ik weet het niet meer.'

'Je weet het niet meer? Natuurlijk weet je dat. Het is pas vier weken geleden en je hebt een goed geheugen voor cijfers. Of schaam je je omdat het niet veel was? Het maakt me niets uit – ik verwachtte niet dat jij zou ophalen wat ik zou hebben ingezameld. Hoeveel heb je gekregen, tien pond?'

Ik boog mijn hoofd. Ik had nauwelijks een tiende van dat bij elkaar. De bedoeling was geweest dat ik buren en bezoekers om een donatie zou vragen, maar ik kon me er niet toe zetten. In plaats daarvan had ik afstand gedaan van mijn hele zakgeld voor een maand en mevrouw Baker en mevrouw Waterhouse hadden me een paar shilling gegeven. Ik was die collectekaart gaan haten.

'Wisten jullie,' zei Caroline Black, 'dat sommige vrouwen de hele week alleen bruin brood en watergruwel hebben gegeten, als eerbetoon voor jullie hierbinnen? Het geld dat ze uitspaarden door het eten van een "gevangenisdieet" gaven ze aan de WSPU!'

Zij en mammie lachten, en bij Caroline Black kon je haar zijtanden zien.

'Hoe gaat het met mevrouw Pankhurst?' vroeg ze. 'Heb je haar gezien?'

'We maken ons wat zorgen,' zei mammie. 'Gisteren was ze niet bij het luchten en vanmorgen was ze ook niet in de kapel. Ik hoop echt dat ze niet ziek is.'

'Ik heb haar gezien,' zei ik, blij dat ik iets nuttigs kon zeggen.

'Haar gezien? Wanneer heb je haar gezien?' wilde mammie weten.

'Zojuist. Een paar cellen terug.'

Mammie en Caroline Black keken me vergenoegd aan. Maar onze bewaakster fronste haar voorhoofd.

'Hoe zag ze eruit?' vroeg mammie. 'Wat was ze aan het doen?'

'Ze was aan het breien.'

'Zei ze iets?'

'Nee, maar ze lachte naar me.'

'Hou daar direct mee op!' riep onze bewaakster. 'Je mag over zulke dingen niet praten. Ik zou je hier meteen weg moeten brengen.'

'Dat is goed nieuws,' zei mammie zonder op de bewaakster te letten. 'Ze was dus aan het breien? Net als ik.' Ze keek naar de wol op de kruk en lachte. 'Ze dwingen me te doen wat ik het slechtste kan. Tegen de tijd dat ik wegga zal ik een expert zijn, in elk geval in het sokken breien.'

'Zijn die voor u?' Ik kon me mammie moeilijk voorstellen met roodgestreepte grijze sokken aan.

'Nee, nee! Ze zijn voor de mannen in de gevangenis. Iets om ons bezig te houden. Anders is het hier verschrikkelijk saai. In het begin dacht ik dat ik gek zou worden. Maar dat is niet gebeurd. O, en ik heb mijn bijbel om in te lezen.' Ze wees naar een plank waarop twee boeken stonden en ook een tinnen bord en beker, een houten zoutvat, een stuk gele zeep en een kleine borstel en kam. 'En moet je zien wat ze ons hebben gegeven!' Ze stak nog een boek omhoog. Ik keek naar de titel: *A Healthy Home and How to Keep It*. 'Ik heb het van voor naar achter gelezen. En weet je wat het ons zegt? "Slaap 's nachts met je raam open!"' Mammie keek naar het getraliede raampje hoog boven haar hoofd en begon weer te lachen. Caroline Black deed met haar mee.

'Kitty,' zei pappie zacht.

Tot mijn opluchting hield mammie op met lachen.

'Heb je hierbinnen je lesje geleerd?' vroeg pappie.

Mammie fronste haar wenkbrauwen. 'Wat bedoel je met "lesje"?'

'Genoeg is nu genoeg. Als je vrijkomt kunnen we weer normaal gaan leven.'

'Dat hangt een beetje af van wat jij "normaal" noemt.'

Pappie gaf geen antwoord.

'Je bent toch zeker niet van plan ermee door te gaan?'

'Integendeel, Richard, ik geloof dat de gevangenis me goed heeft gedaan. Vreemd genoeg heeft de saaiheid me een stalen kracht gegeven. "Wat me niet verslaat maakt me sterker." Dat is Nietzsche, weet je wel.'

'Je leest veel te veel,' zei pappie.

Mammie lachte. 'Dat vond je niet toen je me voor het eerst ontmoette. Trouwens, als ik vrijkom zal ik het veel te druk hebben om te lezen.'

'Dat bespreken we wel als je weer thuis bent,' zei pappie en hij keek naar Caroline Black. 'Er kan niet van je worden verwacht dat je hier fatsoenlijk kunt denken.'

'Er valt niets te bespreken. Het is een besluit dat ik heb genomen. Het heeft niets met jou te maken.'

'Het heeft alles met mij te maken – ik ben jouw man!'

'Neem me niet kwalijk, Richard, maar niets wat ik in mijn leventje heb gedaan heeft ook maar enige zin gehad, totdat ik lid werd van de WSPU.'

'Hoe kun je dat zeggen waar Maude bij is?'

Mammie keek naar me. Ze leek echt verbaasd. 'Wat is er met Maude?'

'Wil je soms beweren dat een kind krijgen niet belangrijk is?'

'Natuurlijk is het dat. Maude is de reden waarom ik hier in die gevangeniscel zit. Ik doe dit zodat zij kan stemmen.'

'Nee, je doet het zodat jij door de stad kunt zwalken, jezelf belangrijk kunt voelen, stomme toespraken kunt houden en je huis en gezin kunt verwaarlozen.'

'Ik voel me inderdaad belangrijk,' antwoordde mammie. 'Ik heb misschien voor het eerst in mijn leven iets te doen, Richard. Ik werk! Ik ben misschien niet zo optimistisch als Caroline en de Pankhursten dat wij in ons leven het vrouwenkiesrecht nog zullen meemaken, maar op een dag zal ons werk daartoe leiden. Maude zal dat resultaat zien, ook al zal ik dat niet.'

'Och, kom toch van die zeepkist af!' riep pappie. 'Je beweert dat je dit voor je dochter doet. Heb jij Maude ooit gevraagd hoe zij erover denkt dat je haar helemaal alleen laat zoals nu? Heb je dat gedaan?'

Vijf stel ogen keken naar me. Die van pappie waren woedend, die van mammie nieuwsgierig. De twee bewaaksters keken onbewogen. Alleen de trouwe bruine ogen van Caroline Black toonden enige sympathie. Ik bloosde. Mijn buik deed pijn.

Ik zette een stap achteruit en daarna nog een en voordat ik het wist had ik me omgedraaid en begon ik te rennen.

'Hé! Blijf staan!' hoorde ik een bewaakster roepen.

Ik bleef over het looppad hollen, terug langs de route die we hadden genomen, de trappen af, over de binnenplaats en door een gang, de hele tijd vergezeld van de kreten van vrouwen in grijze uniformen die geen kans zagen me in te halen. Ik kwam bij een deur, gooide die open, rende naar de bank en liet me in Lavinia's armen vallen.

'Och, mijn lieve schat,' zei Lavinia en ze klopte me op de rug terwijl ik snikte. 'Stil maar. Stil maar. Ik geloof dat het maar goed is dat ik ben meegegaan.'

RICHARD COLEMAN

Toen we terugkwamen van Holloway ging ik meteen naar Kitty's zitkamer, waar ze haar boeken bewaart. Daar zag ik precies hoe ver ze gevallen was in de zwarte put die deze zaak is.

Ik was van plan geweest de Nietzsche te zoeken en te verbranden, maar in plaats daarvan verbrandde ik elk strooibiljet, elke krant, elk spandoek dat ik in handen kon krijgen.

Mei 1908

ALBERT WATERHOUSE

Arme Richard. Ik had nooit gedacht dat ik me voor de kerel zou generen, maar dat doe ik. Ik heb altijd al gezegd dat zijn vrouw een lastig portret was.

Hij en ik stonden op het rooster om vanavond de cricketpitch te rollen en we liepen net over de Heath toen we haar zagen. Ik moet zeggen dat ik blij ben dat Trudy me nooit om een fiets heeft gevraagd. Kitty Coleman fietste vrolijk voort, haar jurk opgetrokken tot haar knieën onder het fietsen. Ik kon duidelijk een enkel zien voordat ik kans had gezien een andere kant op te kijken.

Richard deed alsof hij haar niet zag, daarom deed ik net of ik ook niet keek, maar toen rinkelde ze met een belletje en moesten we onze hoed voor haar afnemen. Ze zwaaide en peddelde opgewekt door, terwijl we een flits van haar andere enkel zagen.

Ik vond dat ze er opmerkelijk goed uitzag na zes weken in Holloway, maar dat zei ik niet tegen Richard. Het leek eigenlijk het beste helemaal niets te zeggen.

Maar Richard deed dat wel, tot mijn verbazing, omdat we elkaar niet zoveel toevertrouwen. 'Vertel me eens, Albert, hoe pak jij jouw vrouw aan?'

Ik struikelde over een straatkei. 'Hoe pak ik mijn vrouw aan?' Met resolute genegenheid, dacht ik terwijl ik mijn evenwicht hervond. Dat zei ik niet hardop – er zijn van die dingen die mannen niet hardop zeggen.

'Kitty heeft me gechanteerd,' vervolgde Richard.

'Hoezo?'

'Ze zegt dat ze, als ik haar verbied voor de suffragettes te werken, toespraken zal gaan houden op bijeenkomsten. Zie je de naam Coleman al voor je op al die vervloekte strooibiljetten die ze uitdelen? Of op aanplakbiljetten, of op het trottoir gekalkt? Holloway was bijna de dood van mijn moeder, zo schaamde ze zich, en dit zou haar einde betekenen. Wat zou jij doen in mijn situatie?'

Ik probeerde te bedenken dat Trudy zo'n dreigement zou uiten, maar dat kon ik me onmogelijk voorstellen. Zij is zelfs bezorgder dan ik over de naam Waterhouse. En ze zou nog liever een bord met steenkolen opeten dan in het openbaar spreken. De dingen waarmee ze me dreigt hebben te maken met de kleur van de salongordijnen of naar welke badplaats we zullen gaan voor onze vakantie.

Richard keek me aan alsof hij een antwoord verwachtte. 'Misschien is het niet meer dan een fase die je vrouw doormaakt,' opperde ik. 'Misschien sterft de suffragettebeweging wel een zachte dood. Ze hebben plannen om in juni een demonstratie te houden in Hyde Park, is het niet? Zelfs Trudy weet dat en zij is geen suffragette. Misschien schenkt hun dat voldoening en zal je vrouw daarna tot rust komen.'

'Misschien,' herhaalde Richard, maar ik vrees dat hij niet erg overtuigd klonk.

KITTY COLEMAN

Maude gaat me nu al weken uit de weg, vanaf het moment dat ik uit Holloway kwam. Eerst viel het me niet op omdat er zoveel te doen was, alles wat we moeten organiseren voor die mars in juni. Het moet de grootste verzameling mensen worden, overal in de hele wereld. We hebben het nog nooit zo druk gehad met dingen regelen: vanuit het hele land treinen reserveren, toestemming krijgen voor de marsroutes en het gebruik van Hyde Park, vergaderen met de politie, sprekers en fanfares zoeken, spandoeken maken. Het is alsof we een veldslag plannen. Nee, niet gewoon een veldslag, een hele oorlog.

Op dat thema heeft Caroline een geweldig idee gehad van hoe zij en ik ons kunnen kleden voor de optocht. Het moet heel dramatisch zijn, en ik ben van plan met een bevrijdend kostuum te vieren dat ik verlost ben van Holloway en van mijn wanhoop.

Midden in al die activiteiten merkte ik echter dat Maude de kamer verliet zodra ik daar binnenkwam en dat ze vaker bij de familie Waterhouse at dan thuis.

Richard haalde slechts zijn schouders op toen ik het hem zei. 'Wat verwacht je dan?' zei hij. Het is nu moeilijk om met hem te praten; sinds ik uit Holloway ben teruggekomen gaat hij me ook uit de weg. Het is maar goed dat ik zo'n dikke huid heb gekregen!

Het verbaasde me niet echt toen ik zag wat hij met mijn zitkamer had gedaan. De mannen van andere suffragettes hebben ergere dingen gedaan. Om een eind te maken aan zulk gedrag moest ik mijn toevlucht nemen tot chantage, waar ik niet trots op ben maar wat noodzakelijk was. Het heeft nog gewerkt ook – hij mag dan de pest hebben aan wat ik doe, maar hij vreest zijn moeder nog meer.

Op zaterdagmiddag trof ik Maude toen ze zat te pruilen in de salon en ik kreeg een idee. 'Ga met me mee de stad in,' stelde ik voor. 'Er is een automobiel die ons kan brengen. Zie je wel?' Ik wees uit het raam naar de auto van de familie Jenkins, die voor het huis stond. Mevrouw Jenkins, een rijk lid van de WSPU in Highgate, heeft die welwillend ter beschikking gesteld voor WSPU-zaken in de stad. Haar man weet het niet – we gebruiken hem trouwens alleen als hij aan het werk is of de stad uit is – en we hebben Fred, de chauffeur, moeten omkopen om erover te zwijgen. Het is elke penny waard geweest.

Maude keek stomverbaasd naar de wagen die in de zon stond te glanzen. Ik kon merken dat ze ja wilde zeggen maar dacht dat ze dat niet kon.

'Kom nou mee,' zei ik. 'Het is een heerlijke dag, we kunnen rijden met de kap omlaag.'

'Waar gaat u heen?'

'Naar Clement's Inn. Maar niet lang,' voegde ik er snel aan toe, wetend dat zij de WSPU niet mocht. 'Daarna naar Bond Street. Later kunnen we even bij Fortnum and Mason's binnenwippen voor een ijsje – het is zó lang geleden dat we daar een ijsje gegeten hebben.'

Ik weet niet waarom ik zo mijn best deed. Ik ben nooit een zorgzame moeder geweest, maar nu ik het gevoel heb dat ik voor iets vecht voor Maude, wil ik haar erbij betrekken, zelfs als het betekent dat ik haar moet omkopen met een ijsje.

'Goed dan,' zei ze ten slotte.

Ik liet haar en Jenny helpen de stapels spandoeken naar buiten te brengen die ik heb genaaid – of liever waaraan ik begonnen was. Later merkte ik dat ik er geen tijd voor had en daarom heb ik Jenny en mevrouw Baker extra betaald om ze te naaien. Ik lig nog een eind achter bij het aantal dat ik beloofd heb te maken. Ik zal de hulp van Maude moeten inroepen, al is haar naaiwerk nog erger dan het mijne.

Het was opwindend om door Londen gereden te worden. Ik heb het nu vaak meegemaakt, maar ik ben er nog steeds verrukt door. Fred draagt een motorbril als hij rijdt, maar ik weiger dat – ik heb het gevoel dat ik niets zie als ik die draag. We hadden onze hoeden vastgebonden met sjaals – de mijne in rood, groen en wit waarop staat: 'Vrouwenstemrecht' (Ik bood Maude er een aan, maar ze weigerde) – maar alles wapperde toch onstuimig in de wind en stof van de straat woei in onze kleren en haren. De snelheid was zo stimulerend – we stoven langs melkkarren, door paarden getrokken omnibussen, mannen op fietsen, en raceten langs gemotoriseerde taxi's en andere privé-automobielen. Pubs, washuizen, lunchrooms, alles vloog in een wazig beeld voorbij.

Zelfs Maude genoot ervan, al zei ze niet veel; je kunt trouwens niet praten boven het lawaai van de motor uit. Voor het eerst in maanden leek ze zich te ontspannen, lekker op de achterbank tussen mij en de spandoeken in. Toen we door een laan van platanen reden waarvan de bladeren een luifel boven ons vormden, hield ze haar hoofd achterover en keek naar de lucht.

Ze hielp me de spandoeken uitladen bij Clement's Inn – Fred steekt nooit een vinger uit om te helpen omdat hij suffragettes afkeurt – maar ze wilde niet in het kantoor blijven en wachtte liever buiten met Fred. Ik probeerde het vlug af te handelen, maar er waren zoveel kameraden om te begroeten, vragen te beantwoorden en kwesties aan te snijden, dat Maude en Fred beiden chagrijnig keken toen ik terugkwam bij de auto.

'Sorry!' riep ik vrolijk. 'Geeft niets, laten we maar gaan. Collingwood's in Bond Street, alsjeblieft, Fred.' Dat we daarheen gingen was niet direct een zaak van de WSPU, maar het had zeker te maken met vrouwenstemrecht.

Maude keek verbaasd. 'Heeft pappie iets nieuws voor u gekocht?' Collingwood's was waar Richard sieraden voor mij kocht.

Ik lachte. 'Eigenlijk wel. Je zult het wel zien.'

Maar toen ze de halsketting in de zwartfluwelen doos zag die de juwelier me trots voorhield, reageerde ze niet precies zoals ik had verwacht. Ze zei niets.

De halsketting was gemaakt van smaragden, amethisten en parels, in groepjes bijeen zodat ze rode en witte bloemen vormden met groene blaadjes. Alle stenen kwamen van kettingen die ik al had: de parels had ik gekregen voor mijn confirmatie, de amethisten had ik geërfd van mijn moeder en de smaragden van een ketting die mevrouw Coleman me had geschonken toen ik trouwde.

'U heeft er fantastisch werk van gemaakt,' zei ik tegen de juwelier. 'Hij is voortreffelijk!'

Maude staarde nog naar de ketting.

'Vind je hem niet mooi?' vroeg ik. 'Het zijn de kleuren, zie je wel? De kleuren van de WSPU. Een heleboel vrouwen laten in die kleuren sieraden maken.'

'Ik dacht...' Maude zweeg.

'Wat is er?'

'Nou, zou ik later niet de halsketting erven waarvan hij is gemaakt?'

'Mijn hemel, gaat het daar nu om? Dan zul je deze in plaats daarvan erven.'

'Pappie zal woedend zijn,' zei Maude zacht. 'En grootmoeder. Dit waren haar smaragden.'

'Ze heeft me die halsketting gegeven en ik kon ermee doen wat ik wilde. Hij is nu van mij, zij heeft er niets meer over te zeggen.'

Maude zweeg, een stilzwijgen dat erger was dan haar mokken voorheen.

'Zullen we naar Fortnum and Mason's gaan voor een ijsje?' stelde ik voor.

'Nee, dank u mammie. Ik geloof dat ik nu liever naar huis wil, alstublieft,' zei Maude met een benepen stemmetje.

Ik dacht dat ze de halsketting prachtig zou vinden. Ik lijk haar nooit een plezier te kunnen doen.

RICHARD COLEMAN

Ik zag ze direct. Kitty stond in de gang zichzelf te bekijken in de spiegel voordat we weggingen naar het feest bij moeder. Jenny hield haar stola klaar terwijl Maude vanaf de trap toekeek. Kitty's jurk was diep uitgesneden en toen ik naar haar decolleté keek herkende ik de smaragden. Ik had ze mijn moeder vaak zien dragen wanneer zij en mijn vader naar feestjes en bijeenkomsten gingen, en één keer om de koningin te ontmoeten. Ze zagen er nu afschuwelijk uit, met andere stenen in een halsketting verwerkt.

Ik zei niets – Kitty's chantage heeft me afdoende tot zwijgen gebracht. Ik werd eerder woedend op mezelf omdat ik zo machteloos stond tegenover mijn vrouw. Zo hoorde een man toch niet te zijn, zo hulpeloos en zonder autoriteit. Kitty wist precies wat ze deed.

Later zag ik de blik van mijn moeder toen ze naar Kitty's halsketting keek. Ik had die lieflijke witte hals van mijn vrouw wel dicht kunnen knijpen.

EDITH COLEMAN

Volgens mij heeft ze er plezier in om mij te folteren.

Het is het afgelopen jaar al erg genoeg geweest, die paar keer dat ik voor het fatsoen het huis van mijn zoon moest bezoeken. Het was nog erger toen ze naar Holloway werd gestuurd en de naam Coleman in de kranten verscheen. Ik werd vernederd, maar het woei veel sneller over dan ik had verwacht. Mijn vriendinnen – mijn echte vriendinnen – zwegen erover en bespaarden me verdere schaamte. Ik was alleen maar blij dat James niet meer leeft en niet heeft gezien hoe zijn naam door het slijk is gehaald.

Maar het ergste waren de smaragden. De moeder van James gaf me die op de avond voor ons huwelijk, met de afspraak dat ik ze zorgvuldig zou bewaren en door zou geven aan de vrouw van mijn eigen zoon. Het zou niet bij me opgekomen zijn iets anders te doen dan trots de smaragden te dragen en ze met plezier door te geven als het zo ver was. Het zou niet bij een van ons vrouwen van Coleman zijn opgekomen ze zo te ontheiligen als Kitty heeft gedaan.

Ze droeg ze op mijn jaarlijkse meifeest, met een donkergroene jurk, met een veel te diep decolleté. Ik wist direct dat ze het waren, ook al kende ik de halsketting zelf niet. Ik zou mijn smaragden overal hebben herkend. Zij zag ook dat ik ze herkende. Die arme Richard stond naast haar en had er geen flauw benul van. Smaragden zijn iets voor vrouwen, niet voor mannen. Ik zal het hem nooit vertellen.

Ik maakte geen scène, dat kon ik niet waar iedereen bij was en ik zou het ook niet doen om haar te plezieren. In plaats daarvan wachtte ik tot de laatste gast was vertrokken. Toen ging ik in het donker zitten huilen.

Juni 1908

LAVINIA WATERHOUSE

Eerst weigerde ik Maude te helpen. Ik wilde niets te maken hebben met wat voor spandoeken voor suffragettes ook. Maar Maude kan niet naaien en toen ik op een dag op school haar arme vingers zag, vol prikken en wondjes van de naald (iemand moet haar eens leren hoe ze een vingerhoed moet gebruiken), kreeg ik medelijden met haar en begon 's middags naar haar toe te gaan om te helpen.

En het was maar goed ook dat ik dat deed! Ze is zo traag, de schat, en haar afschuwelijke moeder heeft de meest onmogelijke stapel spandoeken bij haar achtergelaten om te naaien. In het begin was het vreemd daar in die zitkamer te zitten naaien; ik had het gevoel dat Maudes moeder elk moment kon binnenkomen, en ik zou me niet behaaglijk hebben gevoeld in haar aanwezigheid, sinds Ik Het Heb Ontdekt. Maar zoals dat nu eenmaal gaat is ze zelden thuis, en als ze er is hangt ze aan de telefoon die ze heeft laten aanleggen, en ziet ze ons niet eens. Van die telefoon krijg ik de zenuwen, ik schrik altijd als hij overgaat en ik zou hem niet graag opnemen. Maude moet dat altijd doen als haar moeder weg is en ze neemt eindeloos boodschappen aan over bijeenkomsten en verzoekschriften en andere onzin.

Gelukkig kan ik heel goed naaien; ik maak drie spandoeken af terwijl Maude er één doet, en je kunt haar steken zien. En toch is het wel prettig om daar zo te zitten – we praten en zingen, en soms houdt Maude helemaal op met naaien als haar vingers te erg bloeden, en dan leest ze voor terwijl ik werk. Jenny brengt ons aan een stuk door koppen thee en zelfs nu en dan koffie wanneer we haar er lief om vragen.

We hoeven, godzijdank, alleen maar te naaien. We krijgen het doek en de uitgeknipte letters en de slagzin is geschreven op een stukje papier dat aan het doek is gespeld. De letters zijn meestal wit, het doek groen of zwart. Ik geloof niet dat ik een slagzin zou kunnen verzinnen, al kreeg ik er honderd pond voor. Sommige zijn zo ingewikkeld dat ik er geen snars van begrijp. Wat betekent in hemelsnaam BELASTINGHEFFING ZONDER VERTEGENWOORDIGING IS TIRANNIE? Of nog erger: HET 'ZAL' VAN DE VROUWEN VERSLAAT ASQUITHS 'ZAL NIET'. Wat heeft de eerste minister ermee te maken?

Het leukste vind ik de fouten. Het gebeurde voor het eerst toen ik letters naaide op een van die eindeloze spandoeken waarop stond GEEN WOORDEN MAAR DADEN. (Ik word kotsmisselijk van die woorden.) Toen ik het spandoek dat klaar was opvouwde, keek ik er toevallig naar en merkte dat ik genaaid had GEEN DADEN MAAR WOORDEN. Ik was al klaar om de letters los te tornen toen ik naar Maude keek en merkte dat zij het niet had gezien; ze zat fronsend over haar spandoek gebogen en weer op een vinger te zuigen waarin ze zich had geprikt. Daarom vouwde ik stiekem het spandoek op, legde het op de stapel en lachte bij mezelf. Kennelijk zijn er duizenden en duizenden spandoeken; vrouwen naaien ze in het hele land.

Elke paar dagen komt Maudes moeder binnenrennen, grijpt de stapel die af is en holt weer naar buiten zonder ook maar even dankjewel te zeggen. Ik betwijfel of iemand te weten zal komen dat ík de fout heb gemaakt

Daarna begon ik nog meer 'vergissingen' te maken: nog een paar GEEN DADEN MAAR WOORDEN en vervolgens naaide ik GEEN DORDEN MAAR WADEN, en stopte de extra O in mijn schortzak. Ik had er veel plezier in fouten te verzinnen: van WERKENDE VROUWEN EISEN STEMRECHT maakte ik STEMMENDE VROUWEN EISEN WERK; HOOP IS KRACHTIG werd KROOP IS WACHTIG.

Toen ik er zo'n half dozijn af had betrapte Maude me. Ze hielp me met opvouwen toen ze ineens zei: 'Wacht eens even,' en het spandoek uitspreidde. Er stond op WIE ZICH BLIJ WIL MAKEN MOET DE VLAG SLAAN.

'Lavinia! Moet daar niet staan "Wie zich vrij wil maken moet de slag slaan"? Weet je wel, van Byron!'

'O jeetje,' zei ik en ik giechelde.

'Heb jij dan niet eens gelezen wat je naait? En waar zijn de R en de S voor VRIJ en SLAG?'

Ik lachte schaapachtig en haalde de letters uit mijn zak. 'Ik dacht dat die bij vergissing waren overgebleven,' zei ik.

'Je weet heel goed wat er had moeten staan,' mompelde Maude. 'Wat zullen we ermee doen? Het is te laat om het te veranderen en we kunnen het niet verstoppen – mammie zal ze zeker tellen en ze zal willen weten waarom er een weg is.'

Ik sloeg mijn eigen slag. 'Lieve hemel, ik kan mezelf maar beter vrij maken.' Het was dwaas maar Maude moest erom lachen. Algauw lachten we zo hard dat we tranen in de ogen kregen. Het was goed haar te zien lachen. Ze is tegenwoordig zo ernstig. Uiteindelijk vouwden we het spandoek gewoon op en legden het op de stapel.

Ik had niet gedacht dat ik naar de mars in Hyde Park zou gaan; ik huiverde van het idee midden tussen duizenden suffragettes te staan. Maar na zoveel dagen naaien en dingen erover horen, vroeg ik me onwillekeurig af of het toch niet leuk zou zijn. Er zijn vrouwen bij uit het hele land, niet eens allemaal suffragettes, en er zullen blaaskapellen zijn en sprekers en er zal van alles te zien zijn. Toen vertelde Maude me dat iedereen wit en groen en rood moet dragen en ik vond dat precies de goede kleding voor ons. We zouden onze witte jurken dragen en onze strohoeden afzetten met bloemen uit de tuin van de Colemans. Maudes moeder mag dan een zondares zijn, ze heeft wel de prachtigste bloemen gekweekt.

'Ridderspoor, korenbloemen, sterjasmijn en Perzische juwelen, met overal groene blaadjes eromheen,' besliste ik. 'Wat zal dat er mooi uitzien!'

'Maar je zei dat je niet wilde gaan,' zei Maude. 'En wat zal je moeder zeggen?'

'Mama zal met ons meegaan,' zei ik. 'En we hoeven niet echt mee te lopen, we kunnen toekijken.'

Maude denkt dat mama er nooit mee zal instemmen, maar tegen mij zegt ze altijd ja.

GERTRUDE WATERHOUSE

Ik voelde me heel dwaas toen ik het deed, maar ik kon geen andere manier verzinnen om haar tegen te houden. Toen Livy en Ivy May uit school kwamen was mijn enkel ingezwachteld met een verband en hij lag op een voetenbankje. 'Ik ben over de drempel gestruikeld,' zei ik toen Livy een kreetje slaakte toen ze het zag. 'Ik heb mijn enkel alleen verstuikt, niet gebroken gelukkig.'

'O mama, wat ben je toch onhandig,' zei ze.

'Ja, dat weet ik.'

'Hoe lang mag je er van de dokter niet op lopen?'

'Minstens een week.'

'Maar dat betekent dat je ons zondag niet mee kunt nemen naar de mars!'

'Ja, ik weet het. Het spijt me, schat, ik weet hoe je je erop verheugde.' Zelf was ik er bang voor geweest.

Livy riep: 'Maar we moeten gaan! We mogen dat niet missen, vind je niet, Ivy May?'

Ivy May stond het verband te bekijken. Ik had het wat strakker moeten omwinden.

'Misschien kan papa ons meenemen,' opperde Livy.

'Nee,' zei ik snel. Ik wilde Albert er niet bij betrekken. ''s Morgens gaan jullie met hem naar de kerk en 's middags gaat hij cricketen. Nee, ik vind het beter dat jullie thuisblijven.'

'Maar we zouden met Maude en haar moeder mee kunnen gaan.'

'Nee,' zei ik, nog vlugger.

'We zullen heel veilig zijn.'

'Nee.'

Livy keek me zo kwaad aan dat ik het haast niet kon verdragen. 'Echt, Livy, schat,' zei ik zo luchtig als ik kon, 'ik begrijp trouwens toch niet waarom je er zo op gebrand bent te gaan. Het is niet iets waar je belangstelling voor hebt; en dat mag je ook niet. Ik weet zeker dat degene met wie je trouwt, heel goed in staat zal zijn voor jou te beslissen op wie er gestemd moet worden.'

'Integendeel,' verkondigde Livy. 'Ik steun het vrouwenkiesrecht wel.'

Ivy May giechelde. 'Livy wil erbij horen,' zei ze.

'Sst, Ivy May, ik weet zeker dat jij ook naar Hyde Park wilt gaan,' zei Livy.

'Steun je echt het vrouwenkiesrecht?' vroeg ik, verbaasd over mijn dochter.

'O ja! Ik vind de kleuren prachtig; de sjaals en de sieraden in rood, groen en wit. En de vrouwen die voorbij snorren in automobielen, zo energiek en gepassioneerd...' Livy zweeg toen ze mijn gezicht zag.

'Ik keur de suffragettes af en de mars ook,' zei ik streng, in de hoop dat de zaak daarmee af was.

Natuurlijk was dat niet zo. Livy huilde twee dagen en wilde niet tegen me praten, totdat ik ten slotte zwichtte op de avond voor de mars. Niets kan verhinderen dat ze haar zin krijgt, zelfs de dwaze plannetjes van haar moeder niet. Ik wilde niet dat Livy zou ontdekken dat ik haar had bedrogen, daarom kon ik uiteindelijk niet met hen meegaan, maar moest ik hen aan Kitty Coleman toevertrouwen.

Ivy May betrapte me toen ik op mijn 'verstuikte' enkel liep. Ze repte er met geen woord over, de schat.

MAUDE COLEMAN

Bij Euston Station stapten we uit de omnibus en begonnen ons door de mensenmassa's op de stoep heen te dringen. Vrouwen stroomden het station uit, ze waren met speciale treinen helemaal uit het noorden gekomen. Lavinia en ik grepen ieder een hand van Ivy May en hielden die stevig vast terwijl we ons duwend en dringend een weg baanden te midden van een zee van accenten, uit Birmingham en Manchester en Lancashire.

Mammie bewoog zich snel door de menigte; het gedrang leek haar niet te deren, wat me verbaasde omdat ze er een hekel aan heeft ingesloten te zijn. Toen we de weg voor het St. Pancras Station bereikten begon ze de gezichten van vrouwen in witte jurken af te zoeken die zich met hun spandoeken op de weg hadden verzameld. 'Aha, daar zijn ze!' riep ze en ze drong zich door de menigte op het trottoir om op de weg zelf te komen.

Daar kon ik vrijer ademhalen, want er was meer ruimte. Het was vreemd om midden op zo'n brede weg te staan en niet opzij te hoeven springen voor bussen of karren of rijtuigen – er strekte zich alleen een lange rij vrouwen in witte jurken voor en achter ons uit, terwijl mannen en vrouwen op het trottoir naar ons keken.

Mammie bracht ons bij een groep vrouwen van wie ik er veel herkende van haar jours. 'Hier zijn ze, Eunice,' zei mammie en ze legde een hand op de arm van een lange vrouw met een gezicht vol sproeten, die een sjerp droeg met de woorden SPANDOEKKAPITEIN erop. 'En daar is Caroline!' riep mammie en ze zwaaide. 'Caroline!'

Caroline Black kwam haastig aanlopen, met een rood gezicht; haar haren kwamen onder haar hoed uit. Over haar schouder droeg ze een grote bundel die vastzat aan een paal. Mammie kuste haar. 'Heb je alles?'

'Ja, ik geloof van wel,' hijgde Caroline Black, 'maar godzijdank heb ik de jongen gisteren het harnas gegeven zodat hij het mee kan brengen. Anders zou ik het nooit gehaald hebben.'

Ik wist niet waar ze het over hadden, maar voordat ik het kon vragen draaide mammie zich naar me toe. 'Zo, Maude, nu laat ik jullie achter bij Eunice, die voor jullie zal zorgen.'

'Maar u loopt toch ook mee, nietwaar?' vroeg ik en ik probeerde de paniek in mijn stem te onderdrukken. 'U loopt met ons mee.'

'Ja, ik zal in de optocht zijn, maar ik moet iets doen in een ander deel ervan. Jullie zullen het hier prima hebben – je kent de meeste van deze vrouwen.'

'Waar gaat u heen? Wat gaat u doen?'

'Dat is een verrassing.'

'Maar we dachten dat u bij ons zou blijven. We hebben tegen mevrouw Waterhouse gezegd dat u op ons zou passen.'

Mammie schudde ongeduldig haar hoofd. 'Wat ik moet doen is veel belangrijker dan op jullie passen. En eerlijk gezegd is Eunice waarschijnlijk veel geschikter om op jullie te letten dan ik. Zij is de spandoekkapitein voor deze sectie en ze is heel capabel. Jullie zijn bij haar in goede handen. Aan het eind van de dag zie ik jullie wel weer, na de Grote Roep. Kom maar naar podium 5, waar mevrouw Pankhurst spreekt. Daar zie ik jullie wel. Nu moet ik echt gaan. Veel plezier, meisjes! Denk erom Maude, podium 5 na de Grote Roep.' Ze nam Caroline Black bij de arm en verdween haastig in de menigte. Ik probeerde hen in het oog te houden maar dat lukte me niet; het was net zoiets als een drijvend takje volgen in een snelstromende beek.

Lavinia was bleek geworden. 'Wat zullen we zonder haar doen?' kreunde ze, wat nogal schijnheilig is gezien het feit dat ze zo'n hekel heeft aan mammie.

'Zo, meisjes, we gaan er een fijne dag van maken, hè?' riep Eunice terwijl ze twee vrouwen naast ons hielp het spandoek vast te maken waarop stond HOOP IS KRACHTIG. 'Ik moet de andere spandoeken in mijn afdeling controleren. Blijven jullie maar hier bij dit doek totdat ik terugkom.' Ze beende weg voordat we iets konden zeggen.

'Verdomme,' zei ik zacht. We waren in de steek gelaten.

Lavinia keek me aan, geshockeerd zowel door mijn vloeken als door het netelige parket waarin we ons bevonden, denk ik. 'Misschien had mama gelijk,' zei ze. 'Misschien had ik thuis moeten blijven. Ik voel me een beetje zwak.'

'Laat dat!' zei ik fel. 'We spelen het wel klaar.' Het zou een akelige middag worden en het zou nog erger zijn als zij nu ook nog ging flauwvallen. Ik keek om me heen naar iets wat haar af kon leiden. 'Moet je die harmonie zien – de Hackney Borough Brass Band,' las ik op de banier. 'Zijn dat geen prachtige uniformen?' Ik wist dat Lavinia dol was op mannen in uniform. Ze had eens gezegd dat ze met een militair wilde trouwen. De muzikanten grijnsden naar de vrouwen om hen heen. Een tubaspeler knipoogde naar me voordat ik mijn ogen kon afwenden.

Lavina staarde omhoog naar het spandoek waar we bij moesten blijven staan. 'Kroop is hachtig,' zei ze ineens en ze giechelde.

'Wat zei je?'

'Niets, niets.'

Na een tijdje begonnen we ons meer op ons gemak te voelen.

Alle vrouwen om ons heen praatten en lachten, duidelijk opgewonden om erbij te zijn. Het gevolg was een luid geroezemoes van vrouwenstemmen, nu en dan schel klinkend, hard maar niet angstaanjagend zoals het zou kunnen zijn als het allemaal mannen geweest waren. Het was moeilijk je niet aangestoken te voelen door de opgewektheid. En het leken niet allemaal suffragettes te zijn. Velen van hen waren, net als wij, die middag aanwezig uit nieuwsgierigheid, niet direct zwaaiend met een spandoek en roepend. Er waren heel veel vrouwen met hun dochters, sommige heel jong. Er waren zelfs drie kleine meisjes, helemaal in het wit, met groene en rode linten in het haar, die bij ons in de buurt op een ponywagentje zaten.

Lavinia kneep me in mijn arm en zei: 'Vind je het niet vreselijk opwindend? Iedereen is hier!'

Behalve mammie, dacht ik. Ik vroeg me af wat zij en Caroline Black aan het doen waren.

Toen begon de muziek, onder leiding van een man met een krulsnor, een mars uit *Aida* te spelen en iedereen ging rechter staan, alsof er door de hele optocht heen een draad werd strakgetrokken. Uit de menigte steeg een verwachtingsvol gegons op. Ineens verscheen Eunice en riep: 'Vooruit maar, alle spandoeken omhoog!' Om haar heen richtten vrouwen hun stokken op en staken die in houders aan hun zij; daarna staken anderen die de spandoeken omhoog zagen gaan de hunne omhoog, totdat je voor zover je vooruit en achteruit kon kijken overal spandoeken zag deinen boven een zee van hoofden. Voor het eerst wilde ik dat ik er ook een droeg.

Na een paar minuten werd het geroezemoes minder toen we nog niet in beweging waren gekomen.

'Gaan we niet beginnen?' riep Lavinia van de ene voet op de andere wippend. 'O, ik kan het niet uitstaan als we niet vlug vertrekken!'

Toen gingen we ineens. De spandoeken gingen met een ruk naar voren en voor ons ontstond een lege ruimte.

'Vooruit!' riep Eunice. 'Opschieten, meisjes!'

En we begonnen te lopen, de toeschouwers op het trottoir juichten en ik voelde de kriebels langs mijn rug lopen. Behalve de onze waren er nog zes optochten, uit alle hoeken van Londen, waarin betogers naar Hyde Park marcheerden. Het was vreselijk opwindend je deel te voelen van een groot geheel van duizenden en duizenden vrouwen die allen tegelijk hetzelfde deden.

Het duurde even voordat de optocht een gelijkmatig tempo kreeg. We bleven stilstaan en trokken weer verder, vervolgden onze weg langs St. Pancras en daarna langs Euston Station. Aan beide kanten keken mannen toe hoe we voorttrokken, sommige fronsend, een paar jouwend, maar de meeste glimlachend zoals mijn oom doet wanneer hij vindt dat ik iets doms heb gezegd. De vrouwen aan de kant waren meer bemoedigend, ze lachten en wuifden. Een paar stapten in de rij om zich bij de betogers te voegen.

In het begin was Lavinia heel opgewonden, ze neuriede mee met de muziek en lachte toen de wind in een spandoek voor ons uit blies zodat het begon te fladderen. Maar toen we eenmaal regelmatiger liepen, voorbij Euston en op weg naar Great Portland Station, ging ze zuchtend met haar voeten slepen. 'Is dit alles wat we gaan doen? Lopen?' klaagde ze.

'In Hyde Park zullen toespraken zijn. Het is niet zo ver. En we trekken door Oxford Street, daar kun je de winkels zien.' Ik zei dit overtuigend, maar ik wist eigenlijk niet welke route we zouden nemen. Ik wist niet zo goed de weg in Londen – ik was niet vaak in de stad geweest, en als ik er was liep ik gewoon achter mammie of pappie aan. Ik kende de belangrijkste rivieren van Afrika beter dan de straten van Londen.

'Daar heb je Simon.' Ivy May wees.

Het was een opluchting een bekend gezicht in de massa vreemdelingen te zien. 'Simon!' riepen Lavinia en ik tegelijkertijd.

Toen hij ons zag keek hij blij en hij stapte uit de menigte om met ons mee te lopen.

'Wat doe jij hier, ondeugende jongen?' vroeg Lavinia en ze kneep hem in zijn arm.

Simon bloosde. 'Ik kwam jullie zoeken.'

'Ga je met ons meelopen?' vroeg ik.

Simon keek om zich heen. 'Er zijn geen mannen bij, is 't wel?'

'In de fanfares lopen allemaal mannen. Blijf maar bij ons.'

'Nou ja, eventjes. Maar ik moet het paard gaan halen bij Hyde Park.'

'Wat voor paard?'

Simon keek verbaasd. 'Het paard voor de dames. Voor jouw ma. Heeft ze je dat niet verteld?'

'Mammie heeft geen paard. Paarden kan ze niet uitstaan.'

'Een vriend van meneer Jackson, die heeft het paard. Ze lenen het alleen maar voor een dag.'

'Meneer Jackson? Wat heeft die ermee te maken?'

Simon keek alsof hij zijn mond voorbij had gepraat. 'Jouw ma heeft meneer Jackson gevraagd of hij iemand kende die haar een paard kon lenen. Een wit paard moet het zijn. En hij heeft een vriend die er een heeft, bij Baker Street. Dus heeft hij het haar geleend, en mij gevraagd of ik het wilde ophalen en terugbrengen. Ik kreeg er nog geld voor ook.'

De muziek begon het piratenlied uit *The Pirates of Penzance* te spelen. Ik probeerde te begrijpen wat Simon zei, maar het was moeilijk denken te midden van zoveel mensen en zoveel lawaai. 'Mammie gaat nooit naar het kerkhof. Hoe kon ze dan meneer Jackson spreken?'

Simon schokschouderde. 'Hij bezocht haar in Holloway. En

niet lang geleden hoorde ik hen op het kerkhof praten, over vrouwenkiesrecht en zo.'

'Ze rijdt toch zeker niet op een paard? Waar is ze precies?'

Simon haalde zijn schouders weer op. 'Kijk zelf maar. Ze lopen voorop in de stoet.'

'Is het ver?'

'Ik zal het je laten zien.' Simon dook onmiddellijk weer in de mensenmassa op het trottoir, waarschijnlijk opgelucht dat hij de stoet van vrouwen kon verlaten.

Ik begon achter hem aan te lopen, maar Lavinia pakte me bij de arm. 'En ik dan?' riep ze.

'Blijf maar hier. Ik kom weer bij je terug.'

'Maar je kunt me niet alleen laten!'

'Je bent niet alleen, je hebt Ivy May nog. Blijf bij het spandoek,' voegde ik eraan toe en ik gebaarde naar HOOP IS KRACHTIG. 'Ik kom weer bij je terug. En Eunice zal er vast ook gauw weer zijn. Zeg haar maar dat ik naar de spandoeken ben gaan kijken. Zeg niet dat ik mammie ben gaan zoeken.'

'We gaan met je mee!' riep Lavinia, maar ik rukte mijn arm los en drong in de menigte voordat ze kon volgen. Wat mammie ook aan het doen was, ik wilde niet dat Lavinia het zag.

SIMON FIELD

Ik kan alleen maar zeggen dat mevrouw C. dat niet droeg toen ik het paard bij haar had gebracht. Het zat zeker onder haar jurk.

Ik ben verbaasd maar probeer het niet te laten zien. Ik kan mijn ogen niet van haar benen afhouden. Ik heb nog maar één keer vrouwenbenen gezien in een pantomime van Dick Whittington, en zelfs toen droeg ze een maillot en de tuniek kwam tot haar knieën. Maar mevrouw C. is niet gekleed als Dick, maar als Robin Hood. Ze draagt een korte groene tuniek met een riem om haar middel, groene laarsjes en een groen met rode muts met een witte veer erin. Ze heeft blote benen vanaf haar enkels tot – nou ja, tot hoog bovenaan.

Ze leidt een wit paard waar juffrouw Black op zit. Je zou denken dat juffrouw Black gekleed is als Maid Marian of Friar Tuck of zoiets, maar in plaats daarvan heeft ze een compleet harnas aan en een zilveren helm met een witte veer erop die op en neer danst met het paard, net als de struisvogelveren op de paarden in een begrafenisstoet. Ze houdt de teugels in de ene hand en een vlag in de andere, met woorden erop die ik niet kan lezen.

Maude staat maar te staren. Wie kan het haar kwalijk nemen – iedereen staart naar de benen van Kitty Coleman. Ik moet zeggen, het zijn mooie benen. Ik ben vuurrood als ik ernaar kijk en krijg een stijve waar al die mensen bij zijn. Moet mijn handen gekruist voor me houden om het te verbergen.

'Wie moet juffrouw Black voorstellen?' vraag ik om mezelf af te leiden.

'Jeanne d'Arc.' Maude zegt dat alsof ze de woorden uitspuugt.

Ik heb nog nooit gehoord van die Jeanne, maar dat zeg ik niet tegen Maude. Ik weet dat ze er niet over wil praten.

We staan op het trottoir, een stukje voor hen uit, en kunnen hen zien naderen. Als ze voorbijkomen lijkt het of Maude iets tegen haar ma wil zeggen, maar ze doet het niet. Mevrouw C. kijkt niet naar haar, ze heeft een eigenaardige glimlach op haar gezicht en lijkt recht voor zich uit te kijken, alsof ze iets aan de horizon ziet, vol ongeduld om het te pakken.

Dan zijn ze voorbij. Maude zegt niks en ik ook niet. We kijken gewoon naar het voorbijtrekken van de optocht. Dan snuift Maude verachtelijk.

'Wat?' zeg ik.

'Op de vlag van Caroline Black staat een fout,' zegt ze, maar ze wil me niet zeggen wat het is.

KITTY COLEMAN

Het grootste deel van de mars had ik het gevoel dat ik droomde.

Ik was zo opgewonden dat ik nauwelijks iets hoorde. Het gegons van de toeschouwers, het rinkelen en kraken van het hoofdstel, het rammelen van Carolines harnas – het was er allemaal, maar op afstand. De paardenhoeven klonken alsof ze gedempt werden door dekens, alsof er langs de route zaagsel was gestrooid, zoals soms gebeurt bij begrafenissen.

Echt iets zien kon ik ook niet. Ik probeerde me op gezichten langs de route te concentreren maar ze waren allemaal vaag. Ik bleef maar denken dat ik mensen zag die ik kende – Richard, John Jackson, Maude, zelfs mijn overleden moeder – maar ze leken er alleen maar op. Het was gemakkelijker om vooruit te kijken naar onze bestemming, wat die ook zou zijn.

Wat ik ook heel duidelijk voelde, waren de zon en de wind op mijn benen. Na een heel leven van zware jurken, met hun lange lappen stof die als een verband om mijn benen gewikkeld zaten, was het een ongelooflijk gevoel.

Toen hoorde ik een duidelijke knal. Ik keek tussen de mensen die ik ineens kon zien, en tegenover me stond iemand op het trottoir die leek op mijn gesneuvelde broer. Hij staarde naar Caroline met zo'n verbijsterde uitdrukking dat ik onwillekeurig naar hem toe liep om te zien waar hij naar keek.

Er klonk weer een knal. Net voordat het paard steigerde zag

ik Carolines vlag: er stond op GEEN DADEN MAAR WOORDEN.

Verroest, dacht ik, wie heeft er zo'n stomme fout gemaakt? Toen voelde ik de hoef op mijn borst terechtkomen.

LAVINIA WATERHOUSE

Eerst wilde ik niet tegen Maude praten toen zij en Simon terugkwamen – tot helemaal aan Portland Place of Upper Regent Street niet, en ook niet toen we lang stilhielden in Oxford Street. Ik kon het haar niet vergeven dat ze me zomaar in de steek had gelaten.

Zij zei ook niets, ze marcheerde gewoon verder met een gezicht dat op onweer stond, en ze leek niet te merken dat ik haar links liet liggen. Niets is zo vervelend als iemand die niet merkt dat je hem straft. Het leek er zelfs meer op dat ik gestraft werd; ik was verschrikkelijk nieuwsgierig naar Maudes moeder en het paard, maar omdat ik niet met haar sprak kon ik haar er niet naar vragen. Ik wou dat Ivy May wat tegen me zei, zodat mijn stilzwijgen naar Maude toe meer op zou vallen. Ik zette haar hoed voor haar recht omdat die gevaarlijk naar achteren was gezakt, maar Ivy May knikte alleen maar dankjewel tegen me.

Toen hield de optocht weer stil. Simon holde weg om zijn paard te halen en we liepen naar de ingang van Marble Arch naar Hyde Park. We werden steeds dichter tegen elkaar gedrukt omdat veel mensen op het trottoir zich in de menigte drongen om ook naar binnen te gaan. Als zandkorreltjes in een zandloper wachtten we op onze beurt om door het gaatje te kruipen. Het werd zo druk dat ik de handen van Maude en Ivy May vastgreep.

Toen waren we erdoorheen, en ineens was er open ruimte,

met volop zon en groen en frisse lucht. Ik slokte die naar binnen als water.

In de verte had zich een hele zee van mensen verzameld rond de verscheidene karren waarop groepjes suffragettes stonden. In hun witte jurken en helemaal hoog boven de menigte deden ze me aan wattenwolken aan de horizon denken.

'Doorlopen, doorlopen,' riep een vrouw achter ons die een sjerp om had waarop stond HOOFD ORDEDIENST. 'Er staan er nog duizenden achter jullie die naar binnen willen. Loop door naar de podiums, alsjeblieft, blijf in de rij lopen.'

Het was de bedoeling dat de optocht tot aan de podiums zou doorlopen, maar toen de mensen eenmaal in het park waren, begonnen ze heen en weer te rennen en er was totaal geen orde meer. Mannen die als toeschouwers langs de route hadden gestaan mengden zich nu tussen de dames die betoogd hadden, en terwijl wij ons tegen wil en dank naar de podiums bewogen werd het nog drukker toen ze daar tegen ons aan begonnen te duwen. Mama zou doodsbang zijn als ze ons kon zien, ongechaperonneerd, vastzittend tussen al die mannen. Ik zag die stomme Eunice even, die tegen iemand stond te schreeuwen dat ze haar spandoek moest brengen. Ze kon totaal niet op ons passen.

Overal waren spandoeken en vlaggen. Ik bleef uitkijken naar een die ik had genaaid, maar er waren er zo veel dat mijn fouten erin verloren gingen. Ik had me niet kunnen voorstellen dat zoveel mensen zich tegelijkertijd op één plaats konden verzamelen. Het was angstaanjagend, maar ook opwindend, zoals wanneer een tijger in de dierentuin je recht aankijkt met zijn gele ogen.

'Zie jij podium 5?' vroeg Maude.

Ik kon nergens nummers zien, maar Ivy May wees naar een podium en we begonnen erheen te lopen. Maude bleef me maar in hele rijen mensen sjorren en ik moest Ivy Mays hand steviger vastpakken omdat die nat begon te worden van het zweet.

'Laten we hier blijven,' riep ik tegen Maude. 'Het is zo vol.'

'Nog een klein stukje maar, ik zoek mammie.' Maude bleef aan mijn hand trekken.

Ineens waren er te veel mensen. De plekjes waar we ons in hadden kunnen duwen werden compacte muren van benen en ruggen. Mensen duwden van achteren tegen me aan en ik kon onbekenden tegen mijn armen en schouders voelen duwen.

Toen voelde ik een hand op mijn gat, met vingers die me zachtjes aaiden. Ik was zo verrast dat ik even niets deed. De hand trok mijn jurk omhoog en begon aan mijn directoire te frommelen, daar midden tussen al die mensen. Ik kon niet geloven dat niemand het had gezien.

Toen ik probeerde weg te schuifelen volgde de hand. Ik keek om – de man achter me was zo oud als papa, lang, met grijze haren en een dunne snor en een bril. Zijn ogen waren strak op het podium gericht. Ik kon niet geloven dat het zijn hand was; hij zag er zo respectabel uit. Ik tilde mijn hak op en liet die hard neerkomen op de voet achter me. De man vertrok zijn gezicht en de hand verdween. Na een tijdje ging hij weg en iemand anders ging op zijn plaats staan.

Ik fluisterde huiverend tegen Maude: 'Laten we hier weggaan,' maar ik werd overstemd door een klaroenstoot. De menigte drong naar voren en Maude werd tegen de rug van de vrouw voor haar geduwd en liet mijn hand los. Toen werd ik ruw naar links gedrukt. Ik keek om me heen maar kon Maude niet zien.

'Mag ik alstublieft uw aandacht, ik zou graag deze bijeenkomst willen openen bij deze uiterst belangrijke gelegenheid in Hyde Park,' hoorde ik een stem roepen. Er was een vrouw op een kist geklommen, hoger dan de rest van de vrouwen op het podium. In haar paarse jurk zag ze eruit als lavendel die gestrooid was op een kom vanilleijs. Ze stond heel recht en stil.

'Daar heb je mevrouw Pankhurst,' mompelden vrouwen om me heen.

'Ik vind het heerlijk om een grote menigte mensen voor me te zien, medestanders – zowel vrouwen als mannen – van het eenvoudige recht van vrouwen om hun plaats in te nemen naast mannen en hun stem uit te brengen. Premier Asquith heeft gezegd dat hij zekerheid wil hebben dat de wil van het volk achter de oproep voor vrouwenstemrecht staat. Welnu meneer Asquith, ik zeg u, als u stond waar ik nu sta en die grote mensenzee voor u zag zoals ik die zie, dan zou het niet nodig zijn u verder te overtuigen!'

De menigte brulde. Ik legde mijn handen op de schouders van de vrouw naast me en sprong op om te proberen over de mensenmassa heen te kijken. 'Maude!' riep ik, maar er was zoveel lawaai dat ze me nooit had kunnen horen. De vrouw keek me kwaad aan en schudde mijn handen af.

Mevrouw Pankhurst wachtte tot het lawaai was geluwd. 'We hebben een hele middag met sprekers,' begon ze toen het stil werd, 'en zonder verdere omhaal...'

'Maude! Maude!' riep ik.

Mevrouw Pankhurst zweeg en schudde even haar hoofd. 'Ik zou graag aan u willen voorstellen...'

'Maude!'

'Lavinia!' hoorde ik en ik zag boven de mensen helemaal rechts van me een hand zwaaien. Ik zwaaide terug en bleef zwaaien terwijl ik naar de hand drong.

Mevrouw Pankhurst zweeg weer. 'Sst! Sst!' begonnen vrouwen op het podium te sissen. Ik bleef dringen, duwde plekken open voor me en lette niet op wat er op het podium gebeurde. Toen zag ik voor me de slinger van ridderspoor en sterjasmijn die ik die morgen had gevlochten voor de strohoed van Maude, en met een laatste duw had ik haar gevonden.

We hielden elkaar stevig vast. Maudes hart klopte hevig en ik trilde.

'Laten we weggaan bij al die mensen,' fluisterde Maude. Ik knikte, hield Maude stevig vast en liet haar een weg banen, weg van het podium en uit de opeenhoping van mensen die naar mevrouw Pankhurst luisterden.

Eindelijk vonden we ruimte. Toen we bij de bomen aan de uiterste rand van de menigte kwamen bleef ik staan. 'Ik moet overgeven,' zei ik.

Maude bracht me naar een boom waar ik kon knielen zonder dat iemand me zag. Later vonden we een schaduwplekje om te zitten, een stukje van de boom af. Enige tijd zeiden we niets maar keken naar de mensen die voorbij wandelden of holden, zich losmaakten van de ene kring toeschouwers om bij een ander podium te gaan staan. Vanaf waar we zaten konden we vier podiums zien. In de verte waren de vrouwen die erop spraken piepkleine figuurtjes die als windmolens met hun armen klapwiekten.

Ik stikte van de dorst.

Maude zou uiteindelijk weer gaan praten, dat wist ik, en de vraag stellen die gesteld moest worden. Ik was er bang voor.

'Lavinia,' zei ze ten slotte. 'Waar is Ivy May?'

Voor het eerst die hele dag begon ik te huilen. 'Ik weet het niet.'

MAUDE COLEMAN

Mammie zat slechts twee bomen verder. We ontdekten haar pas nadat de bijeenkomst was afgelopen.

Het had geen zin naar iemand te gaan zoeken terwijl er gespeecht werd en de menigte dicht op elkaar stond. Lavinia was wanhopig, maar ik wist dat Ivy May een verstandig meisje was; ze zei misschien niet veel, maar ze hoorde alles, en ze zou weten dat we mammie bij podium 5 zouden ontmoeten na de Grote Roep, wat dat dan ook was.

Dat bleef ik mezelf maar voorhouden en tegen Lavinia herhalen wanneer ze even wilde luisteren. Uiteindelijk legde ze haar hoofd in mijn schoot en viel in slaap; echt iets voor haar op een dramatisch moment. Melodrama, daar houdt ze van – voor haar is een echt drama saai. Ik bewoog me onrustig en wachtte tot de toespraken afgelopen zouden zijn en Lavinia wakker werd.

Eindelijk weerklonk er een klaroen. Toen die voor de tweede keer werd geblazen ging Lavinia rechtop zitten, met een rood en gerimpeld gezicht. ‘Hoe laat is het?’ zei ze geeuwend.

‘Ik weet het niet precies. Een uur of vijf, denk ik.’

In de verte stonden de mensen juichend met hun armen te zwaaien. Opnieuw weerklonk de klaroen. Er rees een spreekkoor op als een orkest dat in een symfonie tot een crescendo aanzwol. Het klonk alsof iedereen zei: ‘In drieën vouwen.’ Pas bij de derde keer besefte ik dat ze riepen: ‘Kiesrecht voor vrouwen!’ Dat laatste klonk als een donderslag en het gejuich en gelach die daarna opstegen klonken als regen die loskwam uit de wolken.

Toen ineens loste de menigte zich op en een vloedgolf van mensen kwam op ons af. Ik zocht de voorbijgaande gezichten af naar iemand die ik kende. Ik zag wel Eunice, die voorbij holde met een losse vlag en een stok. Ze zag ons niet en we probeerden haar niet tegen te houden.

'We moesten eigenlijk naar podium 5 gaan,' zei ik. 'Daar zal vast iemand zijn.'

We gaven elkaar een arm en begonnen ons een weg door de mensenmassa te banen, maar het was heel moeilijk omdat iedereen wegliep van het podium, in plaats van erheen. Overal zag je uitgeputte gezichten; dorstige kinderen, ongeduldige vrouwen, bezorgde mannen die zich afvroegen hoe ze door zoveel mensen heen thuis konden komen. Nu de mensen niet in een georganiseerde stoet liepen zou het een chaos zijn in de straten buiten Hyde Park, tjokvol mensen en rijtuigen en overvolle omnibussen. Het zou uren duren om thuis te komen.

Eindelijk kwamen we dicht bij wat ik me herinnerde als podium 5, maar het spandoek met nummer 5 erop was omlaaggehaald. Mevrouw Pankhurst en de andere vrouwen waren van de kar geklommen en een man was bezig er een paard voor te spannen.

'Ze halen het podium weg!' riep ik. 'Hoe kunnen we mammie dan vinden als het weg is?'

'Daar heb je Caroline Black,' zei Lavinia en ze trok aan mijn mouw. 'Wat heeft ze in hemelsnaam aan?'

Caroline Black stond van de ene voet op de andere te huppelen, nog steeds in haar harnas van Jeanne d'Arc. De witte pluim op haar helm wipte op en neer terwijl ze zich bewoog. Ze keek heel somber en ik schrok me dood toen ik haar alleen zag.

'Daar zijn jullie!' riep ze, niet lief tegen me glimlachend zoals ze meestal deed. 'Waar zijn jullie geweest? Ik loop al eeuwen naar jullie te zoeken!'

'Waar is mammie?' wilde ik weten.

Caroline Black keek alsof ze zou gaan huilen. 'Je moeder... heeft een ongelukje gehad.'

'Wat is er gebeurd?'

'Alles ging zo goed, dat is juist zo jammer.' Caroline Black schudde haar hoofd. 'We hadden een heerlijke tijd met zoveel steun van onze kameraden en de toeschouwers. En het was een prachtig paard, zo mak en een droom om op te rijden. Als er maar niet...'

'Wat gebeurde er?'

'Iemand ontstak voetzoekers in de menigte langs Oxford Street. Het paard schrok en op dat moment stapte Kitty ervoor om naar mijn vlag te kijken, ik weet niet waarom. Het paard steigerde en ik kon nog maar nauwelijks in het zadel blijven. Toen het omlaag kwam trapte het haar op de borst.'

'Waar is ze nu?'

'Die domme meid stond erop de mars af te maken, het paard te leiden en zo, alsof er niets was gebeurd. Ze zei dat ze zich prima voelde, alleen wat buiten adem. En ik was zo stom dat toe te staan. Daarna wilde ze niet weggaan tijdens de toespraken; ze zei dat ze daar moest zijn om jullie later op te vangen.'

'Waar is ze in godsnaam?' schreeuwde ik. Lavinia schrok van mijn toon en de mensen om ons heen keken naar ons. Maar Caroline Black kromp zelfs niet ineen.

'Ze zit daar tussen de bomen.' Ze wees in de richting vanwaar we waren gekomen.

Lavinia greep mijn arm en ik begon naar de bomen te lopen. 'Hoe zit het met Ivy May?' riep ze. 'We moeten haar zoeken!'

'Laten we eerst naar mammie gaan en dan zullen we haar wel gaan zoeken.' Ik wist dat Lavinia boos op me was, maar ik negeerde haar en bleef doorlopen.

Mammie zat tegen een boomstam geleund, haar ene been onder zich gevouwen, een bloot been voor zich uitgestrekt op de grond.

'O, lieve hemel,' mompelde Lavinia. Ik was vergeten dat ze mammie nog niet had gezien in haar kostuum.

Mammie lachte toen we aan kwamen lopen, maar haar gezicht stond gespannen alsof ze moeite deed iets te verbergen. Ze ademde zwaar. 'Hallo, Maude,' zei ze. 'Heb je genoten van de optocht?'

'Hoe voel je je, mammie?'

Mammie klopte zich op de borst. 'Pijn.'

'We moeten je naar huis zien te krijgen, schat,' zei Caroline Black. 'Kun je lopen?'

'Ze mag niet lopen,' viel ik haar in de rede en ik dacht aan mijn eerstehulplessen op school. 'Dat kan het erger maken.'

'Jij wilt zeker dokter worden?' zei mammie. 'Dat is goed. Ik dacht dat je astronoom zou worden, maar ik heb het wel vaker mis gehad. Zolang je maar iets wordt, het kan me niet schelen wat. Behalve misschien echtgenote. Maar zeg dat niet tegen pappie.' Ze kromp ineen toen ze ademhaalde. 'Ga naar de universiteit.'

'Stil toch, mammie. Niet praten.'

Ik keek om me heen. Caroline Black en Lavinia keken naar me alsof ik de leiding had.

Toen zag ik een bekende gestalte op ons af stappen.

'De hemel zij dank dat u hier bent, meneer Jackson!' riep Lavinia en ze greep hem bij de arm. 'Kunt u Ivy May voor ons gaan zoeken?'

'Nee,' kwam ik tussenbeide. 'U moet mammie in een rijtuig helpen. Ze moet snel naar een dokter.'

Meneer Jackson keek naar mammie. 'Wat is er gebeurd, Kitty?'

'Ze heeft een trap van een paard gehad en kan geen adem krijgen,' zei ik.

'Hallo, John,' mompelde mammie. 'Zo gaat dat, zie je – ik verkleed me als Robin Hood en krijg een trap van het pantomimepaard.'

'We zijn Ivy May kwijt, meneer Jackson!' schreeuwde Lavinia. 'Mijn kleine zusje is verloren geraakt in die afschuwelijke menigte!'

Meneer Jackson keek van mammie naar Lavinia. Ik wist dat hij zelf het besluit niet kon nemen, dat zou ik voor hem moeten doen. 'Meneer Jackson, ga alstublieft een rijtuig zoeken,' beval ik. 'U zult er eerder een krijgen dan ik of Lavinia en u kunt mammie erheen dragen. Caroline, u moet hier bij mammie blijven wachten en Lavina en ik zullen Ivy May gaan zoeken.'

'Nee!' riep Lavinia, maar meneer Jackson was al weggehold.

Mammie knikte. 'Goed zo, Maude. Jij kunt heel goed de leiding nemen.' Ze bleef tegen de boom leunen met Caroline Black ongemakkelijk in haar harnas naast haar geknield.

Ik pakte Lavinia bij de hand. 'We zullen haar vinden,' zei ik. 'Dat beloof ik.'

LAVINIA WATERHOUSE

We vonden haar niet. We zochten overal, maar we vonden haar niet.

We liepen kriskras het hele park door waar de enorme mensenmassa's hadden gestaan en waar het gras helemaal was platgetrapt, alsof er een kudde vee overheen was getrokken. Er waren nu veel minder mensen, dus hadden we een klein meisje alleen gemakkelijk moeten kunnen zien. Wel waren er groepjes rondzwervende jongemannen. Van hen werden we heel zenuwachtig, vooral toen ze naar ons riepen. Maude en ik gaven elkaar stevig een arm onder het lopen.

Het was zo frustrerend – we konden geen politieagenten vinden en evenmin de suffragettes die tijdens de optocht rondgerend hadden met sjerpen waarop stond SPANDOEKKAPITEIN of HOOFD ORDEDIENST. Er was niet een betrouwbare volwassene die ons kon helpen.

Toen schreeuwde een groep heel ruige mannen: 'Hé daar, meissies! Zin in een borreltje?' en ze kwamen onze kant uit. Nou, Maude en ik liepen ons de benen onder het lijf vandaan om het park uit te komen. De mannen kwamen ons niet verder na, maar ik weigerde er weer in terug te gaan; het was veel te gevaarlijk. We bleven bij de ingang van Marble Arch staan en keken uit over het gras, met de hand boven de ogen tegen de vroege avondzon.

Ik keek niet alleen uit naar Ivy May, maar ook naar Simon. We hadden hem niet gezien sinds hij de stoet had verlaten om het paard op te halen (geleid door Maudes moeder in dat kostuum! Ik ben sprakeloos. Geen wonder dat het paard haar trapte). Hij had gezegd dat hij later misschien terug zou komen naar het park. Tijdens het uitkijken bleef ik maar denken dat ze samen zouden zijn, dat Simon zou opduiken met Ivy May aan zijn hand. Ze zouden ijsjes eten en ze zouden er voor Maude en mij ook een hebben meegebracht. Ivy May zou zo guitig brutaal naar me kijken, met een glimlachje en glinsterende oogjes, en ik zou haar knijpen omdat ze me zo had laten schrikken.

'Hier is ze niet,' zei Maude. 'Dan hadden we haar nu onderhand moeten zien. Misschien is ze naar huis gegaan, ze kan teruggelopen zijn langs de route die we hebben afgelegd, terug naar Euston en in een omnibus zijn gestapt. Ivy May is niet dom.'

Ik hield het handtasje omhoog dat aan mijn pols bungelde. 'Ze heeft geen geld voor de bus,' fluisterde ik. 'Ik heb het haar aan mij laten geven om het goed te bewaren, zodat ze het niet zou verliezen.'

'Misschien heeft ze haar weg terug gevonden,' herhaalde Maude. 'Misschien moeten we de route van de optocht teruglopen en naar haar uitkijken.'

'Ik ben zo moe. Ik geloof niet dat ik nog een stap kan verzetten. Laten we hier gewoon even blijven.'

Toen zagen we hem op ons afkomen. Hij leek zo klein op dat grote, uitgestrekte grasveld, met zijn handen opzij en tegen dingen schoppend die waren achtergebleven, papierproppen, bloemen, een dameshandschoen. Hij leek niet verbaasd toen hij ons zag en evenmin verbaasd toen Maude zei: 'We zijn Ivy May kwijt.'

'Ivy May is verdwenen,' zei ik. 'Ze is weg.' Ik begon te huilen.

'We zijn haar kwijt,' herhaalde Maude.

Simon keek ons aan. Ik had hem nog nooit zo ernstig zien kijken.

'We denken dat ze misschien terug is gegaan langs de route van de optocht,' zei Maude. 'Kom met ons mee zoeken.'

'Wat draagt ze?' vroeg Simon. 'Het is me eerder niet opgevallen.'

Maude zuchtte. 'Een witte jurk. Een witte jurk net als alle anderen. En een strohoed met bloemen langs de rand, net als de onze.'

Simon kwam naast ons lopen en we begonnen terug te lopen door Oxford Street. Dit keer konden we niet midden over de weg lopen, want het was er vol met rijtuigen en omnibussen en automobielen. We bleven op het trottoir, vol mensen die terugliepen na de betoging. Simon stak over om op het andere trottoir te zoeken, hij keek in portieken en steegjes en zocht de gezichten om zich heen af.

Ik vond het ongelooflijk dat we de hele route weer terug gingen lopen; ik had zo'n dorst en mijn voeten deden zo zeer dat ik niet dacht het uit te kunnen houden. Maar toen we door Upper Regent Street liepen zag ik op de binnenplaats van een stal een pomp om paarden te laten drinken, en ik liep erheen en hield mijn hele gezicht onder de waterstraal die eruit gutste. Het kon me niet schelen of het water vies was of mijn haren nat werden – ik had zo'n dorst, ik moest gewoon drinken.

De klok in de toren van het St. Pancras Station sloeg acht uur toen we eindelijk ons beginpunt weer bereikten.

'Mama zal niet weten hoe ze het heeft van bezorgdheid,' zei ik. Zo moe als ik was, ik was bang om mama en papa thuis onder ogen te komen.

'Het is nog zo licht buiten,' zei Maude. 'Het is de langste dag van het jaar, wist je dat? Nou ja, de op een na langste, misschien, na gisteren.'

'Och, hou in hemelsnaam je mond, Maude.' Ik kon het niet uitstaan haar te horen praten als een onderwijzeres in een klaslokaal. Bovendien had ik een afschuwelijke hoofdpijn.

'We kunnen maar beter naar huis gaan,' zei Maude en ze negeerde me. 'Dan kunnen we het tegen je ouders zeggen en die kunnen de politie waarschuwen. En ik kan horen hoe het met mammie is.'

'Je moeder,' begon ik. Ineens was ik zo kwaad dat ik wel kon spugen. Maude had meneer Jackson weggestuurd met haar moeder, in plaats van dat ze hem ons had laten helpen. Hij zou vast en zeker Ivy May hebben gevonden. 'Die stomme moeder van jou is de schuld van deze ellende.'

'Geef haar niet de schuld!' riep Maude. 'Jij moest zo nodig naar de betoging!'

'Je moeder,' herhaalde ik. 'Je weet nog niet eens de helft over haar.'

'Niet doen, Livy,' waarschuwde Simon. 'Waag het niet.'

Maude keek van Simon naar mij. 'Ik wil het niet horen, wat het dan ook is,' zei ze tegen mij. 'Ik wil er geen woord over horen.'

'Ga naar huis, jullie alletwee!' zei Simon. Ik had hem nog nooit zo bevelend horen praten. 'Daar staat een omnibus.' Hij duwde ons zelfs in die richting.

'We kunnen Ivy May niet alleen laten,' zei ik resoluut en ik bleef staan. 'We kunnen niet gewoon op een bus springen en haar alleen laten in deze afschuwelijke stad.'

'Ik ga wel terug om haar te zoeken,' zei Simon.

Daar had ik hem wel om kunnen kussen, maar hij was al weggehold, terug langs Euston Road.

JENNY WHITBY

Ik had niet verwacht ooit zoiets te zien.

Ik had geen idee wie er op zondagavond zou kunnen aanbellen. Ik was net terug van ons mam, ik had nog niet eens mijn schort voor en mijn muts op. Normaal zou ik daar niet eens zijn geweest; meestal ging ik later terug, als Jack sliep, maar vandaag was hij zo moe van het rondrennen na de thee dat hij gewoon in zijn bed plofte.

Misschien waren het mevrouw en Maude, misschien had iemand hun sleutel gerold in de menigte. Of het was een buurvrouw die een postzegel wilde lenen of geen lampolie meer had. Maar toen ik de deur opende stond daar de man van het kerkhof, met mevrouw in zijn armen. Niet alleen dat, ze droeg niet eens een rok! Haar benen waren zo bloot als op de dag dat ze geboren werd. Haar ogen had ze net geopend, alsof ze wakker was geworden na een dutje.

Voordat ik een woord kon uitbrengen, alleen kon staren met wijd open ogen, had meneer Jackson zich naar binnen gewerkt met die suffragettedame, juffrouw Black, achter zich. 'We moeten haar in bed leggen,' zei hij. 'Waar is haar man?'

'In de Bull and Last,' zei ik. 'Daar gaat hij altijd heen na het cricketen.' Ik liep voor hen uit naar boven. Juffrouw Black droeg een soort metalen pak dat rinkelde toen ze de trap opliep. Ze zag er zo vreemd uit dat ik me af begon te vragen of ik droomde.

Meneer Jackson legde mevrouw op haar bed en zei: 'Blijf bij haar, ik zal haar man gaan halen.'

'En ik ga een dokter halen,' zei juffrouw Black.

'Er woont er een op Highgate Road, iets verder dan de pub,' zei ik. 'Ik kan...'

Maar ze waren verdwenen voordat ik kon aanbieden te gaan, zodat juffrouw Black bij haar vriendin kon blijven. Het leek wel of ze dat niet wilde.

Ik was dus alleen bij mevrouw. Ze lag daar naar me te staren. Ik wist niet wat ik moest doen. Ik ontstak een kaars en wilde net de gordijnen dichttrekken toen ze fluisterde: 'Laat ze open. En doe het raam open.'

Ze zag er zo gek uit in haar groene kledij, met haar benen helemaal bloot. Ze zou meneer Coleman de stuipen op het lijf jagen als hij haar zo zag. Nadat ik het raam had geopend ging ik op het bed zitten en begon haar groene schoentjes uit te trekken.

'Jenny, ik wil je wat vragen,' zei ze heel zacht.

'Ja, mevrouw.'

'Weet iemand wat er met me is gebeurd?'

'Wat er met u is gebeurd, mevrouw?' herhaalde ik. 'U heeft een ongelukje gehad, meer niet.'

De ogen van mevrouw flonkerden en ze schudde haar hoofd. 'Jenny, er is geen tijd voor die dwaasheid. Laten we er nu geen doekjes om winden; weet iemand wat er twee jaar geleden met mij is gebeurd?'

Ik had direct al door wat ze bedoelde, ook al deed ik of ik het niet wist. Ik zette de laarsjes op de vloer. 'Niemand weet het, behalve ik. En mevrouw Baker – zij vermoedde het. O, en Simon.'

'De jongen van het kerkhof? Hoe kon hij het weten?'

'Het was zijn moeder bij wie u bent geweest.'

'En is dat alles, weet verder niemand het?'

Ik keek haar niet recht aan maar trok aan de groene muts op haar haar. 'Nee.' Ik zei niets over de brief van juffrouw Livy. Het leek geen zin te hebben haar in haar toestand te verontrusten. Simon en mevrouw Baker en ik, wij zouden onze mond houden, maar je kon nooit weten wat juffrouw Livy een dezer dagen zou gaan zeggen – of misschien al had gezegd. Maar dat hoefde mevrouw niet te weten.

'Ik wil niet dat de mannen het te weten komen.'

'Nee.' Ik stak mijn handen achter haar rug en begon daar haar tuniek los te knopen.

'Beloof me dat ze het niet zullen horen.'

'Dat zullen ze niet.'

'Je moet me nog iets anders beloven.'

'Ja, mevrouw.'

'Beloof me dat je Maude uit de klauwen van mijn schoonmoeder zult houden.'

Ik trok de tuniek uit en hield mijn adem in. Haar hele borst was één grote, zwarte plek. 'Lieve hemel, wat is er met u gebeurd, mevrouw?'

'Beloof het me.'

Nu begreep ik waarom ze zo praatte. 'O, mevrouw, over een dag of twee zult u het weer prima maken. De dokter zal zo hier zijn en hij zal u wel behandelen. Juffrouw Black is hem gaan halen. En meneer... die heer is uw man gaan halen.'

Mevrouw probeerde iets te zeggen, maar ik gaf haar de kans niet, ik ratelde maar door en zei het eerste wat me voor de lippen kwam. 'Hij is nu in de pub, maar hij zal zo hier zijn. Zullen we u die nachtpon maar aantrekken voordat ze komen? Het is een heel mooie, deze, met al die kant aan de manchetten en zo. Ik zal hem even over uw hoofd trekken en dan omlaag. Zo. En uw haar, zo is het goed. Dat is een stuk beter nu, nietwaar?'

Ze lag weer achterover alsof ze te zwak was om zich tegen

mijn woorden te verzetten. Haar ademhaling klonk heel reutelend en moeizaam. Ik kon het geluid ervan niet verdragen. 'Ik zal gauw even de lampen gaan aansteken,' zei ik. 'Voor meneer en de dokter. Ik ben zo terug.' Ik liep haastig weg voordat ze iets kon zeggen.

Meneer Coleman kwam thuis toen ik de lampen in de hal aan het aansteken was, en daarna kwamen de dokter en juffrouw Black. Ze gingen de trap op en daarna werd het daarboven heel stil. Ik kon het niet helpen – ik moest wel aan de deur luisteren.

De dokter sprak zo zacht dat ik alleen kon horen 'interne bloeding'.

Toen begon meneer Coleman uit te varen tegen juffrouw Black. 'Verrek, waarom zochten jullie niet direct een dokter toen ze die trap van dat paard had gekregen?' schreeuwde hij. 'Jullie pochten dat er een enorme mensenmassa zou zijn; tussen die tweehonderdduizend mensen was er toch zeker wel een dokter!'

'U begrijpt het niet,' zei Caroline Black. 'Het was zo druk dat je je maar met moeite kon bewegen of zelfs praten, laat staan een dokter zoeken.'

'Waarom heb je haar niet direct naar huis gebracht? Als jullie even je verstand hadden gebruikt zou het nu goed met haar zijn, met niet meer dan wat blauwe plekken.'

'Denkt u niet dat ik haar heb gesmeekt dat te doen? Het is heel duidelijk dat u uw vrouw slecht kent, als u denkt dat ze gedaan zou hebben wat ik haar vroeg. Ze wilde naar Hyde Park gaan en naar de toespraken luisteren bij zo'n historische gelegenheid, en niets wat ik of wie dan ook – zelfs u niet, meneer – zei, kon haar op andere gedachten brengen.'

'Overdreven!' schreeuwde meneer Coleman. 'Zelfs op een moment als dit overdrijven jullie suffragettes nog. Je kunt doodvallen met je historische gelegenheid! Heb je zelfs wel naar haar borst gekeken nadat het was gebeurd? Heb je de wond gezien? En wie heeft Kitty in godshemelsnaam gezegd dat ze een paard moest leiden? Ze is een ramp met paarden!'

'Het was haar idee. Niemand heeft haar gedwongen. Ze heeft me nooit verteld dat ze niet met paarden overweg kon.'

'En waar is Maude?' zei meneer Coleman. 'Wat is er met mijn dochter gebeurd?'

'Ze is... ze is op weg naar huis, dat weet ik zeker.' Caroline Black huilde nu.

Ik bleef niet langer luisteren. Ik ging de trap af naar de keuken en zette de ketel op. Toen ging ik zelf aan tafel een potje zitten huilen.

IVY MAY WATERHOUSE

Over zijn schouder zag ik een ster vallen. Dat was ik.

SIMON FIELD

Ik had nog nooit eerder een lijk gezien. Het is vreemd zoiets te horen uit de mond van een grafdelver. Ik had de hele dag lijken om me heen, maar die liggen in kisten, dichtgespijkerd en met zand bedekt. Soms sta ik op een lijkkist in een graf en dan zit er maar een paar centimter tussen mij en het lijk. Maar ik heb het niet gezien. Als ik minder tijd doorbracht op het kerkhof zou ik voortdurend lijken zien. Gek is dat, onze ma en zusters hebben er honderden gezien, allemaal vrouwen en baby's die gestorven zijn bij de geboorte, of buren die van de honger of de kou zijn omgekomen.

Het is vreemd iemand die ik ken zo te zien. Als ik niet had geweten dat ik naar haar zocht zou ik haar niet hebben herkend. Ze is niet gewond, heeft niets gebroken of zoiets. Haar armen en benen en hoofd zitten allemaal op de goede plaats, zoals ze daar ligt achter een stapel stenen op een binnenplaats. En het gezichtje is zelfs schoon en glad, haar mond gesloten, haar ogen een beetje open alsof ze door haar wimpers kijkt en je niet wil laten merken dat ze kijkt. Maar als ik naar het gezicht kijk zie ik haar gewoon niet. Ze is geen iemand meer, maar een ding, als een zak aardappelen.

'Ivy May,' roep ik zachtjes, naast haar gehurkt. Ik zeg het terwijl ik weet dat ze dood is. Misschien hoop ik dat ze terug zal komen als ik haar naam uitspreek.

Maar dat doet ze niet. Ze opent haar ogen niet en kijkt niet naar me met die blik van haar, zo van alles te weten wat er gebeurt en nooit iets te zeggen. Ze zit niet rechtop met haar benen recht voor zich uit zoals ze graag zit. Ze staat niet parmantig rechtop, alsof je haar nooit kunt omgooien, hoe hard je ook duwt.

Het lijkje ligt daar maar. En ik moet het op de een of andere manier naar huis zien te krijgen, vanaf een binnenplaats aan Edgware Road naar Dartmouth Park.

Hoe krijg ik haar zo ver zonder dat iemand me ziet? Iedereen die me ziet zal denken dat ik het heb gedaan.

Dan kijk ik op naar de achterkant van de binnenplaats en zie daar een man staan. Een lange man. Veel kan ik niet zien van zijn gezicht, alleen de glinstering van zijn bril in de straatlantaarn en een smalle snor. Hij staart naar me en als hij ziet dat ik naar hem kijk stapt hij weer achter het gebouw.

Het zou kunnen zijn dat hij denkt dat ik het gedaan heb en dan is hij is weggelopen om het tegen iemand te zeggen. Maar ik weet dat hij dat niet doet. Híj heeft het gedaan. Onze pa zegt dat mannen hun misdaden niet met rust kunnen laten; ze moeten weer komen rondsnuffelen, zoals je tong speelt met een losse tand of zoals je aan een korst krabt.

Ik ren de binnenplaats af om hem te zoeken, maar hij is weg. Ik weet echter dat hij zal terugkomen en als ik haar nu niet meeneem zal hij het doen.

Ik fatsoeneer haar jurk een beetje en haar haren, en ik gesp een van haar schoentjes vast dat uit is gegaan. Als ik haar op mijn rug til zie ik dat de strohoed onder haar heeft gelegen. Hij is helemaal kapot en de bloemen zijn geplet; het is te veel moeite hem op te rapen, met Ivy May zwaar op mijn rug drukkend, daarom laat ik hem op de grond liggen.

Als iemand wat vraagt zal ik zeggen dat het mijn zusje is die in slaap is gevallen. Maar ik blijf uit de buurt van pubs en loop door smalle straatjes en daarna door de parken, Regents, dan Primmers Hill, vervolgens de onderkant van de Heath, en ik zie niet veel mensen. Rond deze tijd van de avond zijn de mensen te dronken om iets te merken, of ze zijn bezig met hun eigen streken en willen niet de aandacht op zichzelf vestigen.

De hele weg naar huis blijf ik aan die hoed denken. Ik wou dat ik hem niet had laten liggen. Ik vind het niet prettig een stukje van haar daar achter te laten. Als het voorbij is, als ik haar naar huis heb gebracht, ga ik terug, de hele weg terug door de parken en de straten. Het is zo gebeurd nu ik niets te dragen heb. Maar als ik op de binnenplaats kom en achter de stenen kijk is de hoed verdwenen, met bloemen en al.

MAUDE COLEMAN

Ik wachtte op de smeedijzeren treden die van de openslaande deuren naar de tuin leidden. Het rook er naar jasmijn en munt en het gras flonkerde van de dauw. Ik kon kikkers horen kwaken in de vijver achter in de tuin en vanuit het raam onder me Jenny horen snikken in de keuken.

Ik heb nooit goed kunnen wachten – het lijkt altijd zo'n verspilling en ik voel me schuldig, alsof ik iets anders zou moeten doen. Maar ik kon nu niets anders doen; er viel niets te doen. Grootmoeder was gekomen en zat furieus te breien in de zitkamer, maar zo wilde ik niet bezig zijn. Ik keek liever naar de sterren en zocht de constellaties op: de Grote Beer, de Kraai, de Wolf.

Dichtbij sloegen de kerkklokken middernacht.

Pappie kwam in de open deuren staan en stak een sigaret op. Ik keek niet naar hem.

'Het is helder vannacht,' zei hij.

'Ja.'

'Jammer dat we de telescoop niet kunnen opstellen in de tuin; we zouden zelfs de manen van Jupiter kunnen zien. Maar dat zou natuurlijk niet gepast zijn, vind je wel?'

Ik gaf geen antwoord, al had ik hetzelfde gedacht.

'Ik heb er spijt van dat ik tegen je uitviel toen je thuiskwam, Maude. Ik was van streek.'

'Geeft niks.'

'Ik was bang dat ik jou ook had verloren.'

Ik verschoof op het koude metaal. 'Dat moet u niet zeggen, pappie.'

Hij kuchte. 'Nee, je hebt gelijk.'

Toen hoorden we de gil, lang en doordringend uit de richting van het huis van de familie Waterhouse. Ik huiverde.

'Wat was dat in hemelsnaam?' vroeg pappie.

Ik schudde mijn hoofd. Ik had hem niet verteld dat Ivy May vermist werd.

Achter ons klonk het schrapen van een keel. De dokter was de trap afgekomen om ons te halen. Nu het wachten voorbij was wilde ik niet van de treden komen. Ik wilde mijn moeder niet zien. Ik had mijn hele leven op haar gewacht en nu gaf ik er de voorkeur aan altijd op haar te wachten, als dat het enige alternatief was.

Pappie knipte zijn sigaret de tuin in, draaide zich om en volgde de dokter. Ik kon de peuk horen sissen in het bedauwde gras. Toen het stil was ging ik ook naar binnen.

Mammie lag heel stil, met een bleek gezicht en open ogen die onnatuurlijk helder stonden. Ik ging naast haar zitten. Ze richtte haar ogen op mij. Ik wist dat ze wachtte tot ik iets zou zeggen.

Ik had geen idee wat ik moest zeggen of doen. Lavinia en ik hadden zulke scènes vaak gerepeteerd als we aan het toneelspelen waren, maar niets van dat alles leek juist nu ik hier in werkelijkheid bij mammie zat. Het leek dwaas iets melodramatisch te zeggen en belachelijk om iets banaals te zeggen.

Maar uiteindelijk nam ik mijn toevlucht tot het banale. 'De tuin ruikt lekker vanavond. Vooral de jasmijn.'

Mammie knikte. 'Ik ben altijd dol geweest op jasmijn op een zomeravond,' zei ze. Toen sloot ze haar ogen.

Was dat alles waarover we gingen praten – jasmijn? Kennelijk. Ik kneep haar stevig in haar hand en keek doordringend naar haar gezicht, alsof dat me zou helpen het in mijn geheugen te prenten. Het lukte me niet om afscheid te nemen.

De dokter tikte me op de schouder. 'U kunt nu maar beter gaan, juffrouw.'

Ik liet mammies hand los, ging naar beneden de tuin in en waadde door het natte gras naar de achterschutting. De ladder stond er nog, al gingen Lavinia en ik nu niet meer zo vaak naar elkaar toe. Ik klom boven op de schutting. Daar bleef ik even staan, ik sprong toen, kwam in het natte gras terecht en maakte mijn jurk smerig. Toen ik weer op adem was liep ik door de tuin naar de openslaande deuren die rechtstreeks uitkwamen in de achtersalon van de familie Waterhouse.

Het gezin zat bijeen in een halfrond tableau dat een schilder had kunnen opstellen. Ivy May lag op de chaise longue, haar haren uitgespreid rond haar gezicht, de ogen gesloten. Lavinia lag aan de voeten van haar zusje met haar hoofd geleund op de rand van de chaise longue. Mevrouw Waterhouse zat in een leunstoel bij Ivy Mays hoofd en hield haar hand vast. Meneer Waterhouse leunde tegen de schoorsteenmantel met een hand voor zijn ogen. Simon stond met gebogen hoofd aarzelend bij de deur.

Alleen al door naar hen te kijken, zoals ze hier samen waren, en toch zo gescheiden door hun verdriet, wist ik dat Ivy May dood was.

Ik had een gevoel alsof mijn hart was uitgehold, en mijn maag ook.

Toen ik binnenkwam keken ze allemaal naar me. Lavinia sprong op en wierp zich huilend in mijn armen. Ik keek over haar schouder naar mevrouw Waterhouse. Het was alsof ik mezelf zag weerspiegeld in haar gelaat. Haar ogen waren helemaal droog, en ze keek als iemand die een klap heeft gekregen waarvan ze niet meer zal herstellen.

Daarom richtte ik de woorden rechtstreeks tot haar. ‘Mijn moeder is dood.’

KITTY COLEMAN

Haar hele leven was Maude naast me aanwezig geweest, of ze daar nu in werkelijkheid was of niet. Ik duwde haar weg, maar ze bleef.

Nu hield ik haar hand vast en ik wilde die niet loslaten. Zij moest mij loslaten. Toen ze dat ten slotte deed wist ik dat ik alleen was, en dat het tijd voor me was om te vertrekken.

SIMON FIELD

De volgende dag ging meneer Jackson weg en schoot hij dat witte paard door het hoofd.

Later, toen onze pa en Joe en ik aan het graven waren, kwam de politie om me mee te nemen en me te ondervragen. Onze pa keek niet eens verbaasd. Hij schudde alleen zijn hoofd en ik wist wat hij dacht: ik had me nooit met die meisjes moeten bemoeien.

De politie vroeg me het hemd van mijn lijf over wat ik die dag had gedaan, niet alleen over het zoeken naar Ivy May, of over het haar vinden, maar over het paard en Kitty Coleman en meneer Jackson. Ze leken er niks van te snappen en ze waren ook heel onvriendelijk tegen me. Het scheen of ze het zich gemakkelijk wilden maken en wilden zeggen dat ik de misdaad had begaan.

Toen ze op het punt leken te staan mij te beschuldigen zei ik: 'Wie zou zo stom zijn om het meisje dat aan te doen en haar daarna thuis naar haar ouders te brengen?'

'Je zou verbaasd staan over wat misdadigers doen,' zei een van de agenten.

Ik dacht aan die lange man met de bril op achter op de binnenplaats. Maar toen het tijd werd te beschrijven hoe ik Ivy May had gevonden zei ik niets over hem. Het zou gemakkelijker voor me geweest zijn als ik dat had gedaan; het had hun iets anders gegeven om naar te zoeken.

Maar ik wist dat hij allang weg was – die sufferds zouden hem nooit vinden.

Maar ik wel, op een dag. Ik zal hem vinden. Voor Ivy May.

JOHN JACKSON

Ik sprak af juffrouw Coleman te ontmoeten bij haar familiegraf. Ik had overwogen haar te vragen naar Faraday te komen, waar haar moeder en ik elkaar plachten te ontmoeten. Maar het was een dwaas, sentimenteel idee en bovendien riskant – er zouden vragen gesteld kunnen worden als men ons alleen had gezien bij de andersdenkenden, terwijl men kon denken dat we in de wei konden praten over het regelen van de begrafenis.

Ze was helemaal in het zwart, met haar haar opgestoken onder een zwarte strohoed. Ik had haar nooit eerder gezien met haar haar opgestoken, ze zag er een paar jaar ouder uit. Ze heeft er geen idee van, maar ze begint op Kitty te lijken.

'Dank je dat je bent gekomen, juffrouw Coleman,' zei ik toen we naast elkaar bij het graf stonden. 'Ik vind het verlies heel erg. Het is voor ons allemaal een grote schok geweest. Maar je moeder is nu bij God.' Ik knipperde snel met mijn ogen en keek naar de grond. Ik spreek vaak mijn condoleances uit tegenover begrafenisgangers, maar dit keer voelde ik dat woorden tekortschoten.

'Mijn moeder geloofde niet in de hemel,' zei Maude. 'Dat weet u.'

Ik vroeg me af wat die drie laatste woorden moesten betekenen. Hoeveel wist ze over mijn intimiteit met haar moeder? Ze keek zo ondoorgrondelijk dat er onmogelijk naar te raden viel.

'Simon heeft me niet verteld waarover u met me wilde praten

toen hij de boodschap bracht,' zei ze. 'Ik neem aan dat het met de begrafenis van mijn moeder te maken heeft, waarvan ik dacht dat mijn vader die al met u had besproken.'

'Hij was gisteren hier, ja. Er was iets wat ik met hem wilde bespreken, maar niet heb gedaan. Ik dacht dat jij en ik erover konden praten.'

Maude trok haar wenkbrauwen op maar zei niets.

Ik kon het niet op een gemakkelijke manier zeggen – er bestaan geen vaste uitdrukkingen of voorzichtige eufemismen om de schok van het idee minder hard te doen aankomen. 'Je moeder heeft me verteld dat ze liever gecremeerd zou worden, in plaats van begraven.'

Maude keek naar de urn van de Colemans en bestudeerde die alsof ze hem nooit eerder had gezien. 'Dat weet ik. Ze was altijd bang dat ze levend begraven zou worden.'

'Dan zou je misschien je vader kunnen vertellen wat ze tegen je heeft gezegd.'

'Waarom heeft u het hem gisteren niet verteld?'

Ik zweeg even. 'Ze sprak er alleen onofficieel over, ze heeft het niet op schrift gesteld of tegen haar man gezegd. Het zou niet gepast zijn als ík het hem had gezegd.'

Maude tuitte haar lippen. 'Pappie heeft altijd geweten dat ze gecremeerd wilde worden. Ze maakten er ruzie over. Hij vindt dat we horen te doen wat in de maatschappij nu eenmaal de gewoonte is betreffende het afhandelen... van overledenen.'

'Hij zal er niet mee instemmen, ook al weet hij dat het de vurige wens was van zijn vrouw?'

'Hij zal doen wat voor de buitenwereld het beste is.' Maude zweeg. 'Hij heeft haar verloren en nu hij haar terug heeft wil hij er zeker van zijn dat hij haar vasthoudt.'

'Wat mensen doen met hun overledenen is gewoonlijk een afspiegeling van zichzelf, niet zozeer van hun dierbaren,' zei ik.

'Denk je dat al die urnen en engelen iets voorstellen voor de doden? Er is een heel onzelfzuchtige man voor nodig om precies te doen wat zijn vrouw wil, zonder dat zijn eigen wensen en smaken – of die van de samenleving – eraan te pas komen. Ik had eigenlijk gehoopt dat je vader zo'n man was.'

'Maar als al die monumenten niets voorstellen voor de doden, dan kan het hun toch zeker ook niets schelen wat wij met hen doen?' antwoordde Maude. 'Als het hun onverschillig laat, horen we dan niet te doen wat voor ons belangrijk is? Wij zijn tenslotte degenen die achterblijven. Ik heb vaak gedacht dat dit kerkhof voor de levenden is, niet voor de doden. We zorgen voor het graf omdat het ons aan de doden doet denken en aan wat we ons van hen herinneren.'

'Zal de urn op jullie familiegraf je doen denken aan je moeder, aan wat ze was en wat ze wilde?'

'Nee, er is niets van mijn moeder bij,' gaf Maude toe. 'Als mijn moeder haar eigen graf moest kiezen zou daar waarschijnlijk een standbeeld van mevrouw Pankhurst op staan en onder haar naam zou "Vrouwenkiesrecht" staan.'

Ik schudde mijn hoofd. 'Als je moeder haar eigen graf kon kiezen zouden er helemaal geen monumenten of woorden op staan. Het zou een perk met veldbloemen zijn.'

Maude fronste het voorhoofd. 'Maar mammie is dood, nietwaar? Ze is echt dood. Ze zal niet zeggen hoe haar graf moet zijn.'

Ze was een merkwaardige jongedame – er zijn weinig mensen die kunnen zeggen wat zij zei zonder ineen te krimpen.

'En omdat ze dood is,' vervolgde ze, 'zal het haar zeker niets kunnen schelen wat er met haar lichaam gebeurt. Ze zal niet levend worden begraven, dat weten we. Ons kan het wat schelen; mijn vader het meest van allemaal. Hij vertegenwoordigt ons allen en hij moet beslissen wat het beste is.'

Ik bukte me en veegde een spin van het graf van de familie

Waterhouse. Ik wist dat het niet eerlijk van me was iets van haar te eisen, ze was tenslotte pas dertien jaar en had net haar moeder verloren. Maar omwille van Kitty moest ik het doen. 'Ik wilde alleen aan je vragen, juffrouw Coleman,' zei ik vriendelijk, 'dat je je vader zegt wat je weet – wat hij zelf ook al moet weten – over de wensen van je moeder. Natuurlijk moet hij beslissen wat er moet gebeuren.'

Maude knikte en draaide zich om om weg te gaan.

'Maude,' zei ik.

'Ja?'

'Er is nog iets.'

Ze sloot even haar ogen en keek me daarna aan.

'Je moeder is...' Ik zweeg abrupt. Ik kon het haar niet zeggen; het zou een schending zijn van mijn beroepsplicht, en ik kon mijn baan verliezen als ik iets zei. Maar ik wilde haar op een bepaalde manier waarschuwen. 'Het zou het beste zijn als je nu meteen met je vader sprak en niet later.'

'Goed.'

'Het is een dringende zaak. Misschien meer dan je denkt.'

'Ik zal vandaag met hem praten.' Maude keerde zich om en haastte zich over het pad naar de ingang.

Ik bleef daar een tijdje staan kijken naar het graf van de Colemans. Ik kon me maar moeilijk voorstellen dat Kitty daar begraven zou liggen. Bij het zien van die belachelijke urn kon ik wel in lachen uitbarsten.

RICHARD COLEMAN

Ze kwam bij me in mijn studeerkamer terwijl ik wat papieren doorkeek. Ik hield op met schrijven. 'Wat is er, Maude?'

Ze haalde diep adem; ze was duidelijk heel nerveus. 'Mammie heeft me ooit eens verteld dat ze gecremeerd wilde worden en dat haar as verspreid moest worden.'

Ik keek neer op mijn handen. Op de manchet van mijn overhemd zat een inktvlek. 'Je moeder heeft een heleboel dingen gezegd waar niets van is gekomen. Ze heeft ooit eens gezegd dat ze vier kinderen wilde. Zie jij zusjes of broertjes om je heen? Soms is wat we denken en wat we doen niet hetzelfde.'

'Maar...'

'Zo is het wel genoeg, Maude. Er valt over de zaak niets meer te zeggen.'

Maude huiverde. Ik had scherper gesproken dan ik bedoelde. Tegenwoordig vind ik het moeilijk mijn stem te beheersen.

'Het spijt me, pappie,' fluisterde ze. 'Ik dacht alleen aan mammie. Ik wilde u niet van streek maken.'

'Je hebt me niet van streek gemaakt!' Ik duwde mijn pen zo hard op het papier dat de punt plotseling afbrak. 'Verdomme!' Ik gooide de pen neer.

Maude glipte zonder iets te zeggen naar buiten.

Hoe eerder deze week voorbij is, hoe beter.

LAVINIA WATERHOUSE

Gekocht bij Jay's in Regent Street, 22 juni 1908:

1. Eén zwarte jurk in paramatzijde voor mij, voor de begrafenis en voor 's zondags; mijn oude merinosjurk is voor door de week. Er was zelfs nog een mooiere jurk, met kant en zo om de hals, maar die was te duur.
2. Eén zwarte bombazijnen jurk voor mama. Hij ziet er zo goedkoop en glimmend uit dat ik haar probeerde over te halen liever een paramatjurk te kopen, maar ze zei dat we het geld niet hadden en ze zag mij liever in zijde omdat het voor mij meer betekent. Lief van haar.
3. Eén zwarte katoenen onderrok voor mij, twee paar directoires, afgezet met zwart lint.
4. Eén zwarte vilthoed met voile voor mij. Ik wilde per se de voile – ik zie er zo afschuwelijk uit als ik heb gehuild en ik zal de voile vaak omlaag moeten trekken om mijn rode ogen en neus te verbergen. Mama kocht geen hoed voor zichzelf maar zei dat ze een van haar hoeden zwart zou verven. Ze kocht in elk geval een paar struisvogelveren om hem ermee af te zetten.
5. Twee paar zwarte katoenen handschoenen voor mama en mij. Ze hebben vier prachtige gitzwarte knopen op de manchet. Mama had liever gewone, zonder knopen, maar ik ruil-

de ze om toen ze even niet keek. Ook een paar handschoenen, een hoedband en een zwarte das voor papa.

6. Zeven zwartgerande zakdoeken – twee voor mama, vijf voor mij. Ik wilde er veel meer, maar dat mocht niet van mama. Ze heeft helemaal niet gehuild, maar ik stond erop dat ze er een paar moest hebben, voor het geval ze toch gaat huilen.
7. Tweehonderd vel briefpapier met een niet te brede zwarte rand.
8. Honderd gedachteniskaarten in bestelling waarop het volgende staat:

IVY MAY WATERHOUSE
'Een lieflijke bloem te schielijk geplukt,
Te bloeien in hemelse domeinen;
Duizenden zullen wensen op de Dag des Oordeels,
Dat hun leven zo kort was geweest als het mijne.'

Ik heb het grafschrift gekozen omdat mama het te kwaad kreeg in de winkel en naar buiten moest gaan. De verkoopster zei dat de tekst bedoeld was voor een baby, niet voor iemand van Ivy Mays leeftijd, maar ik vind hem prachtig, vooral de zin 'Te bloeien in hemelse domeinen', en ik stond erop hem te gebruiken.

Ik had de hele dag wel kunnen doorbrengen bij Jay's – het is zo vertroostend in een winkel te zijn die helemaal is gewijd aan wat men ondergaat. Maar mama weigerde te blijven en deed heel kortaf tegen me. Ik weet niet wat ik met haar moet aanvangen; ze is heel bleek, de arme schat, en zegt nauwelijks een woord, alleen om tegen te spreken. Ze blijft de meeste tijd in haar kamer en daarom moest ik gastvrouw zijn – koppen thee schenken, Elizabeth vragen meer cake en warme broodjes te halen. Er zijn vandaag zo veel neven en nichten gekomen dat we te kort kwamen en ik Elizabeth naar de bakker moest sturen om meer. Zelf kan ik niets eten, op nu en dan een snee krentenbrood na, wat wordt aanbevolen door de paleisarts om je krachten te bewaren.

Ik heb geprobeerd mama te interesseren voor de condoleancebrieven die we ontvangen hebben, maar ze schijnt ze niet te willen lezen. Ik moest ze zelf beantwoorden omdat ik bang ben dat mama het gewoon zal vergeten als ik ze laat liggen, en het is niet gepast een antwoord uit te stellen.

De mensen hebben de meest verrassende dingen gezegd over Ivy May: wat een engel ze was en zo'n goede hulp voor mama, dat ze een volmaakte dochter was en zo'n steun voor mama, hoe tragisch het voor ons is en hoezeer ze gemist zal worden. Soms zou ik zelfs terug willen schrijven om te vragen of ze soms dachten dat ík was gestorven. Maar in plaats daarvan zorg ik ervoor mijn naam groot en duidelijk onder de brief te zetten zodat er geen twijfel over zal bestaan.

Mama zei me bij het ontbijt dat ze niet wil dat ik terugga naar school, dat ik het kwartaal kan afmaken door thuis te studeren. Gelukkig maar, want ik ben niet in de stemming om in een klas te zitten. Ik zou waarschijnlijk alles in de war schoppen door op de verkeerde momenten te gaan huilen. En het volgende kwartaal moet ik van school veranderen en naar de Saint Union gaan aan Highgate Road. Ik was er heel blij om, want de meisjes daar hebben zulke mooie uniformen. Ik was natuurlijk verbaasd omdat het een katholieke school is, maar misschien hoef ik dat niet te zijn – mama vroeg een priester van St. Joseph's in Highgate om haar gisteravond te komen bezoeken. Papa zei geen woord. Wat kun je zeggen als een terugkeer naar het katholicisme haar troost geeft?

Papa heeft het heel druk gehad met alles te regelen, en dat is maar goed ook, denk ik. Ik heb hem geholpen waar ik kon, omdat mama dat niet kan. Toen de begrafenisondernemer bij ons kwam was ik het die de jurk uitkoos die Ivy May gaat dragen (een witte katoenen met pofmouwen die vroeger van mij was) en de bloemen (lelies) en wat er met haar haar moest gebeuren (losse krullen en een kroontje, gevlochten van witte rozen). Papa beantwoordde de andere vragen over de kist en de paarden en zo. Hij sprak ook met de mensen van het kerkhof en de dominee, en met de politie.

Van dat laatste schrok ik, omdat papa een agent mee naar huis bracht om mij te ondervragen! Hij was heel aardig, maar hij stelde me zo veel vragen over die afschuwelijke middag in Hyde Park, dat ik in de war begon te raken over wanneer Ivy May precies werd vermist. Ik probeerde dapper te zijn maar ik vrees dat ik alle zakdoeken moest gebruiken die ik zojuist had gekocht. Gelukkig was mama boven en hoefde ze zo de bijzonderheden niet te horen. Tegen de tijd dat ik klaar was had papa tranen in zijn ogen.

De politieagent bleef me maar vragen over de mannen in de menigte. Hij vroeg zelfs naar Simon, alsof Simon iemand was die je moest verdenken! Dat heb ik hem even duidelijk gemaakt. En ik vertelde hem over de mannen die Maude en mij achterna hadden gezeten bij de betoging, en hoe bang we waren.

Ik vertelde hem niet over de man die zijn hand op mijn gat had gelegd. Ik wist dat ik dat had moeten doen, dat het juist datgene was waarnaar hij zocht. Maar ik schaamde me te zeer om erover te praten. En ik kon de gedachte niet verdragen dat die man mijn zusje te pakken had gekregen. Het tegen de agent zeggen zou een erkenning zijn dat hij dat had gedaan. Ik wilde Ivy May tegen hem beschermen, in elk geval in mijn gedachten.

Niemand heeft erover gesproken wat er eigenlijk met Ivy May is gebeurd. Maar ik kan het me voorstellen. Ik ben geen idioot. Ik heb de plekken in haar hals gezien.

Vanavond stond ik aan mijn raam toen ik Maude in het hare

zag staan. We zwaaiden even naar elkaar, maar het was een heel vreemd gevoel en na een tijdje stapte ik bij het raam weg. We mogen elkaar niet bezoeken omdat het niet gepast is bezoeken af te leggen als men in de rouw is. Bovendien, ik denk niet dat met Maude praten me veel troost zou geven – ik kan alleen maar denken aan hoe haar moeder ons in de steek liet in die enorme menigte, en hoe de bezwete hand van Ivy May uit de mijne glipte.

Ik ging op het bed zitten en keek naar Ivy Mays witte bedje in de hoek. Nooit zouden we meer 's avonds in bed liggen en elkaar fluisterend verhaaltjes vertellen – of liever gezegd, ik vertelde ze en zij luisterde. Ik ben nu helemaal alleen.

Het deed zoveel pijn naar dat bedje te kijken dat ik direct naar beneden ging en papa vroeg het weg te halen.

GERTRUDE WATERHOUSE

Ik voel me zo zwaar schuldig dat ik niet uit bed kan komen. De priester is geweest en de dokter, en geen van beiden kunnen ze me uit mijn depressie halen.

Ik heb hun niet verteld, ook Albert niet, dat ik net deed alsof ik een verstuikte enkel had. Albert, die lieverd, dacht dat het echt was. Als ik het niet had voorgewend, als ik de meisjes had meegenomen naar de betoging – of als ik Livy haar zin maar niet had gegeven en er niet in had toegestemd dat ze ging – zou Ivy May hier nu bij me zitten.

Ik heb mijn dochter gedood door mijn eigen stommiteit, en als zij er niet is wil ik ook niet verder leven.

EDITH COLEMAN

Het eerste wat ik heb gedaan is die brutale meid haar congé geven. Het spijt me te moeten bekennen dat iets in een huis vol rouw me voldoening heeft geschonken, maar dat is wel het geval. Natuurlijk jammerde ze handenwringend, maar haar theatrale gedoe had geen uitwerking op me – integendeel, het overtuigde me vaster dat ik juist had gehandeld, en net op tijd ook.

Jenny had de brutaliteit over Maude te beginnen. 'Wat zal zij gaan doen?' bleef ze maar huilen.

'Maude zal doorgaan zoals ze altijd heeft gedaan. Ik zal voor haar zorgen; ik zal hier blijven, en wel net zo lang als ik nodig ben. Maar dat gaat jou niets aan.'

Jenny keek verslagen.

'Ik heb je twee jaar geleden de laan uitgestuurd,' herinnerde ik haar, 'om redenen die je vast nog wel weet. Mijn schoondochter had je nooit terug mogen nemen. Pak je spullen en vertrek. Je laatste loon zal je worden toegestuurd.'

'Hoe zit het met mijn getuigschrift?'

Ik snoof minachtend. 'Denk je dat ik een meisje als jij een getuigschrift ga geven?'

'Maar hoe moet ik dan een andere baan krijgen?'

'Daar had je aan moeten denken toen je met die man ging vrijen.'

Het meisje rende de kamer uit. Tot mijn verrassing verscheen mevrouw Baker enkele minuten later en vroeg me Jenny aan te houden.

'Waarom zou ik een meisje van zulke losse zeden aanhouden?' antwoordde ik. 'Geloof me maar, ze is veel beter af als ze thuisblijft en voor haar kind zorgt, die arme dreumes.'

'En waarmee zal ze hem voeden, met lucht?'

'Pardon?'

'Het gaat niet om Jenny's zoon, mevrouw,' zei mevrouw Baker. 'Het is omwille van juffrouw Maude dat ik u vraag Jenny aan te houden. Het arme kind heeft zojuist haar moeder verloren – ik zou niet graag zien dat ze de mensen om zich heen ook verliest. Jenny is hier geweest sinds juffrouw Maude een baby was. Ze is bijna familie van haar.'

'Dat meisje is helemaal geen familie van Maude!' Ik was zo woedend dat ik moeite had niet te gaan schreeuwen. 'Hoe durft u haar te vergelijken met de Colemans! En Maude heeft haar niet nodig, ze heeft mij.' Door een moeder te verliezen heeft ze een grootmoeder gewonnen, zei ik bijna, maar ik bedacht me.

Jenny vertrok dus. Maude zei geen woord, maar ze stond in de gang naar haar te kijken toen ze wegging en ze zag lijkbleek.

Vervolgens nam ik een ander besluit, omwille van haar en van Richard. Op de ochtend van Kitty's overlijden begonnen de bloemen al binnen te stromen, zorgvuldig geschikte boeketten van lelies, irissen, korenbloemen, witte rozen, allemaal omwonden met linten van rood, groen en wit. Op de kaarten stonden dingen als 'Voor onze gevallen kameraad' en 'Hoop is krachtig – zowel in de hemel als op aarde' en 'Zij heeft zich opgeofferd voor de zaak.' En die helse telefoon ging zo vaak over dat ik een man moest laten komen om hem af te sluiten. Daarna begonnen suffragettes aan de deur te komen om over de begrafenis te vragen, totdat ik hen weg liet sturen door het ingehuurde meisje dat Jenny verving. Het was duidelijk dat Kitty voor hen een martelaar aan het worden was. Ik mocht er niet aan denken wat er zou gebeuren als de suffragettes massaal op de begrafenis zouden verschijnen; ze zouden zich er meester van kunnen maken en die veranderen in een politieke betoging. Ik zou het mezelf nooit vergeven als ik de familienaam van James weer door het slijk zou laten halen.

Ik zou het niet laten gebeuren. Ik sprak met Richard over mijn plan en hij was het er direct mee eens. Daarna was het niet moeilijk de zaken naar onze voldoening te regelen – discretie is tenslotte van het grootste belang in de begrafenisbranche.

JENNY WHITBY

Ze kwam achter me aan rennen toen ik met mijn tas de straat uitliep. Tegen die tijd huilde ik niet meer – ik was te bang voor wat er van me zou worden om zelfs nog te huilen. Ze zei niks, sloeg haar armen om me heen en omhelsde me stevig.

Ze kan niks doen – wat kan een meisje van dertien tegen zo'n grootmoeder beginnen? Ik voel me afschuwelijk omdat ik mijn belofte aan haar mam over die toverkol verbroken heb; mevrouw had dat moeten weten. En ik kan ook niets doen om haar geheim verborgen te houden voor de mannen. Dat is nu in Gods handen, of waarschijnlijk in die van juffrouw Livy.

Maar daar hoef ik me geen zorgen over te maken; nu heb ik mijn eigen zorgen, bijvoorbeeld mijn mam en mijn zoon en mezelf onderhouden zonder loon en zonder getuigschrift. Ik heb geen tijd voor tranen. Ik heb de rest van mevrouws zilveren bestek in mijn tas, maar dat raakt ook een keer op.

ALBERT WATERHOUSE

Ik schaam me een beetje voor mijn dochter. Ik weet dat dit moeilijke dagen voor haar zijn, net als voor ons allen; ik heb me zelfs afgevraagd of ze er niet aan onderdoor zou gaan. Maar ik wilde dat Livy en Maude niet in het openbaar zulke vreselijke dingen tegen elkaar hadden gezegd, en dat nog wel vlak bij het graf van Ivy May, mijn arme Ivy May, die ik niet kon beschermen tegen kwaadwillige mannen. Ik ben blij dat Trudy werd getroost door een zuster en hen niet heeft gehoord; ze zou zich dood zijn geschrokken als ze gehoord had dat er over haar ruzie werd gemaakt.

Eerst had het iets te maken met Maudes jurk. Ik kan niet oordelen over zulke zaken, maar ze droeg een vrij mooie zijden jurk waar Livy kennelijk jaloers op was. Livy zei zoiets als dat de jurk te ostentatief was voor een meisje van dertien.

Daarop antwoordde Maude: 'Lavinia, jij kunt dat woord niet eens spellen, laat staan begrijpen wat het betekent. Rouwkleren zijn per definitie niet ostentatief.'

Ik was tamelijk verrast, want Maude heeft meestal een vriendelijke stem. Maar ja, ze had net haar moeder verloren. En Livy was erg geschrokken – en woedend, moet ik tot mijn spijt zeggen.

'Ik weet in elk geval dat jij geen platte strohoed bij die jurk hoort te dragen,' zei Livy. 'En je hoort je haren ook helemaal niet op te steken onder een platte strohoed, dat ziet er gewoon mal uit. Jouw haar is niet dik genoeg om het op te steken, zoals het mijne.'

'Misschien ben je vergeten dat ik geen moeder heb aan wie ik advies kan vragen,' zei Maude. 'En ook geen zusje, niet eens een dienstbode nu.'

'Ik heb ook geen zusje! Ben je dat soms vergeten?'

Maude keek beschaamd door haar blunder en als Livy haar had toegestaan zich te verontschuldigen – en ze leek op het punt te staan om dat te doen – zou hun ruzie zijn overgewaaid. Maar natuurlijk kon Livy er niet aan weerstaan haar argument te benadrukken. 'Jij denkt alleen aan jezelf. Heb je niet even gedacht aan die arme mama die haar dochter heeft verloren? Is er iets ergers dan je kind verliezen?'

'Je moeder verliezen, misschien,' zei Maude zacht.

Die vergelijkingen waren zo hatelijk dat ik eindelijk moest ingrijpen, en ik wilde dat ik het eerder had gedaan. (Dat wil ik vaak, als het te laat is.) 'Livy, zou je niet met je moeder naar het rijtuig willen lopen?' vroeg ik en ik keek tegelijkertijd met wat ik hoopte een sympathieke blik naar Maude.

'Papa, hoe vaak moet ik je eraan herinneren dat het Lavinia is?' Livy keerde Maude de rug toe en liep naar haar moeder. Ik stond op het punt iets te zeggen – ik weet niet meer wat – maar voordat ik dat kon glipte Maude weg en rende het pad op, verder het kerkhof op.

Later die avond kon ik niet slapen en ik ging naar beneden om *Cassell's* en *The Queen* te pakken. Ik heb nooit eerder in vrouwenhandboeken gekeken – dankbaar dat ik weinig te maken heb met huishoudelijke zaken. Maar ten slotte vond ik wat ik zocht: in beide handboeken staat dat een kind dat om zijn ouders rouwt en een ouder die om zijn kind rouwt dat doen voor hetzelfde tijdsbestek: één jaar.

Ik liet beide boeken, open op die pagina's, op tafel liggen, maar toen ik de volgende morgen beneden kwam had iemand ze weggezet.

MAUDE COLEMAN

Ik bleef maar beven. Ik ben nog nooit zo woedend geweest.

Wat ik het ergste vond waren de afschuwelijke dingen die ik zelf ook had gezegd. Lavinia heeft het slechtste in me wakker gemaakt, en het is veel moeilijker daarmee te leven dan met haar opmerkingen. Ik ben eraan gewend geraakt dat ze onnozele en domme dingen zegt, en meestal heb ik kans gezien me niet zo te verlagen als zij, behalve nu.

Lange tijd zat ik bij de slapende engel. Ik wist niet waar ik heen holde, totdat ik daar ten slotte terechtkwam. En daar vond hij me. Ik denk dat ik wist dat hij dat zou doen. Hij ging aan het uiteinde van de marmerplaat zitten, maar keek me niet aan en zei niets. Zo is hij nu eenmaal.

Ik keek omhoog naar de helderblauwe lucht. Het was een weerzinwekkend zonnige dag voor een begrafenis, alsof God de spot dreef met ons allemaal.

'Ik haat Lavinia,' zei ik en ik sloeg naar wat wikke die onder aan het voetstuk van de engel groeide.

Simon gromde. 'Dat klinkt als iets wat Lavinia zou zeggen.'

Hij had gelijk.

'Maar jij bent Livy niet,' voegde hij eraan toe.

Ik haalde mijn schouders op.

'Luister, Maude,' zei hij en hij zweeg toen.

'Wat is er?'

Simon klopte met zijn vinger op het marmer. 'We zijn het graf van je moeder nu aan het graven.'

'O.' Ik kon zo gauw niets anders bedenken.

'Het is te vroeg om het te graven. Voor een begrafenis die voor overmorgen is bedoeld, in zandgrond? We zouden het morgenmiddag moeten graven. Anders zou het in kunnen storten, als het daar een dag extra blijft liggen. Zo is het gevaarlijk. Stutten helpt niet altijd in zand. En Ivy Mays graf is zo dichtbij. Ik hou er niet van op die manier twee graven vlak bij elkaar te delven; aan die kant is het zand niet zo stevig. Maar er valt niets aan te veranderen, nietwaar?'

'Wie heeft je gezegd mammies graf nu te delven, in plaats van morgen?'

'De baas. Hij zei het ons vanmorgen. Onze pa probeerde het hem uit zijn hoofd te praten, maar hij zei alleen dat we er direct na de begrafenis van Ivy May aan moesten beginnen. Hij zei dat hij de gevolgen wel op zich zou nemen.'

Ik wachtte tot Simon verder zou gaan. Ik kon aan zijn gezicht zien dat er iets was wat hij me op den duur zou vertellen, wat hij in zijn eigen tijd stap voor stap aan het voorbereiden was.

'Dus ben ik eens rond gaan neuzen. Uit de werkmap in de portierswoning werd ik niets wijzer. Toen hoorde ik dat de kapel voor morgen was gereserveerd. Nu weet ik dat andere graven die voor morgen gedolven zijn allemaal kisten hebben die van buiten komen. Er staat niet bij voor welke de kapel is.'

Ik schudde mijn hoofd. 'De dienst voor mammie is vrijdagmiddag in St. Anne's. Dat heeft pappie me gezegd.'

'Toen vertelde een van de doodbidders bij de begrafenis van Ivy May me net dat ze morgen hier in de kapel een dienst houden.' Simon ging door alsof ik niets had gezegd. 'Dat moet jouw ma zijn. Het enige graf dat klaar is, zonder dat er iets ingaat, is het hare.'

Ik kwam overeind. Het deed me pijn hem zo over mammie te horen praten, maar ik wilde niet dat hij zag hoezeer zijn woorden mij van streek maakten. 'Bedankt dat je me dat hebt verteld,' zei ik. 'Ik zal proberen van pappie te weten te komen of er iets is veranderd.'

Simon knikte. 'Ik dacht alleen dat je het zou willen weten,' zei hij verlegen.

Ik vroeg me af of Simon wist dat meneer Jackson me had gevraagd over crematie te beginnen – al het andere leek hij te weten te komen. Maar als hij het wist zei hij het niet. Bij het graf van Ivy May had meneer Jackson me aangekeken, en op zijn onuitgesproken vraag had ik mijn hoofd geschud. Tegen die tijd moet hij hebben vermoed dat pappie nee had gezegd, anders had hij het van ons gehoord.

In plaats daarvan vroeg ik Simon over iets anders, iets waarvan ik zeker was dat hij het wist. 'Wat is er die dag met Ivy May gebeurd?' vroeg ik terwijl ik hem strak aankeek. 'Niemand wil het me vertellen.'

Simon ging verzitten op het marmer. Hij zweeg lange tijd en ik vroeg me af of ik het nog eens moest vragen. Toen schraapte hij zijn keel. 'Iemand heeft haar gewurgd.'

Zijn antwoord was zo grimmig dat ik mijn keel voelde dichtknijpen. 'Een man?' kon ik nog uitbrengen.

Simon knikte en ik zag aan zijn gezicht dat ik verder niets moest vragen.

Even zaten we daar zonder iets te zeggen.

'Ik vind het erg van je mam,' zei Simon ineens. Hij bukte zich naar me toe en kuste me snel op mijn wang, sprong toen op van het graf en was verdwenen.

Thuis trof ik grootmoeder in de hal; ze bekeek een boeket dat was gebracht – lelies, omwonden met groene, witte, rode en zwarte linten. 'Suffragettes!' mompelde ze. 'Maar goed dat we...'

Ze zweeg toen ze me zag. 'Ben je al terug van de maaltijd?'

'Ik ben nog niet bij de familie Waterhouse geweest,' bekende ik.

'Niet geweest? Ga er dan direct naartoe. Ga hen condoleren. De arme moeder van het kind ziet grauw van verdriet. Wat een afschuwelijke, afschuwelijke dood. Ik hoop dat ze de man te pakken krijgen die...' Ze hield zich in.

'Ik ga wel,' loog ik, 'ik moet eerst even mevrouw Baker spreken.' Ik liep vlug naar beneden zodat ik haar niet hoefde vertellen waarom ik niet naar het begrafenismaal ging. Ik kon het gewoon niet verdragen het gezicht van mevrouw Waterhouse te zien, waar al het leven uit was weggetrokken. Ik kon me niet voorstellen hoe het voelde een kind te verliezen, en haar op zo'n vreselijke, mysterieuze manier te verliezen. Ik kon het alleen maar vergelijken met mijn gevoel over het verlies van mijn moeder: een pijnlijke leemte en een onzekerheid over het leven nu een van de dingen die ik als vanzelfsprekend had beschouwd verdwenen was. Mammie mag dan de laatste paar jaar afwezig en terughoudend zijn geweest, maar ze leefde in elk geval nog. Het was alsof mammie me tegen een vuur had beschermd en toen ineens was weggenomen, zodat ik de verschroeiende vlammen op mijn gezicht kon voelen.

Maar voor mevrouw Waterhouse moest het gewoon een afgrijselijk gevoel zijn dat ik met geen mogelijkheid kon beschrijven.

Was het ene erger dan het andere, zoals Lavinia leek te suggereren? Ik wist het niet. Ik wist alleen dat ik de lege blik van mevrouw Waterhouse niet kon zien zonder het gevoel dat zich een afgrond voor mijn voeten opende.

In plaats van naar het begrafenismaal van de familie Waterhouse te gaan liep ik naar beneden om mevrouw Baker te vragen over het onze. Omdat zij die maaltijd bereidde, zou zij zeker weten of er in de afspraken iets was veranderd.

Ze stond aan het fornuis in een pan aspic te roeren. 'Dag juffrouw Maude,' zei ze. 'Je moet wat eten, je hebt de laatste paar dagen je eten niet aangeraakt.'

'Ik heb geen honger. Ik... ik wilde vragen of alles klaarkomt voor vrijdag. Grootmoeder wilde dat ik er voor haar naar informeerde.'

Mevrouw Baker keek me vreemd aan. 'Natuurlijk komt het klaar.' Ze draaide zich weer naar haar pan. 'Ik heb vanmorgen al met je grootmoeder gesproken. In twee uur is er niets veranderd. De vleesgelei zal vannacht indikken, de ham moet vanmiddag worden bezorgd. Tegen het eind van de dag hoort alles klaar te zijn. Mevrouw Coleman wilde dat ik alles vroeg klaar had, zodat ik haar morgen met andere dingen kan helpen; ze is niet bijster gelukkig met de tijdelijke hulp. Niet dat ik alles zal gaan doen. Ik ga niet op mijn knieën werken, wat er ook gebeurt.' Ze keek boos naar de pan. Ik wist dat ze Jenny miste, al zou ze dat nooit zeggen.

Ze dacht duidelijk dat de begrafenis op vrijdag zou zijn. Als pappie de datum had veranderd zou niemand dat weten, behalve hij en waarschijnlijk grootmoeder. Ik kon het niet over mijn hart verkrijgen het een van hen te vragen, en ik wist dat ze het me toch niet zouden vertellen.

Toen ik de volgende morgen beneden kwam voor het ontbijt zaten pappie en grootmoeder echter aan tafel in hun beste rouwkleren, met onaangeraakte koppen koffie voor zich. Er lag een eigenaardige trek op hun gezicht, maar ze zeiden gewoon: 'Goedemorgen, Maude,' toen ik voor een bord gestolde pap ging zitten. Ik probeerde te eten maar kon het niet door mijn keel krijgen, daarom roerde ik maar wat met mijn lepel door de pap.

Er werd gebeld. Pappie en grootmoeder schrokken op. 'Ik doe wel open,' zei grootmoeder tegen de ingehuurde werkster, die wat achteraf stond bij het buffet. Ik keek fronsend naar pappie maar hij wilde me niet aankijken – hij hield zijn ogen op de krant gericht, al geloof ik niet dat hij die echt las.

Ik hoorde zacht praten in de hal en daarna zware voetstappen op de trap die ook kraakten. Al spoedig klonken de voetstappen boven ons, in mammies kamer, en ik wist dat Simon gelijk had.

'Waarom heeft u dit gedaan, pappie?'

Hij wilde me nog steeds niet aankijken. 'Eet je pap op, Maude.'

'Ik heb geen honger. Waarom heeft u de dag van de begrafenis veranderd?'

'Ga je nieuwe jurk aantrekken, Maude,' zei grootmoeder vanuit de deuropening.

Ik bleef op mijn stoel zitten. 'Ik wil weten waarom u dit heeft gedaan. Ik heb het recht om het te weten.'

'Jij hebt geen enkel recht!' brulde mijn vader, terwijl hij met zijn hand zo hard op tafel sloeg dat de koffie uit beide koppen spatte. 'Laat ik je dat niet nog een keer horen zeggen. Je bent mijn dochter en je zult doen wat ik zeg! Ga je nu omkleden.'

Ik bleef op mijn stoel zitten.

Pappie keek me woedend aan. 'Heb ik dan geen autoriteit meer in mijn eigen huis? Gehoorzaamt niemand me meer? Strekt haar invloed zich zo ver uit dat mijn eigen dochter niet meer wil doen wat ik zeg?'

Ik bleef op mijn stoel zitten.

Pappie stak zijn hand uit en sloeg mijn papbord op de grond. Het spatte aan stukken uiteen aan de voeten van de dodelijk verschrikte meid.

'Richard,' waarschuwde grootmoeder. Ze wendde zich naar mij en haar gezicht had meer rimpels dan gewoonlijk, alsof ze slecht had geslapen. 'De begrafenis van je moeder zal vanmorgen zijn. We vonden het maar beter een privé-dienst te houden, dan kunnen de verkeerde elementen die niet overheersen. Ga naar boven je jurk aantrekken. Gauw nu, dan praat ik even met mevrouw Baker. Het rijtuig zal zo hier zijn.'

'Ik wilde niet gekaapt worden door suffragettes,' zei pappie ineens. 'Je hebt gezien wat er gebeurde toen ze uit de gevangenis kwam; alles veranderde in een overwinningsfeest. Ik mag doodvallen als ik toesta dat ze van haar een martelares maken. "Gesneuvelde kameraad" noemen ze haar. Ze kunnen naar de hel lopen!' Hij leunde achterover in zijn stoel met zo'n gepijnigde blik in zijn ogen dat ik hem bijna zijn gedrag vergaf.

Ik wist dat er niets aan te doen was, daarom holde ik naar boven. Toen ik voorbij mammies kamer kwam – ik had die de hele week vermeden en alles wat erin gedaan moest worden had ik aan grootmoeder overgelaten – hoorde ik geklop. Ze waren de kist aan het dichttimmeren.

Ik kleedde me snel om op mijn kamer. Toen schoot het me te binnen dat ik tóch iets kon doen. Ik pakte pen en papier en krabbelde een briefje, even nadenkend om me het adres te herinneren dat ik zo vaak op de brievenpagina van de plaatselijke krant had gezien. Ik graaide mijn hoed en handschoenen, rende weer naar beneden, voorbij de verbaasde gezichten van pappie en grootmoeder, en liep door naar de keuken.

Mevrouw Baker stond met gekruiste armen bij de tafel woedend te kijken naar de berg eten die klaarstond, een grote ham die glom van de gelei in het midden.

'Mevrouw Baker,' fluisterde ik, 'als u ooit van mijn moeder heeft gehouden, zoek dan alstublieft iemand om dit direct te bezorgen. Alstublieft, omwille van haar. Zo snel u kunt, anders zal het te laat zijn.'

Mevrouw Baker keek even naar het adres, daarna beende ze zonder iets te zeggen naar de achterdeur en rukte die open. Toen ik met pappie en grootmoeder in het rijtuig stapte zag ik haar op straat een jongen aanhouden en hem het briefje geven. Ik weet niet wat ze tegen hem zei, maar ik zag hem wegrennen alsof de duivel hem op de hielen zat.

Het goot van de regen. De begrafenisondernemer had stro uitgespreid voor ons huis om het geluid van de paardenhoeven te dempen, maar dat was niet nodig, de regen maakte het toch onmogelijk iets te horen. Een paar buren hadden de begrafenisrijtuigen gezien en stonden in hun deuropening, maar de meeste verwachtten het pas de volgende dag.

Niemand zei wat in het rijtuig. Ik keek uit het raampje naar de voorbijgaande huizen en daarna naar het lange hek van bakstenen en ijzer dat de graven van de straat scheidde. Het rijtuig waarin de kist lag en dat voor ons reed, droop van de regen. Overal langs de route namen mensen even hun hoed af toen wij voorbijreden.

Op het kerkhof kwam meneer Jackson naar het rijtuig lopen met een grote paraplu en hij hielp eerst grootmoeder uitstappen en daarna mij. Hij knikte even naar me en ik knikte terug. Daarna bracht hij ons door de poort naar de ingang van de kapel, waar tante Sarah op ons stond te wachten. Ze was twaalf jaar ouder dan mammie en woonde in Lincolnshire. Ze hadden weinig contact met elkaar. Ze kuste me vluchtig op de wang en gaf pappie een hand. Daarop gingen we de kapel in voor de dienst.

Ik zat in de voorste bank tussen pappie en tante Sarah, en grootmoeder zat naast pappie. Eerst waren we maar met z'n vieren en de dominee van St. Anne's die de dienst leidde, maar toen we de eerste hymne begonnen te zingen hoorde ik stemmen achter me die invielen bij het zingen van 'Nearer my God to Thee' en toen ik me omdraaide zag ik meneer Jackson en Simon achterin staan.

Juist toen we de tweede hymne hadden gezongen, 'Abide with me' (die mammie natuurlijk verafschuwde), ging de deur met een klap open. Caroline Black stond in de opening, zwaar hijgend, haar hoed scheef, met loshangende haren. Pappie verstijfde. 'Dat verdomde wijf kan doodvallen,' mompelde hij. Caroline Black ging halverwege het middenpad zitten en keek mij aan. Ik knikte naar haar. Toen ik me omdraaide kon ik pappies woede naast me voelen, en ik glimlachte even en stak mijn kin naar voren, zoals mammie altijd deed als ze zich verzette.

Val dood, dacht ik. Val zelf maar dood.

Toen alles achter de rug was, toen de kist naar het kerkhof was gebracht en in het graf was gelegd, met die monsterachtige urn erop; toen Simon en zijn vader het begonnen te vullen, gestaag doorwerkend in de gietregen; toen ik mijn moeder achterliet om aan de rit naar huis te beginnen, toen stak Caroline Black haar hand uit en greep de mijne. Toen pas begon ik eindelijk te huilen.

DOROTHY BAKER

Het was zonde van al dat verspilde eten. Ze verontschuldigde zich niet eens, ze zei alleen dat de plannen veranderd waren en dat er maar vier mensen zouden zijn voor het begrafenismaal. En ik maar voorbereidingen treffen voor vijftig!

Bijna was ik ter plekke weggelopen als juffrouw Maude er niet was geweest. In een week tijd had ze haar mam en Jenny verloren, en ook haar beste vriendin, afgaande op wat de werkster van de familie Waterhouse zegt. Ze heeft er niets aan als ik ook nog wegloop.

SIMON FIELD

Wat er vandaag is gebeurd zal ik nooit aan Maude vertellen. Waarschijnlijk aan niemand.

Na de begrafenis van Kitty Coleman begonnen onze pa en Joe en ik het graf te vullen. De grond is zanderig en dat maakt het lastig om er veel tegelijk in te scheppen, zelfs in de regen. Het is altijd moeilijker om in de wei te graven, in het zand. Voor klei moet je harder steken met de schop, maar het blijft aan elkaar hangen zodat er gemakkelijker mee te werken is dan met zand.

We zijn heel voorzichtig met dit graf omdat het zo dicht bij dat van Ivy May ligt. Het is vier meter diep, zodat Maude en haar pa erin passen als hun tijd is gekomen. We hebben extra stutten geplaatst en ervoor gezorgd dat het hout zo stevig mogelijk tegen het zand zit. Zand kan dodelijk zijn als het niet goed wordt aangepakt.

We hebben er een tijdje zand ingeschept en het graf is halfvol. Het regent pijpenstelen en we zijn helemaal nat. Dan valt de pet van onze pa erin.

'Ik pak 'm wel,' zeg ik tegen onze pa.

'Nee, jongen, ik pak 'm,' zegt hij en hij springt er zo in, alsof hij weer een jongen is. Komt precies boven op zijn pet terecht en lacht. 'Recht in de roos,' zegt hij. 'Ik krijg een pint van jou.'

'Waar wil jij een pint halen?' Ik lach. 'Je zult er een heel eind voor moeten lopen.'

De enige pub in de buurt waar grafdelvers drinken is de Duke of St. Albans, achter in Swain's Lane, en daar laten ze onze pa niet meer binnen omdat hij er eens zo dronken is geworden dat hij de waardin probeerde te kussen, en daarna een stoel kapotsloeg.

Op dat moment klinkt er een gekraak en de schoorpalen aan de kant van Ivy Mays graf begeven het. Dat gebeurt als de grond eromheen verschuift. Voordat onze pa iets anders kan doen dan het rondvliegende hout ontwijken stort die zijkant van het graf in.

Het gebeurt heel snel, maar zo lijkt het niet. Het is net of ik een boel tijd krijg om naar onze pa te kijken, die opkijkt net alsof hij boven zich gedonder hoort en wacht op de volgende bliksemflits. 'O,' hoor ik hem geloof ik zeggen.

Dan regent het zand op hem neer en het hoopt zich naast hem op tot aan zijn middel. Even lijkt er dan niets te gebeuren, maar lang kan het niet zijn, want Joe en ik hebben ons nog helemaal niet bewogen, geen woord gezegd, onze adem ingehouden.

Onze pa kijkt me even aan en lijkt naar me te lachen. Dan komt er een hoop zand omlaag die hem omkiepert.

'Man erin gevallen!' schreeuw ik zo hard ik kan door de regen. 'Man erin gevallen!' Dat zijn woorden die niemand op het kerkhof graag hoort.

Het zand beweegt zich nog alsof het leeft, maar onze pa kan ik niet meer zien. Net of hij er niet meer is. Joe en ik scharrelen om het graf, we passen op dat we niet nog meer zand losmaken. Het gat is nu voor driekwart vol. We hebben een dikke paal of een ladder nodig om over het gat te leggen, om ons houvast te geven vanwaar we kunnen werken, maar er ligt niks in de buurt. We hadden een ladder, maar iemand heeft die geleend.

Er is geen tijd om af te wachten als een man zo ligt bedolven. Als hij geen lucht krijgt is hij in een paar minuten dood. Ik spring in het gat, al mag ik dat eigenlijk niet, en kom op handen en voeten in het zand terecht. Ik kijk en kijk en dan zie ik het ding dat onze pa me heeft geleerd. Ik zie zijn vinger door het zand steken, alleen het topje dat heen en weer gaat. Hij heeft eraan gedacht zijn hand op te steken. Ik begin met mijn handen om de vinger heen te graven. Ik durf geen schop te gebruiken. Ik graaf zo heftig dat het zand vast komt te zitten onder mijn nagels, wat erg pijn doet.

'Volhouden, pa,' zeg ik onder het graven. 'We krijgen je eruit. Ik zie je vingers. We krijgen je eruit.'

Ik weet niet of hij me kan horen, maar als dat zo is voelt hij zich daardoor misschien beter.

Ik graaf en graaf, probeer zijn gezicht te vinden, en hoop dat hij zijn andere hand erop heeft gelegd. Er is geen tijd, niet eens tijd om op te kijken. Maar als ik op zou kijken weet ik dat ik Joe aan de rand van het graf zou zien staan, omlaag kijkend met zijn handen in zijn zij. Hij is een grote kerel en kan uren achter elkaar graven, maar hij is geen denker. Het fijnere werk doet hij niet. Hij kan daar maar beter blijven staan.

'Joe, begin te tellen,' zeg ik terwijl ik in het zand blijf klauwen. 'Begin bij tien en blijf tellen.' Ik schat dat ik tien seconden heb gegraven

'Tien,' zegt Joe. 'Elf, twaalf.'

Als hij aan tweehonderd komt, en ik heb pa's gezicht nog niet gevonden zal het te laat zijn.

'Tweeëndertig.'

'Vijfenzestig.'

'Honderdeenentwintig.'

Ik voel iets boven me en kijk omhoog. Er ligt nu een ladder over het graf. Als er nog meer zand omlaagkomt kan ik mijn handen opsteken en de sporten pakken zodat het me niet te grazen neemt. Dan springt er iemand in het graf naast me. Het is meneer Jackson. Hij steekt zijn armen breed uit en legt ze om de hoop zand die ik heb opgegraven. Ik dacht niet dat hij zo sterk zou zijn maar hij schuift de hoop opzij zodat ik meer ruimte krijg. Hij doet precies wat hij voor me moet doen, zonder dat ik het hoef te zeggen.

'Honderdachtenzeventig.'

Ik voel iets onder mijn vingers. Het is de andere hand van onze pa. Ik graaf om de hand heen en vind zijn hoofd, dan graaf ik eromheen en til zijn hand op zodat zijn mond en neus vrij zijn. Zijn ogen zijn gesloten en hij ziet bleek. Ik leg mijn oor tegen zijn neus maar ik voel geen adem kietelen.

Dan duwt maneer Jackson me opzij en legt zijn mond op die van onze pa alsof hij hem kust. Hij blaast een paar keer in zijn mond en dan zie ik de borst van onze pa op en neer gaan.

Ik kijk op. Om het graf heen, zwijgend en onbeweeglijk, staat een kring van mannen – andere gravers, tuinmannen, steenhouwers, zelfs mestjongens. Het heeft zich als een lopend vuurtje verspreid en iedereen is komen aanrennen. Ze hebben allemaal hun pet afgezet, zelfs in de stromende regen, en staan afwachtend te kijken.

'Joe is nog aan het tellen. 'Tweezesentwintig, tweezevenentwintig, tweeachtentwintig.'

'Stop maar met tellen, Joe,' zeg ik en ik veeg mijn gezicht af. 'Onze pa haalt adem.'

Joe houdt op. Alle mannen beginnen zich te bewegen, schuifelen met hun voeten, kuchen, praten zachtjes – alles wat ze hebben ingehouden terwijl ze stonden te wachten. Sommigen van hen mogen onze pa niet vanwege zijn liefde voor de fles, maar niemand ziet graag een man zo in een graf onder het zand liggen.

'Geef ons eens een schop, Joe,' zegt meneer Jackson. 'Er valt nog een hoop werk te doen.'

Ik heb nog nooit in een graf gestaan met meneer Jackson. Hij is niet zo handig met een schop als ik of andere gravers, maar hij wil per se bij me blijven totdat we onze pa eruit hebben. En hij zegt niet tegen de anderen dat ze weer aan het werk moeten gaan. Hij weet dat ze dit tot het einde toe willen meemaken.

Ik vind het fijn om naast hem te werken.

Het duurt lang voordat we onze pa onder het zand vandaan hebben gehaald. We moeten voorzichtig graven om hem geen pijn te doen. Een tijdje heeft hij zijn ogen dicht alsof hij slaapt, maar dan doet hij ze open. Ik begin met hem te praten onder het werken om hem niet bang te laten worden.

'We zijn je aan het uitgraven, pa,' zeg ik. 'De stutten zijn met jou in het graf gevallen. Maar je bedekte je gezicht zoals je me hebt geleerd, en nu is alles goed met je. We halen je in een minuutje eruit.'

Hij zegt niks, blijft alleen maar naar de lucht kijken, waar de regen uit gutst en die over zijn gezicht spoelt. Hij lijkt het niet te merken. Ik begin een slecht gevoel te krijgen, maar ik zeg er niets over omdat ik niemand aan het schrikken wil maken.

'Kijk eens,' zeg ik en ik probeer hem iets te laten zeggen. 'Kijk eens, meneer Jackson is aan het graven. Ik wed dat je nooit had gedacht dat de baas nog eens voor jou zou graven, hè?'

Onze pa zegt nog niks. Hij krijgt weer kleur op zijn wangen, maar ik mis nog iets in zijn ogen.

'Maar ik ben je nu nog een pint verschuldigd, pa,' zeg ik, wanhopig nu. 'Alleen zullen vandaag heel wat mannen jou op een pint tracteren. Ik wed dat ze je weer binnenlaten in de Duke of St. Albans. Misschien laat de waardin zich zelfs wel door jou kussen.'

'Laat hem maar, jongen,' zegt meneer Jackson heel zacht. 'Hij heeft net iets verschrikkelijks doorgemaakt. Er zal wat tijd voor nodig zijn om bij te komen.'

Daarom werken we door zonder te praten. Als onze pa eindelijk vrij is kijkt meneer Jackson of onze pa iets heeft gebroken. Daarna neemt hij onze pa in zijn armen en geeft hem door aan Joe. Joe legt hem in een kar die ze gebruiken om stenen te sjouwen en twee mannen trekken hem de heuvel af naar de poort. Meneer Jackson en ik klimmen uit het graf, allebei van onder tot boven onder de modder, en meneer Jackson loopt achter de kar aan. Ik sta daar en weet niet wat ik moet doen – het graf is nog niet gevuld en dat is ons werk. Maar dan komen er twee andere gravers aanstappen en pakken de schoppen. Ze zeggen niks, zij en Joe beginnen gewoon de rest van het graf vol te scheppen.

Ik loop achter meneer Jackson en de kar het pad af. Als ik hem inhaal wil ik iets zeggen om hem te bedanken, iets wat ons verbindt zodat hij me niet gewoon ziet als een van de gravers. Ik was dicht bij hem in Kitty Colemans graf en daar wil ik hem aan herinneren. Daarom zeg ik dat ik van hem en haar weet, zodat hij zich onze band zal herinneren en zal weten hoe dankbaar ik hem ben omdat hij onze pa heeft gered.

'Ik vind het erg van de baby, meneer,' zeg ik. 'Ik wed dat zij het ook erg vond. Ze was daarna nooit meer dezelfde, nietwaar?'

Hij draait zich om en kijkt me strak aan. 'Welke baby?' vraagt hij.

Dan besef ik dat hij het niet weet. Maar het is te laat om de woorden terug te nemen. Dus vertel ik het hem.

Mei 1910

LAVINIA WATERHOUSE

Het eerste wat ik dacht toen ik de klokken hoorde luiden was dat ze mama in haar delicate conditie zouden storen. Maar mama heeft de koning nooit zo gemogen als zijn moeder. Zijn dood is natuurlijk heel triest, en ik voel mee met die arme koningin Alexandra, maar het is niet hetzelfde als toen koningin Victoria stierf.

Ik gooide het raam open en leunde naar buiten. Het zou regenachtig of nevelig of mistig moeten zijn, maar natuurlijk was het dat niet; het was een prachtige meimorgen, zonnig en zacht. Het weer doet nooit wat het zou moeten doen.

Overal leken klokken te luiden. Het geluid was zo treurig dat ik een kruis sloeg. Toen verstijfde ik. Aan de overkant had Maude haar raam ook geopend en ze leunde naar buiten in haar witte nachtpon. Ze keek me recht aan en ze leek te glimlachen. Ik stapte bijna bij het raam weg, maar dat zou heel grof zijn, want ze had me al gezien. In plaats daarvan bleef ik staan waar ik was en ik was heel trots op mezelf – ik knikte tegen haar. Zij knikte terug.

We hebben in bijna twee jaar niet met elkaar gesproken, niet sinds de begrafenis van Ivy May. Het is verrassend gemakkelijk haar uit de weg te gaan. We gaan niet meer naar dezelfde school en als ik haar op straat tegenkwam draaide ik gewoon mijn hoofd om en deed alsof ik haar niet zag. Soms op het kerkhof als ik Ivy May ging bezoeken, zag ik Maude bij het graf van haar moeder en dan ben ik weggeslopen en wat gaan wandelen, totdat zij weg was.

Maar één keer stonden we op straat pal tegenover elkaar. Ik was met mama en zij met haar grootmoeder en ik kon haar dus onmogelijk vermijden. Maudes grootmoeder ging maar door met mama te condoleren en Maude en ik stonden daar naar onze schoenen te staren, we zeiden niets tegen elkaar. Het was allemaal heel gênant. Wel zag ik kans zo nu en dan naar haar op te kijken en ik zag dat ze haar haar nu elke dag opgestoken droeg en dat ze begonnen was een korset te dragen! Ik schrok zo dat ik iets wilde zeggen, maar dat kon ik natuurlijk niet. Later dwong ik mama direct een korset voor me te gaan kopen.

Ik heb nooit iets tegen mama gezegd over de ruzie met Maude. Ze weet dat we ruziegemaakt hebben, maar niet waarover – ze zou zich vernederd hebben gevoeld als ze wist dat het deels over haar ging. Ik weet dat ze Maude en mij dwaas vindt. Misschien zijn we dat ook. Ik zou het niet willen toegeven aan Maude, maar ik mis haar. Ik heb op Sainte Union nog niemand ontmoet die ook maar iets lijkt op de vriendin die Maude was. De meisjes zijn zelfs vrij lelijk tegen me geweest, ik denk, om eerlijk te zijn, omdat ik zoveel knapper ben dan zij. Het kan een last zijn een gezicht te hebben als het mijne – al wil ik het, goed beschouwd, liever houden.

Ik vermoed dat mijn knikje naar Maude betekent dat ik haar heb vergeven.

Nog in mijn kamerjas ging ik beneden ontbijten, met een passend bedroefd gezicht voor de koning. Maar mama scheen de klokken helemaal niet te horen. Ze is nu zo dik dat ze niet meer gemakkelijk aan tafel kan zitten en daarom zat ze een bord met marmeladetoast te eten op de chaise longue, terwijl papa haar de krant voorlas. Zelfs toen hij het nieuws voorlas zat mama stil te glimlachen en hield ze haar hand op haar buik.

'Wat een droevig nieuws,' zei ik terwijl ik beiden kuste.

'O, hallo, schat,' zei mama. 'Wil je het trappelen van de baby eens voelen?'

Nou ja, het was genoeg om me uit de kamer te doen vluchten. Het is één ding voor mama dat ze blij is met de baby, vooral op haar leeftijd, en het is goed dat ze weer wat kleur op haar wangen heeft. Maar ze schijnt Ivy May helemaal vergeten te zijn.

Maar papa lachte naar me alsof hij het begreep, voor hem bleef ik en ik zag kans een bord pap te eten, al had ik daar niet veel zin in.

Toen ik weer naar boven ging om me te kleden bleef ik lang voor mijn kleerkast staan en overlegde lange tijd wat ik moest dragen. Ik wist dat ik zwart moest dragen voor de koning, maar ik voelde me al slap worden als ik alleen maar naar dat oude merinosvod keek dat er hing. Als ik nu die prachtige zijden jurk van Jay's nog had zou ik die hebben gedragen, maar die had ik verbrand een jaar na de dood van Ivy May, omdat je niet wordt verondersteld rouwkleren te bewaren; ze zouden het noodlot in de verleiding kunnen brengen, waardoor je ze misschien opnieuw moest gebruiken.

Bovendien wilde ik mijn blauwe jurk waar ik dol op ben dragen. Die heeft een speciale betekenis: ik heb hem zo vaak mogelijk gedragen, vooral nu, vóór mama's bevalling. Ik wil een klein broertje. Ik weet dat het onnozel is, maar ik dacht dat blauw dragen zou helpen. Ik wil geen zusje meer, het zou te veel pijn doen en me eraan herinneren dat ik zo ellendig tekort ben geschoten ten aanzien van Ivy May. Ik had haar hand losgelaten.

Dus trok ik de blauwe jurk aan. Hij is in elk geval donkerblauw – donker genoeg om van een afstand voor zwart te worden versleten.

Wat zo triest is van vandaag is niet alleen dat de koning overleden is, maar dat zijn moeder er nu ook echt niet meer is. Als zij gestorven was zou ik geen moment hebben geaarzeld om zwart te dragen. De laatste tijd heb ik het gevoel gekregen dat ik de enige ben die nog aan haar denkt als een voorbeeld voor ons allen. Zelfs mama kijkt vooruit. Ik begin er genoeg van te krijgen tegen de stroom in te zwemmen.

MAUDE COLEMAN

Ik bleef in bed liggen en probeerde te raden welke klokken tot welke kerk behoorden: St. Mary's Brookfield boven op de ene heuvel, St. Michael's en St. Joseph's op de heuvel in Highgate, onze kerk, St. Anne's, onder aan de heuvel. Elke kerk luidde maar één diep klinkende klok en ofschoon ze allemaal een iets verschillende toonhoogte hadden en een heel klein beetje langzamer luidden, klonken ze toch allemaal hetzelfde.

Ik stak mijn hoofd uit het raam en zag Lavinia een kruis slaan in het hare. Meestal als ik haar ergens even zag – in haar tuin of op straat – ging er een schok door me heen alsof iemand me vanachter een duw had gegeven. Maar nu was het zo vreemd haar zo'n ongewoon gebaar te zien maken dat ik vergat van streek te raken toen ik haar zag. Ze moet op de Sainte Union geleerd hebben een kruis te slaan. Ik dacht eraan hoe ze jaren geleden bang was om naar het deel voor de andersdenkenden van het kerkhof te gaan, waar alle katholieken begraven liggen, en ik moest glimlachen. Gek, hoe de dingen kunnen veranderen.

Toen zag ze me, aarzelde even, en knikte om mijn glimlach te beantwoorden. Het was niet mijn bedoeling naar haar te lachen, maar toen ze eenmaal had geknikt meende ik ook te moeten knikken.

Daarop gingen we weg bij onze ramen en ik ging me aankleden. Ik aarzelde bij de jurken in mijn kleerkast. De zwarte zijden jurk hing er nog, maar die moest vermaakt worden omdat hij me niet meer paste; ik was wat dikker geworden sinds ik hem voor het laatst had gedragen en bovendien droeg ik een korset. Na mammies dood had ik bijna een jaar zwart gedragen, en voor het eerst had ik begrepen waarom van ons werd verwacht dat we in het zwart gekleed gingen: het is niet alleen dat de kleur een weerspiegeling is van de sombere stemming van de drager, maar ook dat men niet wil kiezen wat men moet dragen. Heel vaak werd ik 's morgens wakker en voelde ik me opgelucht dat ik niet hoefde te kiezen uit mijn jurken – de beslissing was al voor me genomen. Ik had geen zin een kleur te dragen of om me bezorgd te maken over mijn uiterlijk. Pas toen ik weer kleur wilde gaan dragen wist ik dat ik aan de beterende hand was.

Ik vroeg me af hoe het Lavinia verging met zo'n lange rouwperiode voor Ivy May – zes maanden voor een zusje, al denk ik dat ze deed zoals haar moeder en een jaar in de rouw bleef. Ik was benieuwd wat ze voor de koning zou dragen.

Ik bekeek mijn jurken opnieuw. Toen zag ik de duifgrijze jurk van mammie ertussen hangen en ik dacht dat ik die misschien aan kon. Het verbaast me nog steeds dat haar jurken mij nu passen. Grootmoeder keurt het af dat ik ze draag, maar sinds de beroerte heeft ze last met praten en het is me gelukt haar donkere blikken te vermijden.

Ik vermoed dat ze deels aan pappie denkt en ik probeer echt mammies jurken niet te dragen waar hij bij is. Ik kon hem nu in de tuin een sigaret zien roken – soms verbood mammie hem dat te doen omdat hij altijd zijn peuken in het gras gooit. Ik ging naar beneden in de grijze jurk en glipte naar buiten voordat hij me zag.

In Swain's Lane schreeuwden de krantenjongens over de dood van de koning, en in sommige winkels hingen al zwarte en paarse doeken, maar niemand schilderde zijn ijzerwerk zwart, zoals ze gedaan hadden na de dood van de koningin. Ze bleven staan om met elkaar te praten, niet met de zachte stemmen van rouwenden, maar opgewekt als ze over de koning spraken. Ik herinnerde me dat alles tot stilstand kwam toen de koningin stierf – niemand ging naar zijn werk, scholen waren dicht, winkels gesloten. We kregen gebrek aan brood en kolen. Maar nu had ik het gevoel dat dat niet zou gebeuren; de bakker zou zijn brood leveren, de melkboer zijn melk, de kolenboer zijn kolen. Het was zaterdag en als ik naar de Heath ging zou ik nog kinderen zien die hun vlieger oplieten.

Ik was van plan geweest een boek terug te brengen naar de bibliotheek, maar toen ik daar kwam was die dicht en er zat een briefje met het bericht van de dood van de koning op de deur geplakt. Sommigen hielden de traditie nog in ere. Ik keek naar de overkant naar de kerkhofpoort en dacht terug aan het witte doek die vanaf de bibliotheek op de begrafenisstoet was gevallen, en aan meneer Jackson en Caroline Black. Het leek heel lang geleden, en toch had ik het gevoel alsof ik mammie pas gisteren was kwijtgeraakt.

Omdat ik niet naar huis wilde gaan stak ik de straat over, ging de poort in en begon over het pad naar het hoofdgedeelte van het kerkhof te lopen. Halverwege de heuvel zat Simons vader op een platte grafzerk tegen een Keltisch kruis geleund. Hij had een hand op elke knie en staarde in de verte zoals oude mannen aan zee dat doen. In zijn ogen flitste het blauw van de hemel zodat het moeilijk te zien was waar hij naar keek. Ik wist niet zeker of hij me zag, maar bleef toch staan. 'Dag.'

Zijn ogen bewogen zich in het rond maar ze leken mij niet te zien. 'Dag,' zei hij.

'Wat zonde van de koning, nietwaar?' zei ik, met het idee dat ik een gesprek moest aanknopen.

'Zonde van de koning,' herhaalde Simons vader.

Ik had hem lange tijd niet gezien. Steeds als ik zocht op de plek waar Simon werkte, leek zijn vader niet met hem te graven, maar was hij weg om een ladder te halen, of een kruiwagen of een stuk touw. Een keer had ik hem slapend tegen een graf zien zitten, maar toen dacht ik dat hij zijn roes uitsliep.

'Weet u waar Simon is?' vroeg ik.

'Waar Simon is.'

Ik legde mijn hand op zijn schouder en keek hem diep in zijn ogen. Ofschoon ze mijn kant op keken, leken ze me niet te herkennen. Er mankeerde hem iets; het was duidelijk dat hij geen schop meer in de klei zou steken. Ik vroeg me af wat er met hem was gebeurd.

Ik kneep in zijn schouder. 'Laat maar. Het is fijn u weer eens gezien te hebben.'

'Fijn u gezien te hebben.'

Ik voelde tranen in mijn ogen en mijn neus prikken toen ik verder het pad afliep.

Ik probeerde weg te blijven van ons graf en dwaalde een tijdje over het kerkhof, kijkend naar de kruisen, kolommen, urnen en engelen, die stil glanzend in de zon stonden. Maar op de een of andere manier vond ik toch mijn weg daarheen.

Ze stond me al op te wachten. Toen ik haar in het begin zag dacht ik eerst dat ze een zwarte jurk droeg, maar toen ik dichterbij kwam besefte ik dat het blauw was – wat mammie had gedragen voor koningin Victoria en wat men toen verwerpelijk vond. Daar moest ik om lachen, maar toen Lavinia me vroeg waarom ik lachte was ik zo verstandig het haar niet te vertellen.

SIMON FIELD

Ze zitten ieder op hun eigen graf, zoals vroeger. Ik heb hen lange tijd niet samen gezien, al wilde geen van tweeën me zeggen wat er met de ander aan de hand was, telkens als ik een van hen alleen trof. Voor die meisjes is er in te weinig tijd te veel gebeurd.

Ze zien me niet – ik zit goed verstopt.

Ze zijn nu nog niet aan elkaar gewend; ze hebben elkaar geen arm gegeven en ze lachen niet, zoals ze vroeger deden. Ze zitten een eind uit elkaar beleefd met elkaar te praten. Ik hoor Maude vragen: 'Hoe is het met je moeder?'

Livy trekt een grappig gezicht. 'Mama kan nu elke dag een baby krijgen.'

Maude kijkt zo verbaasd dat ik bijna lach en mezelf verraad. 'Dat is fantastisch! Maar ik dacht... ik dacht dat zij te oud was om kinderen te krijgen. En na Ivy May...'

'Kennelijk niet.'

'Vind je het fijn?'

'Natuurlijk,' zegt Livy. 'Het leven gaat immers door.'

'Ja.'

Beiden kijken ze naar hun graven, naar de namen van Ivy May en Kitty Coleman.

'En jouw grootmoeder, hoe is het met haar?'

'Ze woont nog steeds bij ons. Een paar maanden geleden heeft ze een beroerte gehad en ze kan niet meer praten.'

'O, hemeltje.'

'Het is eigenlijk maar goed ook. Het is nu een stuk gemakkelijker om haar in huis te hebben.'

Ze giechelen alletwee, alsof Maude iets ondeugends heeft gezegd. Ik kom tevoorschijn vanachter een graf en schraap met mijn voet over het grindpad, zodat ze me kunnen horen. Beiden schrikken ze op. 'Dag,' zegt Maude en Livy zegt: 'Waar heb jij gezeten, ondeugende jongen?' net als vroeger. Ik ga op mijn hurken zitten bij het graf van onze opa tegenover hen, pak twee steentjes van het pad en wrijf die tussen mijn vingers.

'Hoe wist je dat wij hier waren?' vraagt Maude.

Ik haal mijn schouders op. 'Ik wist dat jullie beiden zouden komen. De koning is immers dood.'

'Lang leve de koning,' zeggen ze tegelijkertijd en ze lachen dan tegen elkaar.

'Is dat niet jammer?' zegt Livy. 'Als mama een jongen krijgt zal ze hem George moeten noemen. Ik vind Edward een veel leukere naam. Ik zou hem Teddy hebben genoemd. Georgie is lang niet zo leuk.'

Maude lacht. 'Ik heb jouw dwaze opmerkingen gemist.'

'Stil toch,' zegt Livy.

'Simon, ik heb net je vader gezien,' zegt Maude ineens.

Ik laat de steentjes weer op het pad vallen

'Wat is er met hem gebeurd?' vraagt ze heel zacht.

'Ongeluk.'

Maude zegt niks.

'Hij kwam onder het zand terecht. We hebben hem eruit gekregen, maar...' Ik haal mijn schouders weer op.

'Wat vind ik dat erg,' fluistert Maude.

'Ik ook,' zegt Livy daarna.

'Ik wil je iets vragen,' zeg ik tegen Livy.

Ze staart me aan. Ik wed dat ze denkt aan die kus in het graf van jaren geleden. Maar dat ga ik haar niet vragen.

'Je weet dat ik op alle graven hier een merkteken heb gezet. Voor zover ik weet op alle graven in de wei. Behalve het jouwe.' Met een rukje van mijn hoofd wijs ik de engel van de familie Waterhouse aan. 'Al die jaren terug zei je me dat ik het niet moest doen, na het overlijden van de koningin. Ik heb het dus niet gedaan. Maar nu wil ik het doen. Voor Ivy May. Ter herinnering aan dat ze daar ligt.'

'Wat, om eraan te denken dat ze niets anders is dan beenderen?' zegt Livy. 'Wat afschuwelijk!'

'Nee, dat is het niet. Het is om je eraan te herinneren dat ze nog hier is. Iets van haar rot natuurlijk, maar haar botten zullen hier honderden jaren liggen. Langer dan die stenen zelfs, wed ik. Langer dan mijn merkteken. Daar gaat het om, niet om het graf, maar om wat je erop zet.'

Maude kijkt me raar aan en ik kan merken dat zij al die jaren mijn schedel en knekels ook niet heeft begrepen, al is ze slimmer dan Livy.

Livy zwijgt een tijdje. Dan zegt ze: 'Goed dan.'

Ik sta op en ga met mijn zakmes achter de verhoging staan.

Terwijl ik daarachter het merkteken zit te krassen beginnen ze weer te praten.

'Het kan me niets schelen als Simon een teken zet op de engel,' zegt Livy. 'Ik heb hem altijd anders bekeken sinds hij gevallen is. Ik verwacht steeds dat hij opnieuw zal vallen. En ik kan nog steeds de breuk in de neus en de hals zien.'

'Ik heb ons graf nooit mooi gevonden,' zegt Maude. 'Ik kijk ernaar en niets ervan doet me aan mammie denken, ook al staat haar naam erop. Wist je dat ze gecremeerd wilde worden?'

'Wat, en in het columbarium gezet?' Livy klinkt geschrokken.

'Nee, ze wilde haar as verspreid hebben waar bloemen groeien. Dat zei ze. Maar pappie wilde het niet doen.'

'Dat geloof ik graag.'

'Het heeft altijd verkeerd aangevoeld om haar hier te begraven, maar er valt niets aan te doen. Zoals je al zei, het leven gaat verder.'

Ik maak het merkteken af en knip mijn mes dicht. Ik ben blij dat ik het heb gedaan, alsof ik eindelijk heb kunnen krabben aan jeuk op mijn rug. Ik ben het Ivy May lang verschuldigd geweest. Als ik weer tevoorschijn kom knik ik naar hen. 'Ik moet terug naar mijn werk. Joe zal zich afvragen waar ik zit.' Even ben ik stil. 'Komen jullie terug om met me te praten, allebei?'

'Natuurlijk,' zeggen ze.

Ik weet niet waarom ik dat vroeg, want ik weet wat ze zullen zeggen, en het is niet het antwoord dat ze gaven. Ze worden groot en ze spelen niet meer op het kerkhof. Maude heeft haar haar opgestoken en lijkt elke dag meer op haar moeder, en Livy is – nou ja, Livy. Die zal op haar achttiende met een militair trouwen, verwacht ik.

Ik steek mijn hand uit naar Maude. Ze kijkt verrast maar ze neemt hem aan.

'Tot ziens,' zeg ik. Zij weet waarom ik dat doe, want zij kent het echte antwoord ook. Ineens stapt ze op me af en kust me op mijn smerige wang. Livy springt op en kust de andere. Ze lachen, geven elkaar dan een arm en beginnen het pad naar de ingang af te lopen.

Achter het graf van Ivy May kreeg ik een idee. Toen ik naar Maude luisterde deed dat me denken aan het graf van haar moeder en aan hoe onze pa onder dat zand terechtkwam. Ik heb altijd gedacht dat het misschien een teken was dat ze daar niet in begraven wilde worden. Soms denk ik wel dat meneer Jackson hetzelfde dacht. Toen haar kist in het graf werd neergelaten, keek hij alsof er een mes in zijn buik werd gestoken.

Ik ga meneer Jackson zoeken. Hij zit in de portierswoning

met een familie te praten over een begrafenis, daarom wacht ik op de binnenplaats. Een rij mannen duwt kruiwagens naar de stortplaats. Het gaat hier steeds door, al sterft er een koning.

Als meneer Jackson zijn bezoekers uitlaat schraap ik mijn keel. 'Kan ik u even spreken, baas?'

'Wat is er, Simon?'

'Iets wat ik binnen moet zeggen. Waar niemand bij is.' Ik knik naar de kruiwagens.

Hij kijkt me verbaasd aan maar laat me in de portierswoning en doet de deur dicht. Hij gaat achter zijn bureau zitten en begint het register te ordenen waarin hij heeft geschreven en waarin de volgende begrafenis staat – datum, tijd, plaats, diepte en het monument.

Hij is goed voor me geweest, meneer Jackson. Hij klaagt nooit dat onze pa niet meer graaft. Hij betaalt hem zelfs hetzelfde als anders en geeft Joe en mij extra tijd om het af te maken. Sommige andere gravers zijn er niet gelukkig mee, maar meneer Jackson zegt dat ze hun mond moeten houden. Soms kijken ze naar onze pa en ik kan hen zien huiveren. 'Het had ons kunnen gebeuren,' fluisteren ze. Ze praten niet zoveel meer met mij en Joe. Alsof er een vloek op ons rust. Nou ja, ze zullen met mij moeten leven. Voor zover ik kan zien ga ik nergens heen. Behalve als er oorlog komt, wat volgens meneer Jackson misschien zal gebeuren. Dan zullen ze gravers nodig hebben.

'Wat wil je, Simon?' zegt meneer Jackson. Hij is nerveus over wat ik zou kunnen zeggen en vraagt zich af of ik hem misschien nog meer verrassingen ga bezorgen. Ik heb nog steeds spijt dat ik dat van Kitty's baby heb verteld.

Het is moeilijk onder woorden te brengen. 'Ik ben bij het graf van de Colemans geweest,' zeg ik ten slotte. 'Maude en Livy waren daar.'

Meneer Jackson houdt op het register te verschuiven en legt

zijn handen op het bureau.

'Maude had het erover dat haar moeder verbrand wilde worden, gecremeerd. En dat ze nu naar het graf kijkt en er niets van haar moeder in ziet, behalve haar naam.'

'Zei ze dat?'

'Ja. En ik dacht zo...'

'Jij denkt te veel.'

Bijna ga ik niet door omdat hij zo droevig klinkt. Maar iets over Kitty Coleman blijft een band vormen tussen hem en mij.

'Ik vind dat we er iets aan moeten doen,' zeg ik.

Meneer Jackson kijkt naar de deur alsof hij bang is dat er iemand binnen zal komen. Hij staat op en doet de deur op slot. 'Wat bedoel je?' vraagt hij.

Dus vertel ik hem mijn idee.

Een hele tijd zegt hij niks. Kijkt alleen naar zijn handen op het bureau. Dan balt hij zijn handen tot vuisten.

'De beenderen zijn een probleem,' zegt hij. 'We moeten het vuur lang genoeg heet houden. Speciale kolen misschien.' Hij zwijgt.

Ik zeg niks.

'Er zal wat tijd nodig zijn om het te organiseren.'

Ik knik. Tijd hebben we. Ik weet precies wanneer we het moeten doen: als iedereen de andere kant op kijkt.

GERTRUDE WATERHOUSE

Toen Livy binnenkwam zei ik niets over de blauwe jurk. Vanmorgen was het me ontgaan dat ze hem droeg. Ofschoon het me verraste zag ik kans dat te verbergen achter mijn geklets over de baby. Ik hoop dat ze tenminste zwart draagt op de dag van de begrafenis van de koning. Ze zeggen dat die over veertien dagen zal zijn.

Maar eigenlijk is het misschien wel zo goed dat Livy blauw draagt. Ik geloof niet dat ik haar dramatische gedoe over in de rouw zijn kan verdragen. Die lieve Ivy May zou het vreselijk gevonden hebben zoals haar zusje over haar tekeer is gegaan, terwijl ze dat nooit had gedaan toen Ivy May nog leefde.

Ik mis haar echt. Dat gevoel gaat nooit weg, heb ik ondervonden, en mijn schuldgevoel ook niet, al ben ik er ten slotte in geslaagd het mezelf te vergeven.

Misschien ben ik niet eerlijk wat Livy betreft. Ze is dit laatste jaar echt ouder geworden. En ze zei dat ze het met Maude had goedgemaakt. Daar ben ik blij om. Ze hebben elkaar nodig, die meisjes, wat er in het verleden ook is gebeurd.

'Weet je, mama,' zei Livy zojuist, 'de Colemans hebben elektriciteit laten aanleggen. Ik vind echt dat wij dat ook moeten hebben.'

Maar ik luisterde niet. Ik had iets in mijn buik gevoeld wat geen trappelen was. Het begon.

ALBERT WATERHOUSE

Ik moet toegeven dat ik er een paar ophad. Met al dat toasten op Trudy's gezondheid en het verscheiden van de oude koning en de gezondheid van de nieuwe koning waren het heel wat pinten. En ik was daar sinds een uur of drie 's middags toen Trudy begon. Tegen de tijd dat Richard binnenkwam moest ik min of meer tegen de bar van de Bull and Last leunen.

Hij leek het niet te merken. Kocht een pint voor me toen hij hoorde dat Trudy in het kraambed lag, praatte over cricket en welke wedstrijden afgelast zouden worden vanwege de koning.

Toen vroeg hij me iets vreemds. In feite vraag ik me nog steeds af of hij het zei of dat het de pinten waren die ik in mijn oor hoorde. 'Maude wil naar de universiteit,' zei hij.

'Zeg dat nog eens?'

'Ze kwam vandaag bij me en zei dat ze naar een kostschool wil gaan die haar zal voorbereiden op de toelatingsexamens voor Cambridge. Wat vind jij dat ik moet doen?'

Ik lachte bijna; Richard heeft altijd moeite met zijn vrouwvolk. Maar ja, met die vrouwen van Coleman weet je nooit wat er gaat gebeuren. Ik dacht aan Kitty Coleman, die me een arm gaf die keer dat ik haar naar huis bracht, en haar enkels die slank en aantrekkelijk onder haar rok flitsten op haar fiets, en ik kon niet lachen. Ik kon wel huilen. Ik bekeek het schuim op mijn bier. 'Laat haar maar,' zei ik.

Op dat moment kwam onze werkster binnenhollen en zei dat ik een zoon heb. ‘Godzijdank!’ riep ik en ik gaf de hele pub een rondje.

RICHARD COLEMAN

Maude kwam vanavond bij me in de tuin zitten terwijl ik een sigaret rookte. Toen riep mevrouw Baker haar en ze ging naar binnen en liet me alleen. Ik keek naar de rook die door mijn vingers kringelde en dacht: ik zal haar missen als ze weg is.

DOROTHY BAKER

Ik had niet zo lang moeten wachten met het juffrouw Maude te vertellen. Maar ik kon het immers niet weten? Ik probeer me met mijn eigen zaken te bemoeien. En ik kon niets zeggen zolang haar grootmoeder het huishouden bestierde. Die beroerte is het grootste geluk bij een ongeluk geweest. Ik kon juffrouw Maude zien opbloeien toen haar grootmoeder eindelijk de mond was gesnoerd.

Ik zei niets direct na de beroerte; het zou verkeerd zijn geweest na zoiets kwaad te spreken over een vrouw. Maar onlangs kreeg ik een brief die ik naar Jenny had gestuurd terug met de aantekening 'Vertrokken'. Natuurlijk was de brief opengesneden en waren de munten gestolen. Ik had haar een paar keer een shilling of zo gestuurd als ik die kon missen, in een poging haar te helpen. Ik wist dat ze op het randje leefden, zij en haar moeder en Jack. Nu zag het ernaar uit dat ze de huur niet meer konden opbrengen.

Later, toen ik met juffrouw Maude de weekmenu's doorliep, besloot ik iets te zeggen. Misschien had ik dat meer terloops moeten doen, maar zo ben ik niet. We waren klaar en ik deed het boek dicht en zei: 'Er is iets mis met Jenny.'

Juffrouw Maude ging recht zitten. 'Wat is er aan de hand?' We praten niet over Jenny en daarom verraste het haar.

'Ik heb een brief teruggekregen; ze zijn verhuisd.'

‘Dat wil nog niet zeggen dat er iets mis is. Misschien zijn ze naar een beter huis vertrokken.’

‘Dat zou ze me hebben verteld. En ze hebben het geld niet voor een beter huis.’ Ik had juffrouw Maude nooit verteld hoe beroerd ze ervoor stonden. ‘Het komt erop neer dat Jenny het moeilijk heeft gehad vanaf het moment dat je grootmoeder haar zonder getuigschrift wegstuurde.’

‘Zonder getuigschrift?’ herhaalde juffrouw Maude alsof ze het niet begreep.

‘Zonder getuigschrift kan ze geen andere baan als dienstbode krijgen. Ze heeft in een pub gewerkt en haar mam wast thuis voor anderen. Ze hebben nauwelijks een shilling in huis.’

Juffrouw Maude begon heel verschrikt te kijken. Zij weet nog niet veel van wat er in de wereld omgaat. Ik durfde haar niet te vertellen wat ervan kan komen als je in een pub werkt.

Toen verraste ze me. ‘Hoe kan ze zo een zoontje grootbrengen?’

Tot op dat moment was ik niet zeker of zij wist dat Jack Jenny’s zoon was. Maar ze zei het rustig, alsof ze haar niet veroordeelde.

Ik schokschouderde.

‘We moeten haar zoeken,’ zei juffrouw Maude. ‘Dat is het minste wat we kunnen doen.’

‘Hoe? Dit is een grote stad – ze kan overal wel zitten. De buren wilden de postbode geen nazendadres geven, als ze dat al wisten.’

‘Simon zal haar wel vinden,’ zei juffrouw Maude resoluut. ‘Hij kent haar. Hij zal haar vinden.’

Ik wilde iets zeggen maar ze had zo veel vertrouwen in de jongen dat ik het hart niet had haar hoop de grond in te boren.

‘Stel dat we haar vinden,’ zei ik. ‘Wat doen we dan? We kunnen haar hier niet hebben nu de nieuwe dienstbode haar werk goed doet. Het zou niet eerlijk zijn tegenover haar.'

'Ik zal zelf een getuigschrift schrijven voor het nieuwe meisje.'

Het is verrassend hoe snel een meisje kan opgroeien als ze haar zinnen erop heeft gezet.

SIMON FIELD

Als Maude me zegt dat ik Jenny moet vinden vraag ik niet waarom. Soms hoef ik niet te weten waarom. Het is niet zo moeilijk – het blijkt dat ze bij ons ma is geweest en die zegt me waar ze is. Als ik daarheen ga, zitten zij en haar mam en Jack in een piepklein kamertje met nog geen kruimel brood in huis; Jenny heeft al haar geld uitgegeven aan wat ons ma voor haar kon doen.

Ik neem hen mee naar een café en geef hun te eten – Maude heeft me er geld voor gegeven. De jongen en zijn opoe eten alles op wat er is, maar Jenny eet met lange tanden. Ze ziet grauw.

'Ik voel me niet lekker,' zegt ze.

'Dat gaat wel over,' zeg ik, zoals ons ma altijd zegt als er een vrouw bij haar is geweest. Een paar jaar geleden wilde Jenny niks te maken hebben met wat ons ma voor vrouwen doet, maar de zaken liggen nu anders voor haar. Ze weet wat het is als je een kind hebt dat niet genoeg te eten krijgt. Dan verandert iedereen van gedachten over het op de wereld zetten van nog een mond die je niet te eten kunt geven.

Maar ik zeg niks. Jenny heeft mij niet nodig om haar eraan te herinneren hoe de dingen veranderen. Ik hou mijn mond en krijg haar zover dat ze wat soep neemt.

Ik denk dat ik haar net op tijd heb gevonden.

LAVINIA WATERHOUSE

Och, ik weet het niet. Ik weet echt niet wat ik ervan moet denken. Maude heeft vaak gezegd dat ik moet proberen wat ruimdenkender te zijn, en ik neem aan dat dit een van die momenten is dat ik het zou moeten proberen. Nu heb ik twee geheimen die ik voor haar verborgen moet houden.

Ik ben natuurlijk net teruggekomen van het kerkhof. Ons leven lijkt zich daaromheen af te spelen. Ik was er in m'n eentje naartoe gegaan om ons graf te bezoeken. Dat wilde ik, vlak voor de begrafenis van de koning. Mama kon natuurlijk niet meekomen want ze ligt nog op bed, met de kleine Georgie naast zich. Toen ik wegging sliepen ze beiden, wat goed is omdat ik haar anders niet alleen wilde laten. Elizabeth is er, maar ik vertrouw haar niet met Georgie, ik weet zeker dat ze hem op zijn hoofd zou laten vallen. Papa is op kantoor, al zei hij dat het daar deze week erg saai en stil zou zijn, iedereen met een lang gezicht en met heel weinig te doen, wachtend tot de koning begraven is.

Ik had Maude kunnen vragen met me mee te gaan, maar we zijn gisteren al de hele dag samen geweest, in de rij in Whitehall om de koning opgebaard te zien liggen, en ik was nogal blij dat ik nu alleen was.

Ik ging naar ons graf en legde er een vers boeketje voor Ivy May op en wiedde wat onkruid – ook rond het graf van de Colemans, want er moest naar gekeken worden. De Colemans zijn vrij laks in dat opzicht. En toen ging ik er gewoon zitten. Het was een heerlijke, zonnige, stille middag. Ik kon gewoon het gras en de bloemen en de bomen om me heen voelen groeien. Ik dacht na over de nieuwe koning – koning George de Vijfde. Ik zei het zelfs een paar keer hardop. Het is nu gemakkelijker hem te accepteren, nu ik een broertje heb dat naar hem is genoemd.

Toen kreeg ik het idee om alle engelen te gaan bezoeken. Het was zo lang geleden dat ik ze allemaal had gezien. Ik begon natuurlijk met de onze en liep rond en telde ze. Er zijn er nu veel meer dan eenendertig, maar ik zocht alleen naar de oude van vroeger. Het was alsof ik oude vrienden begroette. Ik kwam aan de dertig maar kon onmogelijk de eenendertigste engel vinden. Ik was ver op het kerkhof, helemaal in de noordwestelijke hoek, toen ik de bel voor sluitingstijd hoorde luiden. Toen herinnerde ik me dat ik de slapende engel was vergeten en ik haastte me erheen door de Egyptische Avenue. Pas toen ik die in slaap had gezien, met de vleugels netjes opgevouwen, meende ik dat ik kon gaan.

Ik holde over het pad naar de ingang. Het was echt heel erg laat, er was niemand meer en ik maakte me zorgen dat de poort al gesloten was. Toch rende ik heel even de wei op om afscheid te nemen van Ivy May.

En daar zag ik Simon en Joe en meneer Jackson samen bezig de granietplaat op het graf van de Colemans open te wrikken! Ik schrok zo dat ik daar gewoon met open mond bleef staan. Een afschuwelijk moment lang dacht ik dat ik Maude ook verloren had. Toen zag Simon me en hij liet zijn schop vallen, en Joe en meneer Jackson hielden ook op. Ze keken allemaal zo schuldig dat ik wist dat er iets mis was.

'Wat zijn jullie in hemelsnaam aan het doen?' riep ik.

Simon keek naar meneer Jackson en zei toen: 'Livy, kom eens even hier zitten.' Hij gebaarde naar de voet van mijn engel. Ik ging voorzichtig zitten; ik heb hem nooit vertrouwd sinds hij gevallen is.

Simon legde alles uit. Eerst kon ik geen woord uitbrengen. Maar toen ik weer op adem kwam zei ik: 'Het is mijn christenplicht jullie eraan te herinneren dat wat jullie aan het doen zijn zowel illegaal als immoreel is.'

'Dat weten we,' antwoordde de ondeugende jongen – hij zei het bijna opgewekt!

'Het is wat zij wilde,' zei meneer Jackson zacht.

Ik keek hem aan. Ik kon ervoor zorgen dat hij zijn baan kwijtraakte, en Simon ook. Als ik het tegen de politie zei kon ik zijn leven ruïneren, en dat van Simon ook, en Maude en haar vader vreselijk van streek maken. Dat kon ik.

Maar daarmee kreeg ik Ivy May niet terug.

Ze keken angstig naar me, alsof ze wisten wat ik overdacht.

'Ga je het tegen Maude zeggen?' vroeg ik.

'Als de tijd er rijp voor is,' zei meneer Jackson.

Ik liet hen nog wat langer wachten. Het was heel stil op het kerkhof, alsof alle graven wachtten op een antwoord.

'Ik zal het tegen niemand zeggen,' zei ik ten slotte.

'Je weet het zeker, Livy?' zei Simon.

'Denk je dat ik geen geheim kan bewaren? Ik heb niet aan Maude verteld wat er met haar moeder is gebeurd, weet je, over de baby. Dat geheim heb ik bewaard.'

Meneer Jackson schrok en bloosde. Ik keek hem aan en, nadat jaren achtereen de puzzel in mijn gedachten onafgemaakt was, kon ik hem eindelijk in het verhaal zijn plaats laten innemen naast Kitty. Tot mijn grote verrassing voelde ik medelijden met hem.

Nog een geheim. Maar ik zou het niet verklappen. Ik liet hen hun gang gaan bij hun ijselijke taak, holde naar huis en probeerde er niet meer aan te denken.

Zo moeilijk was dat niet: toen ik eenmaal binnen was en mijn kleine broertje in mijn armen hield, merkte ik dat het heel gemakkelijk was alles te vergeten, behalve zijn lieve gezichtje.

MAUDE COLEMAN

Het was ver na middernacht toen pappie en ik boven op Parliament Hill kwamen. We waren naar het nieuwe observatorium van de Hampstead Scientific Society bij Whitestone Pond geweest om naar de komeet van Halley te kijken en liepen over de Heath naar ons huis.

Het kijken was teleurstellend geweest; de opkomende maan scheen zo helder dat de komeet vrij vaag was, al was zijn lange, gebogen staart nog heel spectaculair. Maar pappie is dol op het observatorium – hij heeft zo hard campagne gevoerd om het gebouwd te krijgen – en ik wilde zijn avond niet bederven door over de maan te klagen. Ik was een van de weinige dames die erbij waren en hield me muisstil.

Maar nu, met de maan lager aan de hemel, was de komeet beter zichtbaar en ik voelde me meer ontspannen dan ik in de koepel was geweest met zijn nauwe spleet van de hemel, vol mannen die cognac dronken en sigaren rookten. Er stonden nog een heleboel mensen op de heuvel naar de komeet te kijken. Iemand speelde zelfs 'A Little of What You Fancy' op een accordeon, al danste er niemand – over een paar uur zou de koning immers begraven worden. Het was vreemd dat de komeet aan de hemel stond op de avond voor zijn begrafenis. Van zoiets zou Lavinia heel wat maken, maar ik wist dat het slechts toeval was, en toevalligheden kunnen vaak worden verklaard.

'Kom, Maude, laten we naar huis gaan,' zei pappie en hij knipte een sigarettenpeuk in het gras.

Vanuit mijn ooghoek zag iets opvlammen. Ik keek over de volgende heuvel in de richting van Highgate en zag een enorm vuur branden dat de bomen eromheen deed oplichten. Tussen de dansende takken door dacht ik de Libanese ceder op het kerkhof te zien.

Dat vuur was zeker niet toevallig – iemand had het waarschijnlijk ontstoken voor de koning. Ik glimlachte. Ik ben dol op vuur. Bijna had ik het gevoel dat het ook voor mij brandde.

In het donker vóór me liep pappie de heuvel af en verween uit het zicht, maar ik bleef wat langer en mijn ogen flitsten heen en weer tussen de komeet en de vlammen.

SIMON FIELD

Het duurt een hele tijd. We zijn er de hele nacht. Hij had gelijk over de beenderen.

Daarna, als de zon opkomt, halen we een paar emmers en vullen die met zand. We mengen er de as door en strooien die overal op de wei. Meneer Jackson is van plan daar veldbloemen te laten groeien, zoals zij wilde. Dat zal iets anders zijn dan al die bloemperken en aangeharkte paden.

Ik heb nog wat over in een emmer en ik loop naar de rozenstruik van onze opa en gooi de rest daar neer. Op die manier zal ik altijd weten waar er iets van haar is, als Maude het ooit vraagt. Bovendien is beendermeel goed voor rozen.

DANKBETUIGING

De dankbetuiging is het enige deel van een roman waaruit de 'normale' stem van de auteur klinkt. Daarom lees ik die altijd, op zoek naar aanwijzingen die hun licht laten vallen op schrijvers en hun werkmethoden en leven, en ook hun connecties met het dagelijks bestaan. Ik vermoed dat sommige gecodeerd zijn. Deze dankbetuiging heeft echter, helaas, geen verborgen betekenis – het is niet meer dan een alledaagse stem die dank wil uitspreken voor hulp in allerlei vormen.

Soms vraag ik me weleens af of dankbetuigingen eigenlijk nodig zijn, of dat ze de illusie verstoren dat boeken, compleet en al, oprijzen uit de gedachten van een schrijver. Maar boeken komen nergens vandaan. Andere boeken en andere mensen dragen er op allerlei manieren toe bij. De meeste steun heb ik gehad aan *The Victorian Celebration of Death* van James Steven Curl (Stroud: Sutton Publishing, 2000), *Death in the Victorian Family* van Pat Jalland (Oxford: Oxford University Press, 1996), *Death, Heaven and the Victorians* van John Morley (Londen: Studio Vista, 1971) en mijn favoriete boek: *On the Laying Out, Planting and Managing of Cemeteries, and on the Improvement of Churchyards* van J.C. Loudon (1843; facsimile-uitgave, Redhill, Surrey: Ivelet Books, 1981).

Het is het voorrecht van een romanschrijfster te kunnen verzinnen wat ze wil, zelfs wanneer er in het verhaal echte mensen en plaatsen voorkomen. Het kerkhof in dit boek bestaat uit veel feiten en nogal wat fictie – een mengsel van concrete bijzonderheden en ongebreidelde fantasie, zonder dat het ontward hoeft te worden. Er bestaat weliswaar een echt kerkhof waar dit boek speelt, maar ik heb niet geprobeerd het heel nauwkeurig te reconstrueren; het is meer een gemoedstoestand, vol verzonnen personages, zonder dat een gelijkenis is nagestreefd.

Op dezelfde manier heb ik gespeeld met een paar details in de geschiedenis van de suffragettes, om hen in het verhaal in te passen. Ik heb de vrijheid genomen Emmeline Pankhurst woorden in de mond te leggen die ze in werkelijkheid niet heeft gesproken, maar ik vertrouw erop dat ik me aan de geest van haar vele toespraken heb gehouden. Bovendien, Jeanne d'Arc en Robin Hood hebben inderdaad in een optocht gelopen zoals ik beschreven heb, maar het was niet de betoging in Hyde Park. Gail Cameron van de Suffragette Fellowship Collection van het Museum of London is heel behulpzaam geweest door me op nuttige bronnen te wijzen.

Ten slotte gaat mijn dank uit naar mijn vier helpers – Carole Baron, Jonny Geller, Deborah Schneider en Susan Watt – die me trouw terzijde hebben gestaan als ik wankelde.